Fonctions et Macros Excel 2002 2003

FIRST
> Interactive

Jean-François Sehan

Poche Micro Fonctions et Macros Excel

27, rue Cassette
75006 PARIS – France
Tél. 01 45 49 60 00
Fax 01 45 49 60 01
E-mail : firstinfo@efirst.com
Internet : www.efirst.com

ISBN : 2-84427-706-3
Dépôt légal : 1er trimestre 2005
Imprimé en France

Mise en page : MADmac

Table des matières

Utiliser les fonctions

Macros et Visual Basic

Chapitre 13 Créer et utiliser des macros

Chapitre 14 Objets, propriétés et méthodes

Chapitre 15 Le langage Visual Basic

Présentation

Ce « Poche Micro » consacré aux fonctions d'Excel et au langage Visual Basic est un guide complet pour exploiter les performances de votre tableur.

Nombre d'utilisateurs se limitent à quelques fonctions comme les sommes ou les moyennes, alors qu'Excel propose des centaines d'autres fonctions dans les domaines les plus variés comme les mathématiques, les finances ou les bases de données.

Si Excel propose des fonctions prêtes à l'emploi, il intègre aussi un puissant langage de programmation qui permet de créer des macros et de nouvelles fonctions.

À qui est destiné ce « Poche Micro » ?

Ce livre a pour but de vous faire découvrir la majorité des fonctions disponibles dans Excel. Chaque fonction est étudiée en détails et propose un exemple simple mais concret d'utilisation pour vos feuilles de calcul. Pour les fonctions plus complexes, des exemples avancés vous sont aussi proposés.

Cet ouvrage s'adresse donc aussi bien aux utilisateurs débutants qu'aux initiés soucieux d'une plus grande maîtrise de leur logiciel.

La partie programmation s'attache dans un premier temps à l'enregistrement des macros et à leur utilisation dans les feuilles de calcul. Ce livre aborde ensuite les éléments de base à connaître pour créer vos propres fonctions.

Dans un souci pédagogique, toutes les actions à réaliser sont décrites étape par étape, et, quand cela est nécessaire, complétées par des copies d'écran. De plus, des paragraphes spécifiques vous fournissent des informations sur les termes employés, des conseils d'utilisation ou des astuces pour aller plus loin.

Contenu de ce « Poche Micro »

Ce livre est divisé en trois parties contenant chacune trois à neuf chapitres.

Partie I – Introduction aux fonctions

Cette première partie présente l'essentiel de ce qu'il est nécessaire de connaître pour utiliser sereinement les fonctions d'Excel.

Le *chapitre 1* propose d'analyser tous les éléments qui composent une formule : opérateurs, références des cellules, fonctions, arguments, *etc.*

Le *chapitre 2* traite de l'édition et de la modification des formules, mais aussi leur affichage, leur conversion, ainsi que la gestion des erreurs.

Cette partie s'achève, avec le *chapitre 3*, sur la gestion des noms dans les formules, les constantes et les formules nommées.

Partie II – Utiliser les fonctions

Cette partie importante de ce livre propose d'étudier thème par thème les principales fonctions d'Excel.

Le *chapitre 4* présente les fonctions mathématiques, trigonométriques, de conversion et d'arrondi, ainsi que des exemples de calcul de surface et de volume.

Le *chapitre 5* est consacré aux fonctions de texte, pour manipuler, rechercher et convertir des chaînes de caractères.

Le *chapitre 6* vous explique toutes les possibilités des fonctions de date et d'heure.

Le *chapitre 7* traite de la partie financière. En plus d'une étude approfondie des fonctions, il propose des exemples concrets pour calculer des prêts et des placements.

Le *chapitre 8* est réservé à l'étude des fonctions pour la gestion des bases de données et des listes.

Le *chapitre 9* vous apprend à utiliser les fonctions de comptage et de décision.

Avec le *chapitre 10*, nous abordons les fonctions de recherche et de référence.

Le *chapitre 11* vous explique les fonctions d'information et de logique.

Si vous n'avez pas trouvé de fonction adaptée, le *chapitre 12*, dernier de cette partie, vous apprendra à résoudre des problèmes avec le solveur.

Partie III – Macros et Visual Basic

Cette dernière partie est consacrée à l'enregistrement et l'utilisation de macros, ainsi qu'à la création de fonction personnalisées.

Après une présentation de l'objectif des macros, le *chapitre 13* vous dévoilera toutes les possibilités pour les utiliser à partir de vos classeurs.

Le *chapitre 14* vous permettra de découvrir les objets d'Excel, ainsi que le fonctionnement des méthodes et des propriétés.

Dans le *chapitre 15*, vous trouverez l'essentiel pour programmer dans Visual Basic : procédures, variables, instructions de décision et de boucle, mais aussi la gestion des erreurs d'exécution.

Enfin, le *chapitre 16* traite de la création de fonctions personnalisées et de leur utilisation dans les feuilles de calcul.

Annexes

En fin d'ouvrage, l'*annexe A* répertorie par ordre alphabétique les principales fonctions d'Excel assorties d'une description succincte. L'*annexe B* propose les principaux raccourcis clavier d'Excel et de Visual Basic.

Conventions

Ce « Poche Micro » est agrémenté de paragraphes spécifiques fournissant des informations complémentaires :

Note Informations complémentaires en relation avec le sujet traité.

Conseil Recommandations sur l'utilisation d'une étape.

Astuce Solutions pour aller plus loin sur le sujet traité.

Définition Explicitations et clarifications relatives à un terme technique.

Attention ! Mises en garde à lire attentivement pour éviter les fausses manœuvres.

Bonne lecture !

Partie I

Introduction aux fonctions

Chapitre 1

Rappels sur les formules et les fonctions

Ce premier chapitre a pour but de vous faire découvrir tous les éléments qui composent les formules et les fonctions d'Excel. Vous y trouverez des explications pour comprendre leurs rôles, l'accès aux cellules et l'utilisation des arguments. Des conseils vous permettront de mieux appréhender les chapitres suivants de ce livre.

Dans ce chapitre

- Formules
- Opérateurs
- Références des cellules
- Fonctions
- Arguments

Qu'est-ce qu'une formule ?

Une formule représente un ensemble d'opérations que l'on peut effectuer dans les cellules d'une feuille de calcul. Dès que vous tapez le signe égale dans une cellule, Excel considère que vous saisissez une formule.

Astuce Vous pouvez remplacer le signe égale par les signes plus (+) ou moins (–). Cette solution est très pratique si vous voulez saisir un calcul à partir du pavé numérique, ce dernier ne proposant pas la touche égale. La formule suivante est donc acceptée par Excel : +13*27. Le signe plus est alors automatiquement transformé en signe égale. Dans certains cas, le signe plus est conservé et le signe égale est ajouté. C'est le cas par exemple pour la saisie suivante : +RACINE(9). La formule est alors remplacée par =+RACINE(9). Dans tous les cas le signe moins est conservé.

Éléments d'une formule

Après le signe égale, une formule est composée de cinq types d'éléments :

- Opérateurs : ils permettent d'appliquer des opérations entre des valeurs (addition, soustraction, multiplication, *etc.*).
- Valeurs numériques et chaînes de caractères : ce sont des valeurs littérales sous forme de nombres ou de caractères.
- Références de cellules : elles désignent d'autres cellules contenant des valeurs numériques ou des chaînes de caractères.
- Parenthèses : elles contrôlent l'ordre d'évaluation des calculs. Par exemple, la formule =(2*3)+4 retourne 10, alors que la formule 2*(3+4) retourne 14.
- Fonctions : elles permettent d'effectuer des opérations plus sophistiquées que celles permises par les opérateurs habituels.

C'est l'ensemble de ces éléments qui constitue les formules.

Opérateurs des formules

Les opérateurs sont des symboles qui représentent des opérations. Ils sont les éléments de base des formules. Le tableau 1-1 donne la liste de ceux utilisés par Excel.

Opérateur	Opération
+	Addition
–	Soustraction
*	Multiplication
/	Division
^	Élévation à une puissance
%	Pourcentage
&	Addition de chaînes de caractères (concaténation)

Tableau 1-1 Opérateurs de calcul.

Excel utilise aussi des opérateurs de comparaison dans les formules et dans certaines fonctions. Vous trouverez ces opérateurs dans le tableau 1-2.

Opérateur	Comparaison
=	Égal à
>	Supérieur à
<	Inférieur à
>=	Supérieur ou égal à
<=	Inférieur ou égal à
<>	Différent de

Tableau 1-2 Opérateurs de comparaison.

Excel utilise une troisième catégorie d'opérateurs, appelés opérateurs de référence. Ils permettent d'accéder à des références de plusieurs cellules (tableau 1-3).

Opérateur	Référence
:	Plages de cellules
;	Union de plusieurs cellules ou plages de cellules
espace	Intersection de deux plages de cellules

Tableau 1-3 Opérateurs de référence.

Valeurs littérales

Les valeurs littérales sont des nombres et des caractères textuels incorporés dans les formules. Notez qu'il n'est pas nécessaire de les faire précéder du signe égale si elles sont seules. Pour ce dernier cas, il ne s'agit pas d'une formule mais d'une simple valeur.

Par défaut, Excel aligne les nombres sur la droite et les chaînes de caractères sur la gauche. Un nombre s'aligne à gauche s'il est mal saisi. Excel le considère alors comme un texte. C'est le cas s'il contient un espace, ou plus fréquemment un point à la place d'une virgule comme séparateur des décimales.

Références des cellules

Dans les formules, on utilise des références à d'autres cellules. Les références se présentent sous quatre formes.

Références à une cellule

C'est la référence la plus simple. Elle est composée de la lettre de la colonne et du numéro de la ligne :

```
= A1
```

Références à une plage de cellules

Une plage de cellules est un ensemble de cellules délimité par la référence de la cellule en haut à gauche et la référence de la

cellule en bas à droite. Ces deux références sont séparées par le signe deux-points :

```
= SOMME(A1:B2)
```

Dans cet exemple, la plage A1:B2 est composée de quatre cellules : A1, A2, B1 et B2.

Références à une union de cellules ou plage de cellules

Pour faire référence à plusieurs cellules ou plages de cellules, il suffit de séparer les références par des points-virgules :

```
= SOMME(A1;B2:C3;D1)
```

Dans cet exemple, on fait référence à six cellules : A1, B2, B3, C2, C3 et D1.

Références à une intersection de plage de cellules

Une intersection ne fait référence qu'aux cellules communes à deux plages. Ces dernières sont séparées par un espace :

```
= SOMME(A1:B2 B2:C3)
```

Dans cet exemple, la référence est limitée à la cellule B2 qui est la seule cellule commune à la plage A1:B2 et à la plage B2:C3.

Références à des colonnes

Il est parfois intéressant de faire référence à des colonnes ou des lignes complètes quand le nombre de valeurs à traiter est fréquemment modifié. Les exemples ci-après effectuent la somme de toutes les valeurs de la colonne A et de la ligne 1 :

```
= SOMME(A:A)
= SOMME(1:1)
```

Références à d'autres feuilles

Il est tout à fait possible d'utiliser des cellules ou des plages de cellules situées dans une autre feuille de calcul. Il suffit pour cela de faire précéder les références habituelles par le nom de la feuille suivi d'un point d'exclamation :

```
= SOMME(Feuil2!A1:A3)
```

Dans cet exemple, on effectue la somme des cellules A1:A3 de la feuille de calcul nommée Feuil2.

Références à d'autres classeurs

Il est aussi possible d'accéder à des cellules ou des plages de cellules situées dans un autre classeur. Dans ce cas, il faut ajouter le nom du classeur entre crochets, puis la référence de la feuille et de la plage de cellules comme vu précédemment :

```
= SOMME([Classeur1.xls]Feuil2!A1:A3)
```

Si le nom du classeur contient des espaces, vous devez entourer son nom et celui de la feuille avec des apostrophes :

```
= SOMME('[Mon Classeur.xls]Feuil2'!A1:A3)
```

Si le classeur n'est pas ouvert, vous devez préciser son chemin d'accès complet, comme le montre l'exemple suivant :

```
= SOMME('C:\Mes document\[Mon
Classeur.xls]Feuil2'!A1:A3)
```

Références relatives et absolues

Par défaut, les références dans les formules sont relatives. Lors d'une recopie, les lettres des colonnes ou les numéros des lignes sont modifiés.

Prenons comme exemple une cellule qui contient la formule =A1. Si elle est recopiée vers le bas, la formule recopiée devient =A2 puisque l'on a changé de ligne. Si elle est recopiée vers la droite, la formule recopiée devient =B1 puisque l'on a changé de colonne.

Si la formule désigne une cellule fixe, par exemple un taux de TVA dans une facture, vous devez utiliser une référence absolue. Ainsi, lors des recopies, la référence n'est pas modifiée et désigne toujours la même cellule. Pour convertir une référence relative en référence absolue, il suffit d'ajouter le symbole $ devant la lettre de la colonne et devant le numéro de la ligne : =$A$1.

Microsoft Excel - Facturation.xls

Fichier Edition Affichage Insertion Format Outils Données Fenêtre ?

C4 =B4*(1+$B$1)

	A	B	C
1	TVA	0,196	
2			
3	Références	HT	TTC
4	Meuble bas	67,89	=B4*(1+$B$1)
5	Fauteuil cuir	183,29	=B5*(1+$B$1)
6	Halogène	13,75	=B6*(1+$B$1)
7	Table basse	152,26	=B7*(1+$B$1)
8			

Figure 1-1 Exemple d'utilisation de références absolues.

Dans l'exemple de la figure 1-1, on calcule dans la cellule C4 un montant TTC à partir du montant HT (cellule B4) et de la TVA (cellule B1). Si on recopie la formule en C5, la référence B4 devient automatiquement B5 pour correspondre au montant HT de la ligne suivante. Par contre, la référence absolue à la TVA ($B$1) reste la même puisque l'on utilise toujours le même taux.

Références mixtes

Il existe aussi des références mixtes, relatives pour les colonnes et absolues pour les lignes (A$1), et absolues pour les colonnes et relatives pour les lignes ($A1). Les références mixtes sont utilisées quand les en-têtes de lignes et de colonnes contiennent les valeurs utilisées par les formules. Le tableau des tables de multiplication est un bon exemple.

Dans la figure 1-2, on multiplie les en-têtes de lignes ($A2) par les en-têtes de colonnes (B$1). Pour conserver la lettre de colonne mais modifier le numéro de ligne pour les en-têtes de lignes lors des recopies, on utilise une référence absolue pour les colonnes ($A) et une référence mixte pour les lignes (2).

On applique le système inverse pour les en-têtes de colonnes (B$1).

Microsoft Excel - Tables de multiplication.xls

Fichier Edition Affichage Insertion Format Outils Données Fenêtre ?

Arial 12 150%

B2 =$A2*B$1

	A	B	C	D	E	F	G	H	I	J	K	L	M
1		1	2	3	4	5	6	7	8	9	10		
2	1	=$A2*B$1											
3	2												
4	3												
5	4												
6	5												
7	6												
8	7												
9	8												
10	9												
11	10												
12													

Figure 1-2 Exemple d'utilisation de références mixtes.

Microsoft Excel - Tables de multiplication.xls

Fichier Edition Affichage Insertion Format Outils Données Fenêtre ?

Arial 12 150%

I23

	A	B	C	D	E	F
1		1	2	3	4	5
2	1	=$A2*B$1	=$A2*C$1	=$A2*D$1	=$A2*E$1	=$A2*F$
3	2	=$A3*B$1	=$A3*C$1	=$A3*D$1	=$A3*E$1	=$A3*F$
4	3	=$A4*B$1	=$A4*C$1	=$A4*D$1	=$A4*E$1	=$A4*F$
5	4	=$A5*B$1	=$A5*C$1	=$A5*D$1	=$A5*E$1	=$A5*F$
6	5	=$A6*B$1	=$A6*C$1	=$A6*D$1	=$A6*E$1	=$A6*F$
7	6	=$A7*B$1	=$A7*C$1	=$A7*D$1	=$A7*E$1	=$A7*F$
8	7	=$A8*B$1	=$A8*C$1	=$A8*D$1	=$A8*E$1	=$A8*F$
9	8	=$A9*B$1	=$A9*C$1	=$A9*D$1	=$A9*E$1	=$A9*F$
10	9	=$A10*B$1	=$A10*C$1	=$A10*D$1	=$A10*E$1	=$A10*F
11	10	=$A11*B$1	=$A11*C$1	=$A11*D$1	=$A11*E$1	=$A11*F
12						

Figure 1-3 Recopie de références mixtes.

Comme le montre la figure 1-3, on peut recopier cette simple formule vers la droite et vers le bas pour remplir le tableau.

Priorité des opérateurs et parenthèses

Pour éviter d'obtenir des résultats non souhaités dans vos formules, il est préférable d'utiliser des parenthèses pour séparer les divers calculs.

Si vous omettez les parenthèses, Excel utilise les priorités du tableau 1-4 pour déterminer quel calcul est effectué en premier.

Prenons l'exemple suivant :

```
= 2+4*3^2
```

Le résultat est ici 38, car Excel effectue d'abord l'élévation à la puissance, puis la multiplication. Si on ajoute les parenthèses, le calcul effectué est en réalité celui-ci :

```
= 2+(4*(3^2))
```

Le simple fait de modifier l'ordre des parenthèses affecte considérablement le résultat, comme le montre l'exemple ci-après dont le résultat est 146 :

```
= 2+((4*3)^2)
```

Quand des parenthèses sont imbriquées, comme dans l'exemple précédent, Excel effectue d'abord le calcul des parenthèses intérieures.

Priorité	Symbole	Opération
1	–	Négation
2	%	Pourcentage
3	^	Élévation à la puissance
4	* et /	Multiplication et division
5	+ et –	Addition et soustraction
6	&	Addition de chaînes de caractères
7	=, >, <	Comparaison

Tableau 1-4 Priorités des opérateurs.

Qu'est-ce qu'une fonction ?

Une fonction est un mot clé qui permet d'effectuer des calculs plus complexes qu'avec les quatre opérations habituelles (addition, soustraction, *etc.*). Prenons un exemple simple. Si vous voulez additionner trois valeurs, vous pouvez saisir dans une cellule de la feuille de calcul les données suivantes :

```
= 1+5+9
```

Si ces valeurs se trouvent déjà dans des cellules de la feuille de calcul, vous pouvez alors saisir les références à ces cellules :

```
= A1+A2+A3
```

Mais si vous deviez additionner les cent premières valeurs de la première colonne, il serait alors nécessaire de saisir la référence de ces cent cellules. Pour simplifier les choses, on utilise alors une fonction, dans notre exemple la fonction SOMME :

```
= SOMME(A1:A100)
```

Prenons un second exemple. Si vous voulez convertir des radians en degrés, vous pouvez saisir le calcul suivant, en supposant que la valeur à convertir se trouve dans la cellule A1 :

```
= (A1*180/ 3,14159265358979)
```

Une fois de plus, Excel propose une fonction correspondant à ce type de calcul. La conversion de radians en degrés est alors simplifiée, comme le montre la figure 1-4 :

```
= DEGRES(A1)
```

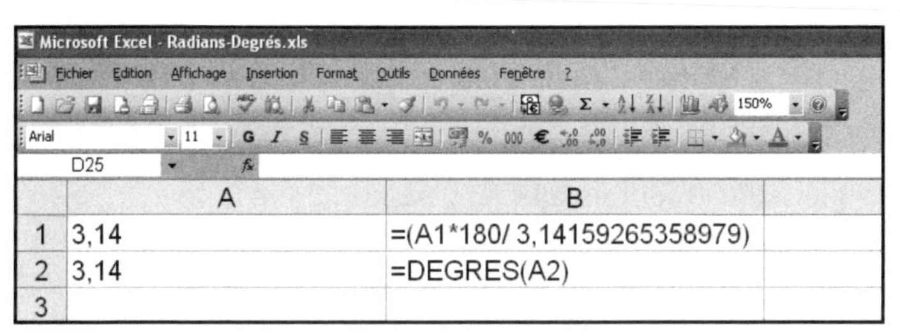
Microsoft Excel - Radians-Degrés.xls

Fichier Edition Affichage Insertion Format Outils Données Fenêtre ?

Arial 11 150%

D25

	A	B
1	3,14	=(A1*180/ 3,14159265358979)
2	3,14	=DEGRES(A2)
3		

Figure 1-4 Conversion de radians en degrés.

Continuons cette série d'exemples avec le calcul du volume d'un cylindre (figure 1-5) en utilisant la formule Pi*R∑* H, où R correspond au rayon et H à la hauteur. En supposant que la valeur du rayon se trouve dans la cellule B1 et la hauteur dans la cellule B2, vous pouvez saisir la formule suivante :

```
= PI()*(B1^2)*B2
```

Microsoft Excel - Cylindre.xls

Fichier Edition Affichage Insertion Format Outils Données Fenêtre ?

Arial 11 150%

B4 =PI()*B1^2*B2

	A	B	C	D	E
1	Rayon	3			
2	Hauteur	10			
3					
4	Volume	282,74			
5					
6					
7					
8					
9					
10					
11					
12					
13					
14					

Figure 1-5 Calcul du volume d'un cylindre.

Vous pensez maintenant que nous allons utiliser la fonction VOLUMECYLINDRE pour simplifier la formule. Il n'en est rien, et la cause en est simple : cette fonction n'existe pas dans Excel. Pour ce type de calcul il est donc nécessaire d'utiliser la méthode traditionnelle. Cependant, si vous avez très fréquemment recours à ce type de calcul, il existe une autre solution : la création de fonctions personnalisées avec VBA (*Visual Basic for Application*), le langage de programmation intégré dans Excel (figure 1-6). C'est l'objet des quatrième et cinquième parties de ce livre.

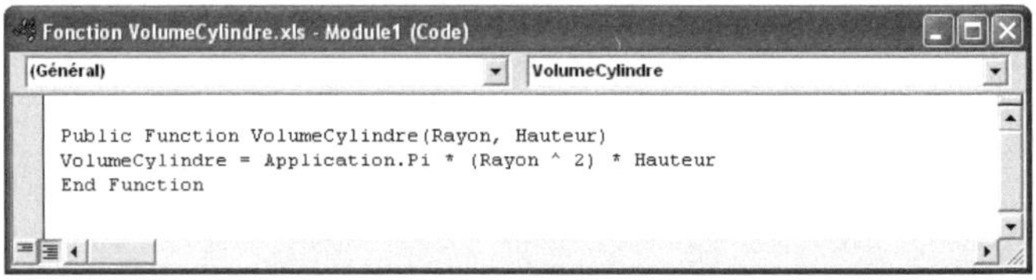

Fonction VolumeCylindre.xls - Module1 (Code)

(Général) | VolumeCylindre

```
Public Function VolumeCylindre(Rayon, Hauteur)
VolumeCylindre = Application.Pi * (Rayon ^ 2) * Hauteur
End Function
```

Figure 1-6 Fonction personnalisée en VBA pour calculer le volume d'un cylindre.

Les fonctions créées avec VBA sont utilisables directement dans les feuilles de calcul, à l'instar de toutes les autres fonctions d'Excel (figure 1-7).

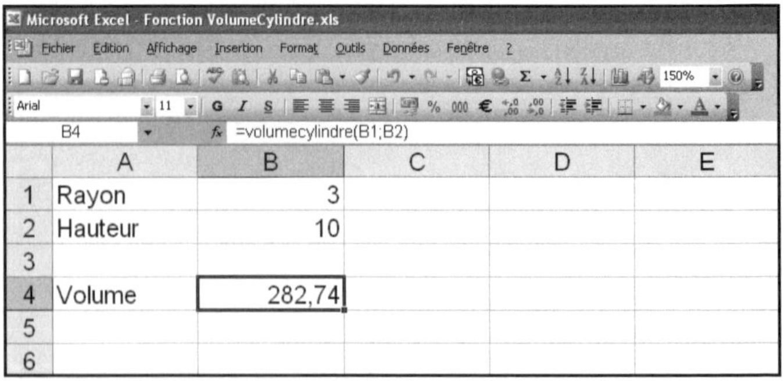

Microsoft Excel - Fonction VolumeCylindre.xls

B4 =volumecylindre(B1;B2)

	A	B	C	D	E
1	Rayon	3			
2	Hauteur	10			
3					
4	Volume	282,74			
5					
6					

Figure 1-7 Utilisation d'une fonction personnalisée en VBA dans une feuille de calcul.

Structure des fonctions

Toutes les fonctions ont une structure identique. Elles comprennent un nom suivi des parenthèses qui renferment les arguments. Excel propose une boîte de dialogue pour choisir facilement la fonction dont vous avez besoin.

Choisir une fonction

Étant donné qu'il existe plusieurs centaines de fonctions dans Excel, il est difficile de toutes les connaître par cœur.

On connaît généralement l'objectif à atteindre, mais pas la fonction appropriée. Laissez dans ce cas l'assistant la trouver pour vous :

1 Cliquez la cellule qui doit recevoir la formule.

2 Cliquez le bouton *fx* ou cliquez le menu **Insertion → Fonction**.

Excel ouvre une boîte de dialogue pour choisir une fonction (figure 1-8). Si vous n'avez aucune idée de la fonction ou même de sa catégorie, vous pouvez saisir un ou plusieurs mots clés pour obtenir des suggestions d'Excel :

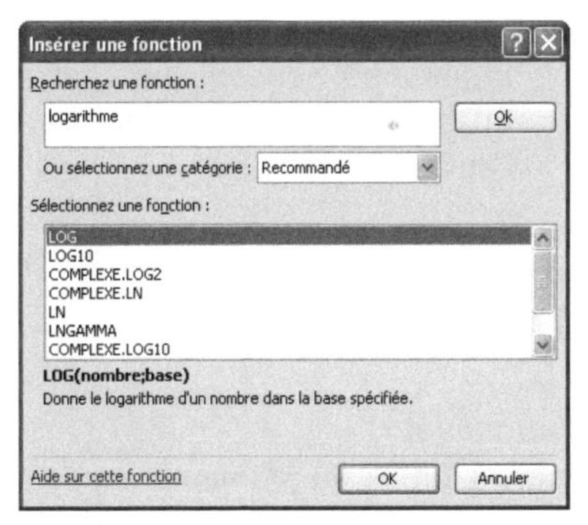

Figure 1-8 Boîte d'insertion d'une fonction.

1 Tapez un ou plusieurs mots clés dans la zone **Recherchez une fonction**, puis validez avec la touche **Entrée** ou en cliquant le bouton **OK** en regard.

La liste **Sélectionnez une fonction** contient maintenant les fonctions qui correspondent à votre recherche.

2 Sélectionnez dans la liste **Sélectionnez une fonction** celle dont vous avez besoin.

La zone en dessous de la liste affiche une description de la fonction que vous avez choisie. Si ces explications vous semblent insuffisantes, cliquez le lien **Aide sur cette fonction**. Ce dernier ouvre directement l'Aide en ligne sur la fonction en question.

Si vous connaissez le type de fonction, vous pouvez aussi effectuer une présélection en la choisissant dans la liste **Ou sélectionnez une catégorie**.

3 Cliquez le bouton **OK** en bas de la boîte pour choisir les arguments (figure 1-5).

L'assistant des fonctions ouvre une nouvelle boîte de dialogue pour vous permettre de saisir les arguments de la fonction.

Arguments des fonctions

Pour effectuer des calculs, les fonctions utilisent des arguments, également appelés paramètres. Ces arguments sont des valeurs ou des références à des cellules qui retournent elles-mêmes des valeurs. Les arguments peuvent aussi être composés de formules utilisant des valeurs et des références à d'autres cellules ou même à d'autres fonctions.

Les fonctions peuvent être classées selon leurs nombres d'arguments :

- aucun argument ;
- un seul argument ;
- un nombre déterminé d'arguments ;
- un nombre indéterminé, mais limité, d'arguments ;
- des arguments optionnels.

Si une fonction nécessite plusieurs arguments, il convient de les séparer par des points-virgules.

Voici quelques exemples d'arguments pour la fonction SOMME qui peut en accepter jusqu'à trente :

Valeurs littérales :

```
= SOMME(1024;2048)
```

Références à une plage de cellules :

```
= SOMME(A1:C3)
```

Références à des cellules ou des plages de cellules :

```
= SOMME(A1;C3:D5)
```

Formules en arguments :

```
= SOMME(6*4;9*10;14*15)
```

Formules avec des valeurs et des références de cellules :

```
= SOMME(6*A1;9*A2;14*A3)
```

Fonctions en arguments :

```
= SOMME(RACINE(A1);RACINE(A2))
```

Comme vous pouvez le constater, il existe beaucoup de possibilités dans la constitution d'une fonction. Le Chapitre 2 est consacré à leur saisie et leur édition.

Utilitaire d'analyse

Certaines fonctions nécessitent une macro complémentaire, nommée Utilitaire d'analyse. Pour éviter que des fonctions décrites dans ce livre soient inaccessibles, nous vous conseillons d'installer cette macro dès maintenant dans votre version d'Excel :

1 Cliquez le menu **Outils → Macros complémentaires**.

2 Cochez l'option **Utilitaire d'analyse** (figure 1-9).

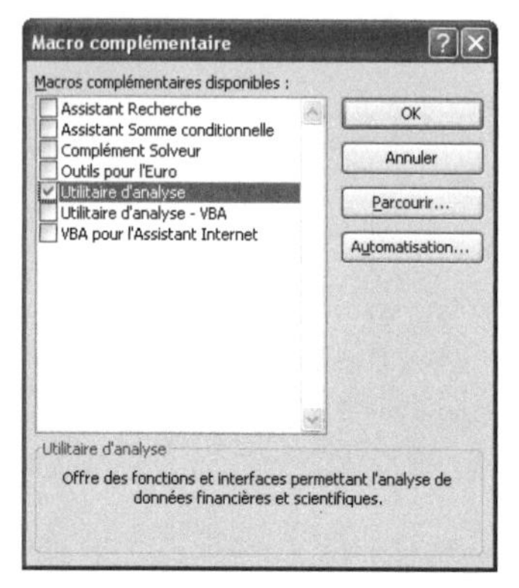

Figure 1-9 Boîte des macros complémentaires.

3 Cliquez le bouton **OK**.

Chapitre 2

Saisir et éditer des formules

Ce chapitre vous présente l'édition et la modification des formules. Même si certaines parties sont davantage destinées aux débutants, les utilisateurs plus expérimentés y trouveront sûrement des informations importantes.

Dans ce chapitre

- Saisir des formules
- Éditer des formules
- Modifier l'affichage des formules
- Convertir des formules
- Erreurs dans les formules

Aide contextuelle de saisie

Une fonction est constituée d'un mot clé suivi de parenthèses renfermant des arguments (une plage de cellules, par exemple). Le type et le nombre de ces arguments dépendent de la fonction utilisée.

Puisque chaque fonction possède ses propres arguments, Excel propose une aide contextuelle lors de la saisie :

1 Dans une cellule, tapez le signe =, le nom de la fonction puis une parenthèse ouvrante.

Figure 2-1 Saisie d'une fonction.

Note Il n'est pas nécessaire de saisir le nom de la fonction en majuscules. Excel se charge de la transcrire sous cette forme dès la validation de la formule.

Comme le montre la figure 2-1, Excel affiche une info-bulle avec le nom de la fonction et ses paramètres.

Astuce Si cette info-bulle vous gêne, faites-la glisser vers un autre emplacement.

Si vous pointez sur le nom de la fonction dans l'info-bulle, il se transforme en lien. Cliquez ce dernier pour ouvrir l'Aide en ligne correspondante (figure 2-2).

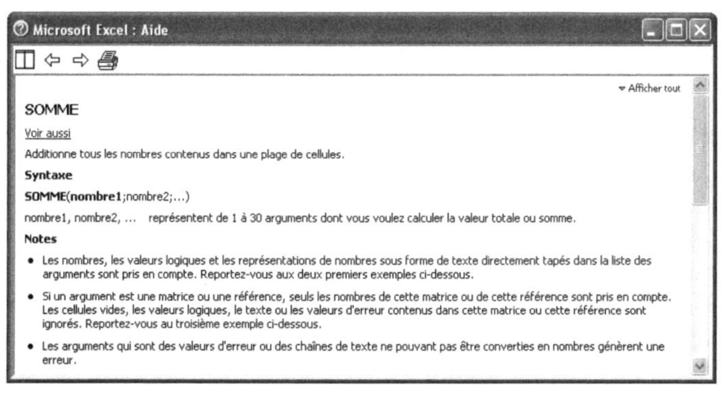

Figure 2-2 Aide en ligne concernant une fonction.

Les arguments apparaissent entre les parenthèses. Les arguments en gras sont obligatoires. Les arguments en maigre sont optionnels. Une suite de trois points indique que la fonction accepte d'autres arguments optionnels. C'est le cas de la fonction SOMME utilisée dans l'exemple de la figure 2-1.

Pour obtenir une aide rapide sur les arguments, il existe une autre solution :

1 Dans une cellule, tapez le signe = puis le nom de la fonction.

2 Tapez **Ctrl**+**Maj**+**A**.

Excel ajoute la parenthèse ouvrante et la liste des arguments (figure 2-3). Il vous suffit alors de remplacer chaque nom d'argument par la valeur correspondante.

Microsoft Excel - Classeur4

Fichier Edition Affichage Insertion Format Outils Données Fenêtre ?

LOG10 =somme(nombre1;nombre2;...)

	A	B	C	D	E
1	1				
2	5				
3	9				
4					
5	=somme(nombre1;nombre2;...)				
6					

Figure 2-3 Descriptif des arguments d'une fonction.

Saisir les arguments

Manuellement

Si vous connaissez la fonction et les arguments à utiliser (valeurs littérales, références de cellules, *etc.*), vous pouvez les saisir directement au clavier sans utiliser la souris. C'est la méthode la plus rapide, mais aussi la plus risquée. En effet, la saisie des références à des cellules ou des plages de cellules peut engendrer des erreurs. Cela est d'autant plus vrai si ces cellules ne sont pas visibles dans la partie de la feuille de calcul actuellement à l'écran.

Pour éviter ces erreurs, il est donc préférable d'utiliser la souris ou les flèches du clavier pour entrer les arguments des fonctions.

Note Pour utiliser la boîte de dialogue Insérer une fonction, consultez le chapitre 1.

Avec la souris ou le clavier

L'utilisation de la souris ou des flèches du clavier simplifie la saisie des formules :

1 Dans une cellule, tapez le signe =, le nom de la fonction puis une parenthèse ouvrante.

Pour ajouter les références à une cellule, il suffit de la cliquer dans la feuille de calcul. Pour saisir les références à une plage de cellules, cliquez et faites glisser pour sélectionner les cellules comme vous le faites habituellement.

Pour ajouter des références avec le clavier, utilisez les flèches de direction. Pour sélectionner une plage de cellules, déplacez-vous sur la première cellule, maintenez la touche **MAJ** enfoncée, puis sélectionnez, toujours avec les flèches de direction, la dernière cellule de la plage.

Si vous voulez ajouter un autre argument, tapez un point-virgule. S'il n'y a plus d'argument à saisir, appuyez sur la touche **Entrée**.

Astuce Il n'est pas nécessaire de taper la parenthèse fermante après les arguments. Excel l'ajoute automatiquement à votre place dès que vous appuyez sur la touche **Entrée**.

Éditer des formules

Le contenu des cellules change souvent. Il est plus simple d'éditer le contenu d'une cellule plutôt que de tout ressaisir.

Il existe plusieurs solutions pour éditer une cellule. Si cette dernière est déjà sélectionnée, cliquez dans la barre de formule à l'endroit ou vous voulez effectuer les modifications. Pour éditer le contenu directement dans la cellule, il suffit d'appuyer sur la touche **F2**. Si la cellule n'était pas encore sélectionnée, double-cliquez-la pour passer en mode Édition.

Dès que le curseur se trouve dans la barre de formule ou dans la cellule en mode Édition, vous devez utiliser les touches du tableau 2-1 pour effectuer vos corrections.

Touche	Fonction
Flèches gauche et droite	Déplacer le curseur vers la gauche ou vers la droite
Retour arrière	Supprimer le caractère à gauche
Suppr	Supprimer le caractère à droite
Début	Placer le curseur au début du texte
Fin	Placer le curseur à la fin du texte
Entrée	Valider la saisie

Tableau 2-1 Touches du mode Édition.

Note Pour effacer le contenu d'une cellule dont vous n'avez plus besoin, sélectionnez-la et appuyez sur la touche **Suppr**.

Afficher les formules

En affichant les formules à la place des valeurs, vous pourrez plus facilement vérifier les éventuelles erreurs ou comprendre la structure des formules d'une feuille de calcul existante. Cette solution est utilisée dans une grande partie des chapitres de ce livre pour vous permettre de mieux comprendre les exemples présentés :

1 Appuyez sur **Ctrl**+" (guillemets) pour afficher les formules.

2 Appuyez de nouveau sur **Ctrl**+" pour afficher les valeurs (résultats des formules).

Vous pouvez aussi utiliser la boîte des options. Cette dernière permet d'afficher ou de masquer d'autres parties des feuilles de calcul comme le quadrillage, les en-têtes de ligne et de colonne, *etc.* :

1 Cliquez le menu **Outils → Options**.

2 Cliquez l'onglet **Affichage**.

3 Cochez l'option **Formules** pour afficher les formules. Décochez cette option pour afficher les valeurs (figure 2-4).

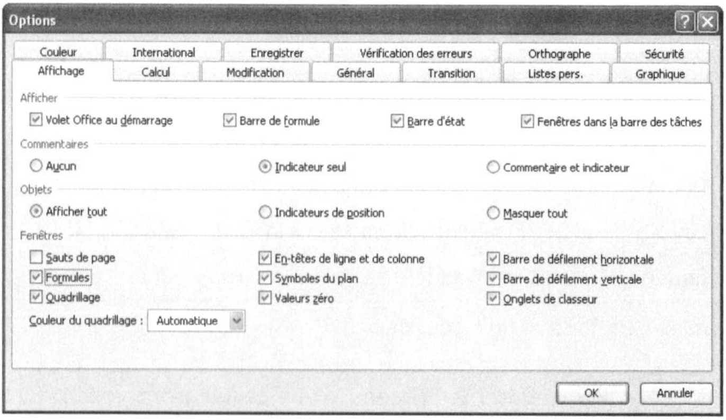

Figure 2-4 Boîte des paramètres d'affichage.

4 Cliquez le bouton **OK** pour valider les changements.

Masquer les formules

Si vous ne voulez pas que vos formules apparaissent dans vos feuilles de calcul, vous pouvez les masquer. Pour éviter des déconvenues, il est préférable de verrouiller les cellules dans le même temps. En effet, une cellule non verrouillée contenant une formule masquée apparaît comme vide et peut être modifiée, voire supprimée. Dans l'exemple de la figure 2-5, la cellule C4 semble ne pas contenir de formule puisque la barre de formule n'affiche aucun calcul. Or cette cellule non verrouillée contient une formule masquée qu'il est possible d'effacer.

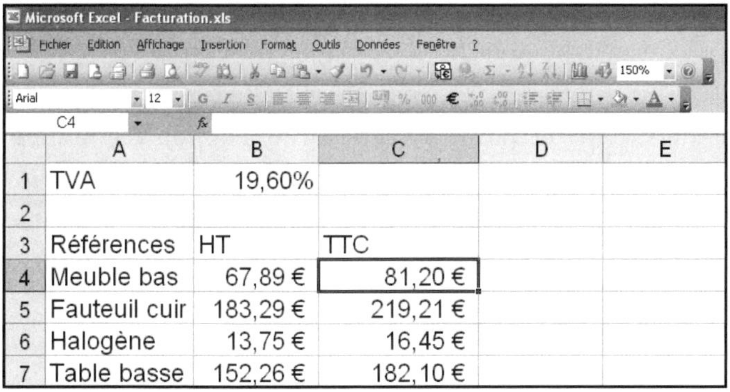

Microsoft Excel - Facturation.xls

C4

	A	B	C	D	E
1	TVA	19,60%			
2					
3	Références	HT	TTC		
4	Meuble bas	67,89 €	81,20 €		
5	Fauteuil cuir	183,29 €	219,21 €		
6	Halogène	13,75 €	16,45 €		
7	Table basse	152,26 €	182,10 €		

Figure 2-5 Formule masquée dans une cellule.

Par défaut, toutes les cellules sont verrouillées dès que l'on applique la protection de la feuille. Vous devez donc déverrouiller les cellules de saisie de données, et masquer les cellules qui contiennent des formules à cacher :

1 Sélectionnez la ou les cellules contenant les formules à masquer.

2 Cliquez le menu **Format → Cellule**.

3 Cliquez l'onglet **Protection**.

4 Cochez l'option **Masquée**, et laissez l'option **Verrouillée** cochée (figure 2-6).

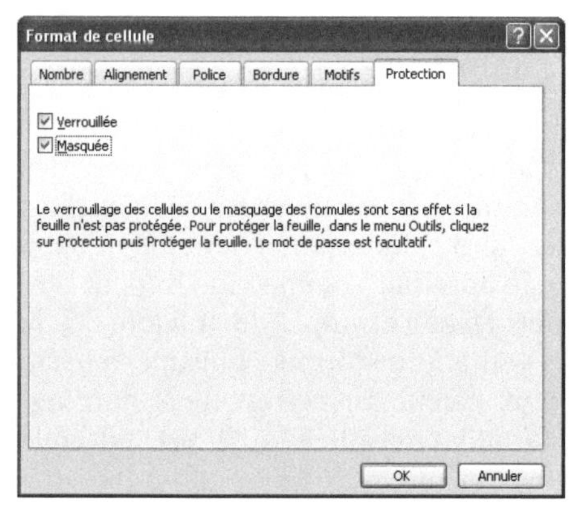

Figure 2-6 Options de protection des cellules.

5 Cliquez le bouton **OK** pour valider vos choix.

6 Sélectionnez la ou les cellules de saisie de données.

7 Répétez les étapes **2** et **3** et décochez l'option **Verrouillée**.

Pour que la protection soit effective, il faut protéger la feuille :

1 Cliquez le menu **Outils → Protection → Protéger la feuille**.

2 Cliquez le bouton **OK** pour protéger la feuille (figure 2-7).

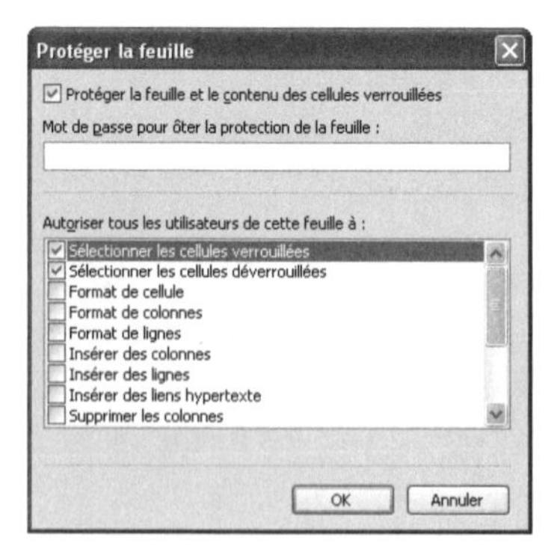

Figure 2-7 Options de protection des cellules.

Convertir des formules en valeurs

Si vous avez des formules qui ne contiennent aucune référence à d'autres cellules, le résultat sera toujours identique. Par exemple, une cellule contenant la formule = RACINE(9) retournera toujours la valeur 3. Vous pouvez dans ce cas convertir les formules en valeurs (constantes) :

1 Sélectionnez les cellules contenant les formules à convertir.
2 Tapez **Ctrl+C** ou cliquez le bouton pour copier la sélection dans le Presse-papiers.
3 Cliquez le menu **Edition → Collage spécial**.
4 Cochez l'option **Valeurs** (figure 2-8).

Figure 2-8 Boîte de l'option Collage spécial.

5 Cliquez le bouton **OK** pour valider le collage.

Conseil Si vous voulez seulement recopier les valeurs à un autre emplacement, sélectionnez ce dernier entre les étapes **2** et **3**.

Connaître les valeurs d'erreur

Il arrive qu'une formule retourne une erreur. Si c'est le cas, consultez le tableau 2-2 pour en trouver la cause. Certaines fonctions prévoient des valeurs d'erreur quand elles ne sont pas utilisées correctement. Par exemple, la fonction RACINE retourne la valeur #NOMBRE! si l'argument est négatif.

Une formule peut aussi afficher une valeur d'erreur si elle fait référence à une cellule qui contient déjà une erreur. C'est une réaction en chaîne logique, et il est nécessaire de remonter à la source de l'erreur pour résoudre le problème.

Erreur	Explication
#DIV/o!	La formule divise un nombre par zéro. Étant donné qu'Excel considère qu'une cellule vide a pour valeur zéro, une référence à une telle cellule génère cette erreur.
#NOM?	La formule contient un nom qu'Excel ne reconnaît pas. Il peut aussi s'agir d'une référence à une cellule nommée dont le nom a été effacé, ou d'un nom mal orthographié.
#VALEUR!	La formule fait référence à une cellule qu'Excel ne peut pas utiliser dans un calcul, par exemple du texte.
#REF!	La formule fait référence à une cellule qui n'est pas valide, par exemple une cellule d'une ligne qui a été supprimée.
#N/A	Une fonction de recherche ne trouve pas de donnée, ou la formule fait référence à une cellule utilisant les fonctions NA pour signaler une donnée manquante.
#NUL!	La formule fait référence à une intersection entre deux plages de données qui n'ont pas de cellule commune (consultez le chapitre 1 sur les références des cellules et des plages).
#NUM!	Une valeur numérique est incorrecte (par exemple une valeur négative à la place d'une valeur positive).

Tableau 2-2 Erreurs dans les formules.

Attention ! Si une valeur ne peut pas être affichée car la largeur de la cellule est trop petite, Excel affiche des dièses (######) pour éviter une mauvaise interprétation des données. Cela n'est pas réellement une erreur. Élargissez simplement la colonne pour afficher tous les chiffres ou toutes les lettres.

Références circulaires

Une formule ne doit pas faire référence à elle-même directement ou indirectement. Par exemple, la cellule A1 ne peut pas contenir la formule =A1+A2. De même, si la cellule A1 contient la formule =A2, la cellule A2 ne peut pas contenir la formule =A1. On appelle cela une référence circulaire. Quand c'est le cas, Excel ne peut pas effectuer les calculs et vous informe de l'erreur *via* la boîte de dialogue de la figure 2-9. L'erreur est également indiquée dans la barre d'état.

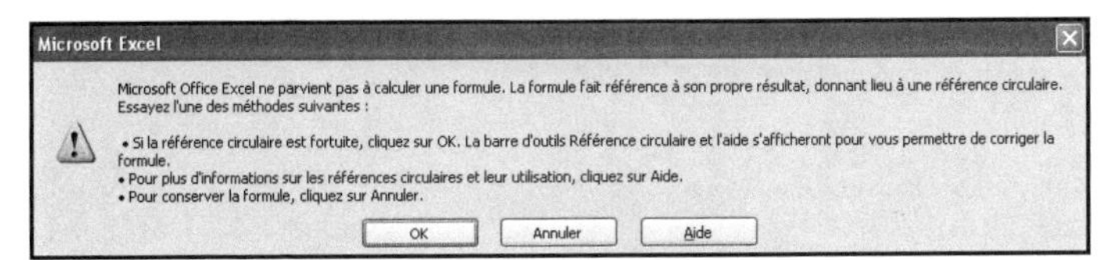

Figure 2-9 Boîte d'erreur en cas de référence circulaire.

Si vous cliquez le bouton **OK**, Excel affiche la barre d'outils Référence circulaire pour vous aider à trouver la formule qui contient une erreur. Sélectionnez l'une après l'autre, dans la liste (figure 2-10), les cellules qui peuvent générer la référence circulaire pour pister l'erreur et corriger le problème.

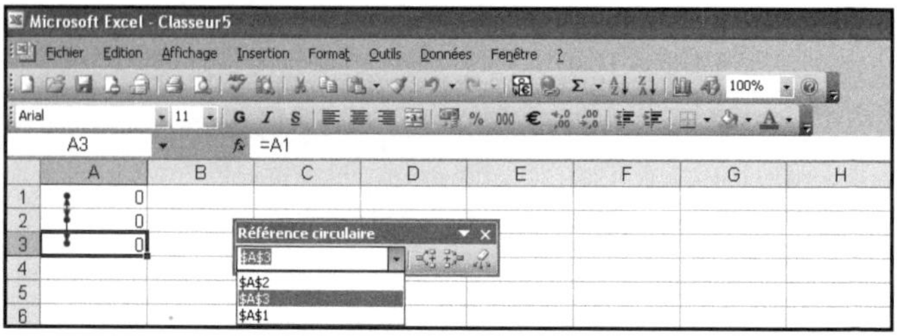

Figure 2-10 Barre d'outils des références circulaires.

Si vous cliquez le bouton **Annuler** (figure 2-9), Excel laisse la formule telle quelle. Vous pouvez aussi cliquer le bouton **Aide** pour afficher l'Aide en ligne sur les références circulaires.

Chapitre 3

Utiliser des noms dans les formules

L'attribution de noms aux cellules et plages de cellules permet de simplifier vos formules et vos fonctions en vous dégageant des contraintes d'utilisation des références classiques. Mais Excel va bien au-delà de cette simple utilisation. Ce chapitre vous fait découvrir l'utilisation des noms pour appeler des constantes mais aussi des formules complexes.

Dans ce chapitre

- Attribuer des noms
- Utiliser des noms dans les formules
- Définir des constantes
- Utiliser des formules nommées

Noms dans Excel

Dans l'environnement d'Excel, chaque élément, appelé objet, possède un nom. C'est le cas par exemple d'un classeur, d'une feuille de calcul ou d'une cellule. Lors de la création d'un classeur, Excel attribue des noms par défaut : Classeur1, Feuil1, cellule A1, *etc.* Il en est de même si vous ajoutez de nouveaux éléments comme un graphique ou une image. Ils portent alors les noms par défaut Graphique 1, Image 1, *etc.* Notez que deux objets de même type ne peuvent pas porter le même nom.

Pourquoi nommer des cellules et des plages de cellules ?

En nommant des cellules ou des plages de cellules, vous pourrez utiliser ces noms dans vos formules à la place des références traditionnelles. Cela permet de rendre plus lisible le contenu de vos formules. Supposons que vous vouliez calculer vos ventes annuelles TTC, sachant que les ventes mensuelles HT se trouvent dans la plage B3:B14 et le taux de TVA dans la cellule B1. La formule suivante permet d'effectuer ce calcul :

```
= SOMME(B3:B14)*(1+B1)
```

Tant que vous ne vérifiez pas que la plage B3:B14 correspond aux ventes mensuelles et que la cellule B1 correspond au taux de TVA, la formule n'est pas très facile à comprendre.

Mais si vous décidez de nommer « Ventes » la plage B3:B14 et « TVA » la cellule B1, vous pouvez remplacer les références par ces noms (figure 3-1). La formule suivante utilise cette solution :

```
= SOMME(Ventes)*(1+TVA)
```

Microsoft Excel - Ventes1.xls

Fichier Edition Affichage Insertion Format Outils Données Fenêtre ?

Arial 11 150%

B16 = SOMME(Ventes)*(1+TVA)

	A	B	C	D	E
1	TVA	19,60%			
2					
3	Janvier	1205			
4	Février	873			
5	Mars	1365			
6	Avril	569			
7	Mai	1458			
8	Juin	1102			
9	Juillet	1001			
10	Août	961			
11	Septembre	873			
12	Octobre	723			
13	Novembre	1561			
14	Décembre	1235			
15					
16		15459,50			
17					

Figure 3-1 Exemple de formule avec des références nommées.

Comparée à la version avec les références, cette dernière formule est beaucoup plus lisible et vous pouvez comprendre immédiatement son rôle sans effectuer de recherche dans la feuille de calcul.

Nommer des cellules et des plages de cellules

Excel propose plusieurs solutions pour attribuer des noms aux cellules et plages de cellules. Elles ont toutes des avantages et des inconvénients. C'est l'expérience qui permet de choisir celle à utiliser en priorité en fonction du cas. Si la boîte Définir un nom est plus longue à mettre en œuvre, elle permet de visualiser les noms déjà attribués et les plages correspondantes. La zone Nom est rapide à utiliser mais ne permet pas de modifier la plage d'un nom existant. La création automatique de noms est très pratique mais il est nécessaire d'être très vigilant pour éviter les erreurs.

Utiliser la boîte Définir un nom

Excel regroupe la gestion des noms des cellules et des plages de cellules dans une boîte de dialogue :

1 Sélectionnez la cellule ou la plage de cellules à nommer.

2 Cliquez le menu **Insertion → Nom → Définir**.

Note La boîte de dialogue Définir un nom est également accessible par le raccourci clavier **Ctrl+F3**.

3 Tapez le nom de la plage sélectionnée à l'étape **1** dans la zone de saisie **Noms dans le classeur** (figure 3-2).

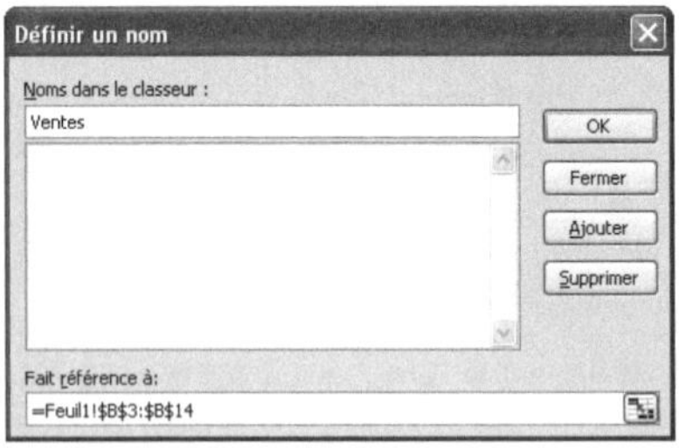

Figure 3-2 Boîte d'attribution des noms de plage.

4 Cliquez le bouton **OK** pour valider l'attribution du nom.

Cette boîte permet aussi de définir plusieurs noms à la suite en les saisissant dans la zone **Noms dans le classeur** et en donnant les références des cellules dans la zone **Fait référence à** (les références doivent débuter par le signe égale). Cliquez ensuite le bouton **Ajouter** pour attribuer le nom sans fermer la boîte de dialogue.

Attention ! Vous pouvez nommer une plage de cellules avec plusieurs noms. Même si Excel accepte cette solution, il est déconseillé de la mettre en œuvre, afin d'éviter les confusions.

NOMS DES CELLULES ET DES PLAGES DE CELLULES

Les noms utilisés par Excel suivent des règles que vous devez respecter :

- Un nom ne peut pas contenir d'espaces. Remplacez ces derniers par le caractère souligné (_) ou éventuellement par un point : « Ventes_Trimestrielles » ou « Ventes.Trimestrielles ».
- Si un nom peut contenir des chiffres, il ne peut pas commencer par un chiffre, car cela pourrait créer des ambiguïtés dans les formules. Faites débuter vos noms par une lettre ou le caractère souligné (_).
- Les noms ne peuvent pas contenir des symboles autres que le point et le caractère souligné.
- Les noms sont limités à 255 caractères. Utilisez cependant des noms courts et mnémotechniques.
- Excel ne tient pas compte des majuscules et des minuscules : « VENTES » et « ventes » correspondent au même nom.

Utiliser la zone Nom

La zone Nom, à gauche de la barre de formule (figure 3-3), affiche le nom de la cellule actuellement sélectionnée ainsi que la liste des noms déjà attribués. Elle permet aussi de nommer rapidement une cellule ou une plage de cellules :

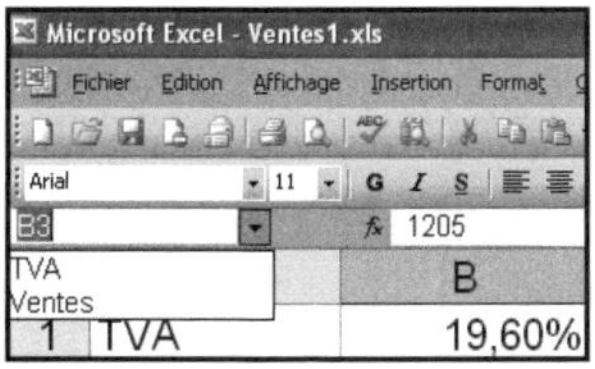

Figure 3-3 Zone Nom pour nommer ou sélectionner une cellule ou une plage de cellules.

1 Sélectionnez la cellule ou la plage de cellules à nommer.

2 Cliquez la zone **Nom**, puis tapez le nom de la cellule ou de la plage de cellules.

3 Appuyez sur **Entrée** pour valider le nom. Si vous n'appuyez pas sur **Entrée** immédiatement, Excel ne conserve pas votre saisie.

Attention ! Si le nom existe déjà dans la liste, la ou les cellules correspondantes sont sélectionnées, mais les références de la plage ne sont pas modifiées. Utilisez dans ce cas la boîte de dialogue Définir un nom.

La zone Nom permet de sélectionner rapidement une plage de cellules. Cliquez simplement la flèche en regard de la zone, puis cliquez un nom pour sélectionner la plage correspondante.

Créer des noms automatiquement

Si un tableau possède des en-têtes de lignes ou de colonnes, vous pouvez demander à Excel d'attribuer automatiquement des noms aux plages correspondantes plutôt que de les nommer une à une :

1 Sélectionnez le tableau, y compris les en-têtes de lignes et/ou de colonnes.

2 Cliquez le menu **Insertion → Nom → Créer**.

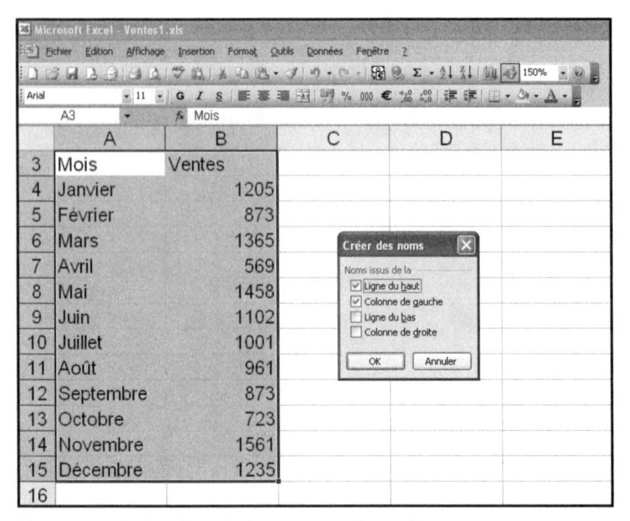

Figure 3-4 Boîte de création automatique de noms.

Excel affiche la boîte Créer des noms. Il coche les options de cette boîte en fonction des textes qu'il a trouvés dans la plage sélectionnée. Dans l'exemple de la figure 3-4, les options **Ligne du haut** et **Colonne de gauche** sont cochées car la plage sélectionnée contient des textes dans la ligne 3 et la colonne A. Il est donc nécessaire de bien vérifier les propositions de cette boîte de dialogue avant de la valider. En effet, si vous laissez l'option **Colonne de gauche** cochée, Excel créera douze noms correspondant aux douze mois, ce qui n'est pas le but recherché.

3 Cochez le ou les emplacements des en-têtes de lignes ou de colonnes qui seront utilisés comme noms.

4 Cliquez le bouton **OK** pour valider vos choix.

Note Si les textes des en-têtes de lignes ou de colonnes ne suivent pas les règles pour les noms de plages (voir encadré plus haut dans ce chapitre), Excel se charge de les rectifier. Les espaces, par exemple, seront transformés automatiquement en caractères de soulignement.

Utiliser les étiquettes dans les formules

Excel propose une autre solution pour utiliser des noms dans les formules sans les définir au préalable. Si vos données sont situées à côté de noms (en-têtes de lignes ou de colonnes), appelés aussi étiquettes, il est possible de remplacer directement les références des cellules et des plages de cellules dans les formules. Cependant, les données doivent se trouver à droite des noms (en-têtes de lignes) ou en dessous (en-têtes de colonnes). De plus, les formules doivent se trouver en dessous des données. Vous devez respecter ces consignes pour éviter des erreurs dans vos feuilles de calcul. Si vous travaillez sur des feuilles très complexes, nous vous déconseillons même d'utiliser cette méthode ; définissez manuellement des noms pour vos plages de cellules.

Pour utiliser cette fonctionnalité, il faut d'abord vérifier que cette option est active :

1 Cliquez le menu **Outils → Options**.

2 Cliquez l'onglet **Calcul** (figure 3-5).

3 Cochez l'option **Accepter les étiquettes dans les formules**.

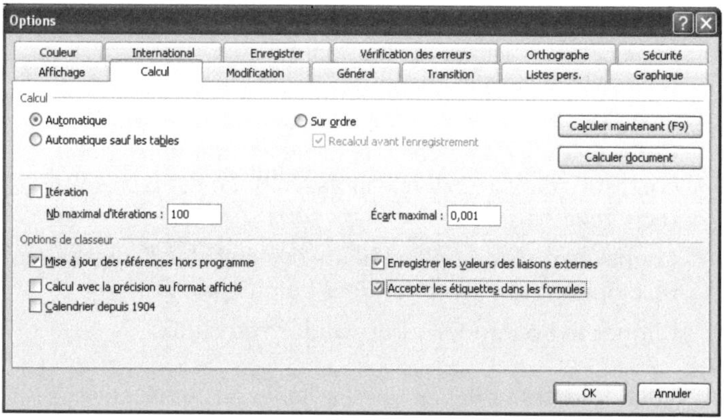

Figure 3-5 Options d'utilisation des étiquettes dans les formules.

4 Cliquez le bouton **OK** pour valider vos choix.

Vous pouvez maintenant remplacer les références des cellules et des plages de cellules par les étiquettes correspondantes. Dans l'exemple de la figure 3-6, la cellule B3 contient la formule =HT+TVA, alors que les noms HT et TVA n'ont pas été attribués.

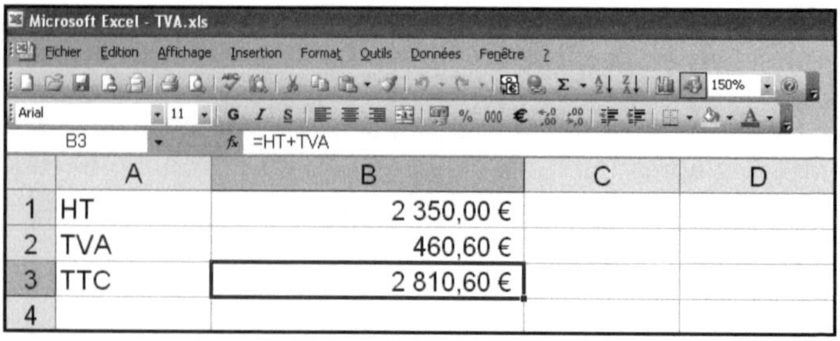

Figure 3-6 Exemple d'utilisation des étiquettes dans les formules.

Utiliser des noms dans les formules

Une fois que les noms des cellules ou des plages de cellules sont définis, vous pouvez remplacer les références correspondantes dans vos formules. Ainsi, la formule = SOMME(A1:A12) peut être remplacée par = SOMME(Ventes) si vous avez attribué le nom « Ventes » à la plage de cellules A1:A12.

Si, lors de la saisie d'une formule, vous sélectionnez des cellules ou des plages de cellules nommées, Excel convertit automatiquement les références en noms, comme le montre la figure 3-7. Si vous ne voulez pas que les références soient transformées en noms, vous devez les taper au clavier et ne pas utiliser la souris.

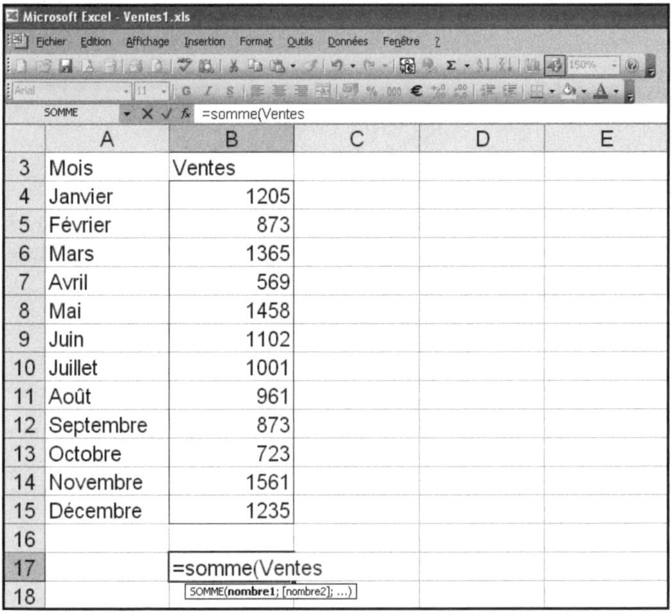

Microsoft Excel - Ventes1.xls

SOMME =somme(Ventes

	A	B	C	D	E
3	Mois	Ventes			
4	Janvier	1205			
5	Février	873			
6	Mars	1365			
7	Avril	569			
8	Mai	1458			
9	Juin	1102			
10	Juillet	1001			
11	Août	961			
12	Septembre	873			
13	Octobre	723			
14	Novembre	1561			
15	Décembre	1235			
16					
17		=somme(Ventes			
18		SOMME(**nombre1**; [nombre2]; ...)			

Figure 3-7 Saisie automatique des noms dans les formules.

Remplacer des références par des noms

Si les références des noms que vous venez d'attribuer sont déjà utilisées dans des formules existantes, il est possible de demander à Excel d'effectuer les remplacements. Cela n'est pas fait automatiquement lors de l'attribution des noms :

1 Pour modifier toutes les formules de la feuille de calcul, sélectionnez une seule cellule. Pour modifier seulement certaines formules, sélectionnez-les au préalable.

2 Cliquez le menu **Insertion → Nom → Appliquer**.

3 Cliquez un à un les noms qui remplaceront les références correspondantes dans les formules.

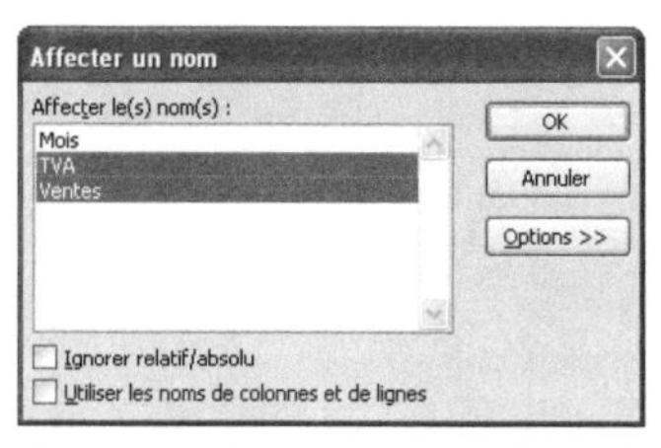

Figure 3-8 Remplacement des références par des noms dans les formules.

Note Un nom est sélectionné quand il est en surbrillance. Les noms attribués par la dernière commande **Insertion → Nom → Créer** sont déjà sélectionnés lors de l'ouverture de la boîte Affecter un nom de la figure 3-8.

4 Cliquez le bouton **OK** pour appliquer le remplacement.

Visualiser les plages nommées

Si vous appliquez un zoom inférieur à 40 % pour visualiser votre feuille de calcul, Excel masque le quadrillage des cellules, entoure les plages nommées et affiche le nom des plages en bleu (figure 3-9).

Cette technique permet de visualiser d'un seul coup d'œil toutes les plages qui portent un nom. Ces informations ne sont pas imprimées.

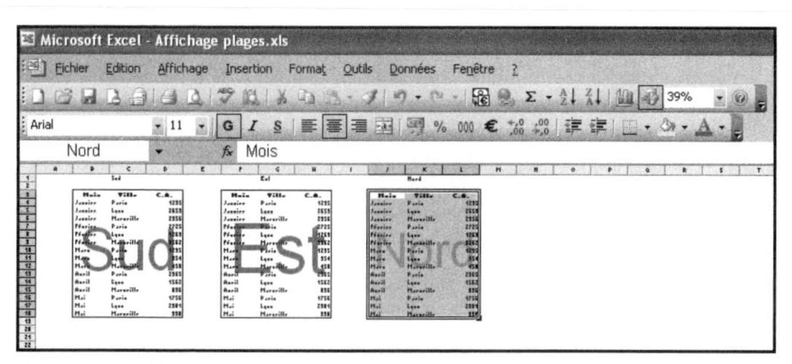

Figure 3-9 Affichage des plages nommées.

Nommer des constantes

Dans l'exemple de la figure 3-1, on calcule un montant TTC à partir du taux de TVA de la cellule B1. Ce taux est en fait une constante puisque cette valeur ne change jamais.

Excel propose une autre solution pour ce type de valeur : les constantes nommées :

1 Cliquez le menu **Insertion → Nom → Définir**.

2 Tapez le nom de la constante dans la zone **Noms dans le classeur**.

3 Tapez la valeur de la constante dans la zone **Fait référence à**. Faites précéder cette valeur du signe égale (figure 3-10).

Définir un nom
Noms dans le classeur :
TVA
OK
Fermer
Ajouter
Supprimer
Fait référence à:
=0,196

Figure 3-10 Saisie d'une constante nommée.

4 Cliquez le bouton **OK** pour valider la constante.

Comme le montre la figure 3-11, vous pouvez utiliser le nom de la constante dans vos formules alors que sa valeur n'est pas présente dans la feuille de calcul.

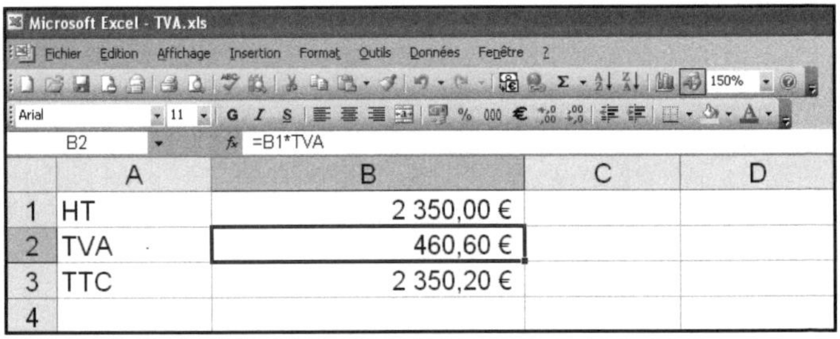

Figure 3-11 Utilisation d'une constante nommée.

Pour modifier la constante, il suffit de changer sa valeur dans la boîte **Définir un nom (Insertion → Nom → Définir**).

De la même manière, vous pouvez définir des constantes de texte, par exemple le nom de votre société. Dans la boîte Définir un nom, tapez le texte de la constante entre guillemets dans la zone **Fait référence à** :

```
= "Dupont S.A."
```

Dans vos formules, utilisez la constante en remplacement d'un texte. Dans l'exemple ci-après, la constante texte porte le nom NS :

```
= "Ventes 2005 " & NS
```

Note Les constantes nommées peuvent être utilisées dans toutes les feuilles du classeur.

Formules nommées

Comme vous avez pu le voir précédemment, la valeur saisie dans la zone **Fait référence à** de la boîte Définir un nom débute par le signe égale. Cela indique qu'Excel interprète son contenu

comme étant une formule. Il est donc possible d'ajouter des calculs et des fonctions comme dans une cellule.

Formules nommées simples

Si vous utilisez souvent la même formule, vous pouvez lui attribuer un nom. Dans l'exemple qui suit, on veut afficher le texte « Ventes » suivi de l'année en cours. On utilise pour cela la fonction AUJOURDHUI qui retourne la date actuelle, et la fonction ANNEE qui retourne l'année contenue dans une date (consultez le chapitre 6 pour des détails sur ces fonctions). La formule est ici nommée « AnnéeVente » (figure 3-12) :

```
="Ventes " & ANNEE(AUJOURDHUI())
```

Définir un nom

Noms dans le classeur :

AnnéeVente

OK

Fermer

Ajouter

Supprimer

Fait référence à:

="Ventes " & ANNEE(AUJOURDHUI())

Figure 3-12 Saisie d'une formule nommée simple.

Pour utiliser cette formule, il suffit d'ajouter son nom dans une cellule (figure 3-13) :

```
= AnnéeVente
```

Microsoft Excel - FNS.xls

A1 =AnnéeVente

	A	B	C	D	E
1	Ventes 2004				
2					
3	Janvier	1235			
4	Février	2725			

Figure 3-13 Utilisation d'une formule nommée simple.

Formules nommées avec références

Imaginons que la cellule A1 de vos feuilles contienne toujours un texte avec une année, par exemple « Ventes 2005 », « Résultats 2006 », *etc.* Avec une formule nommée faisant référence à cette cellule, vous pouvez extraire l'année pour l'utiliser dans d'autres cellules. Dans l'exemple, on utilise la fonction DROITE qui retourne les x caractères de droite d'une chaîne (consultez le chapitre 5 pour des détails sur cette fonction). La formule est ici nommée « Année » (figure 3-14) :

```
=DROITE(Feuil1!A1;4)
```

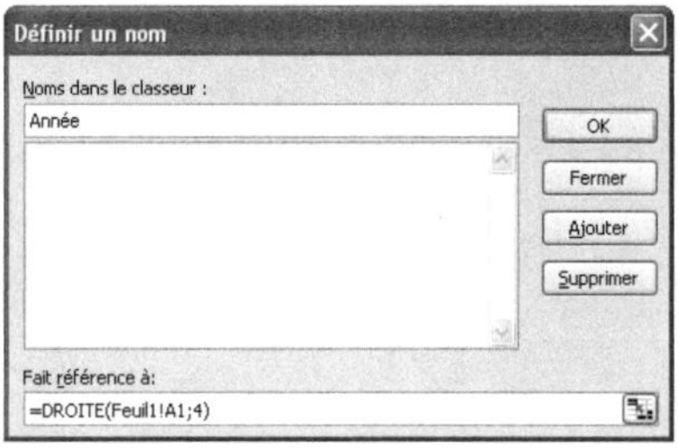

Figure 3-14 Saisie d'une formule nommée avec références.

Pour utiliser cette formule, il suffit d'ajouter son nom dans une cellule ou dans une autre formule, comme le montre la figure 3-15.

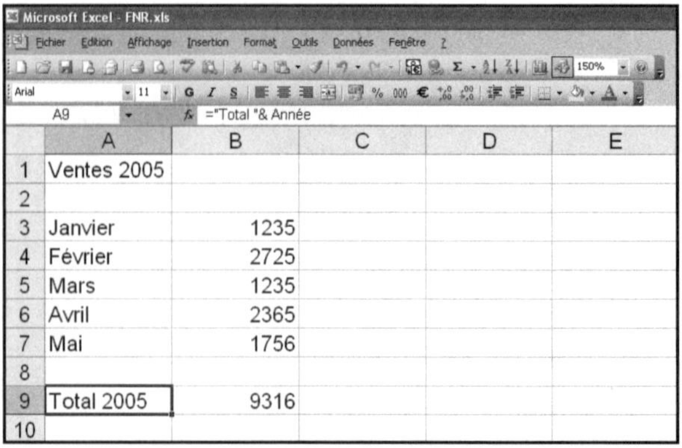

Figure 3-15 Utilisation d'une formule nommée avec références.

Partie II

Utiliser les fonctions

Chapitre 4

Fonctions mathématiques

Les fonctions mathématiques permettent de manipuler des nombres dans les feuilles de calcul. Ce chapitre couvre l'essentiel des fonctions mathématiques proposées par Excel. Si les fonctions SOMME ou MOYENNE vous sont sûrement familières, vous découvrirez ici d'autres fonctions moins connues mais qui vous rendront bien des services.

Ce chapitre est complété par des formules pour calculer des surfaces et des volumes, mais aussi convertir des mesures anglo-saxonnes et des températures.

Dans ce chapitre

Fonctions mathématiques

Pour aller au-delà des quatre opérations courantes, Excel propose des fonctions mathématiques plus sophistiquées, comme les logarithmes ou les racines.

EXP

La fonction EXP renvoie la constante *e* (2,71828182845904) élevée à la puissance de l'argument.

Microsoft Excel - Exp.xls

Fichier Edition Affichage Insertion Format Outils Données Fenêtre ?

E20

	A	B	C
1		**Fonction**	
2			
3	Puissance	3	
4	Exp	=EXP(B3)	
5			
6		**Résultat**	
7			
8	Puissance	3	
9	Exp	20,0855369231877	
10			
11			

Dans l'exemple, la constante *e* est élevée à la puissance 3.

Note Pour élever un autre nombre à une puissance, utilisez la fonction PUISSANCE ou l'opérateur ^. EXP est la fonction inverse de la fonction LN.

FACT

Cette fonction retourne la factorielle d'un nombre (1*2*3…*nombre).

Note L'argument doit être positif. Si ce n'est pas le cas, Excel affiche l'erreur #NOMBRE!. Les nombres décimaux sont tronqués.

Microsoft Excel - Fact.xls

	A	B	C
1		**Fonction**	
2			
3	Nombre	6	
4	Fact	=FACT(B3)	
5			
6		**Résultat**	
7			
8	Nombre	6	
9	Fact	720	
10			
11			

L'exemple retourne la factorielle de 6, soit 1*2*3*4*5*6.

LN

La fonction LN retourne le logarithme népérien d'un nombre. Les logarithmes népériens sont fondés sur la constante *e* (2,71828182845904).

Microsoft Excel - LN.xls

	A	B	C
1		**Fonction**	
2			
3	Nombre	2,71828182845904	
4	LN	=LN(B3)	
5			
6		**Résultat**	
7			
8	Nombre	2,71828182845904	
9	LN	0,999999999999998	
10			
11			

Dans cet exemple, la fonction retourne le logarithme népérien d'un nombre proche de la constante *e*.

L'argument doit être un réel positif. Si ce n'est pas le cas, Excel affiche l'erreur #NOMBRE!. LN est la fonction inverse de la fonction EXP.

LOG

La fonction LOG retourne le logarithme d'un nombre (premier argument) dans la base spécifiée (second argument). Si le second argument est omis, Excel utilise par défaut la base 10.

Note Le premier argument doit être un réel positif. Si ce n'est pas le cas, Excel affiche l'erreur #NOMBRE!.

Microsoft Excel - Log.xls

	A	B	C
1		**Fonction**	
2			
3	Nombre	5	
4	Base	8	
5	Log	=LOG(B3;B4)	
6			
7		**Résultat**	
8			
9	Nombre	5	
10	Base	8	
11	Log	0,773976031629121	
12			

Dans l'exemple, la fonction retourne le logarithme de 5 en base 8.

LOG10

Cette fonction retourne le logarithme en base 10 d'un nombre.

Note L'argument doit être un réel positif. Si ce n'est pas le cas, Excel affiche l'erreur #NOMBRE!.

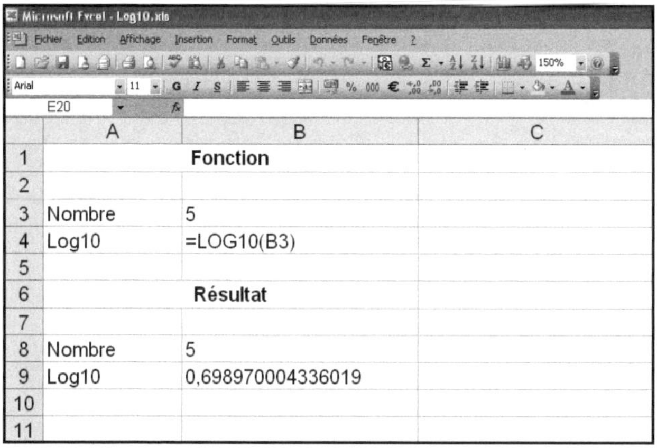

Microsoft Excel - Log10.xls

	A	B	C
1		**Fonction**	
2			
3	Nombre	5	
4	Log10	=LOG10(B3)	
5			
6		**Résultat**	
7			
8	Nombre	5	
9	Log10	0,698970004336019	
10			
11			

L'exemple retourne le logarithme en base 10 du nombre 5.

MOD

La fonction MOD retourne le modulo, c'est-à-dire le reste d'une division (premier argument pour le nombre à diviser et second argument pour le diviseur).

Note Si le second argument est égal à 0, Excel affiche l'erreur #DIV/0!.

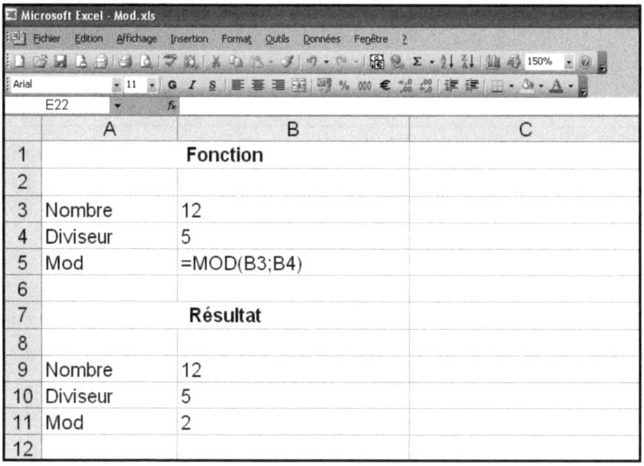

Microsoft Excel - Mod.xls

	A	B	C
1		**Fonction**	
2			
3	Nombre	12	
4	Diviseur	5	
5	Mod	=MOD(B3;B4)	
6			
7		**Résultat**	
8			
9	Nombre	12	
10	Diviseur	5	
11	Mod	2	
12			

Dans l'exemple, la fonction 2, qui est le reste de la division de 12 par 5.

MOYENNE

Cette fonction retourne la moyenne des arguments spécifiés. Vous pouvez utiliser des références à des cellules, des plages de cellules ou des nombres. Si vous insérez plusieurs arguments, séparez-les par des points-virgules.

Note La fonction MOYENNE est limitée à trente arguments.

Microsoft Excel - Moyenne.xls

Fichier Edition Affichage Insertion Format Outils Données Fenêtre ?

E20

	A	B	C
1		**Fonction**	
2			
3	Année 2004	10	
4	1e sem. 2005	5	
5	2e sem. 2005	4	
6	Moyenne	=MOYENNE(B3;B4:B5;8)	
7			
8		**Résultat**	
9			
10	Année 2004	10	
11	1e sem. 2005	5	
12	2e sem. 2005	4	
13	Moyenne	6,75	
14			

Dans l'exemple, la fonction calcule la moyenne des nombres de la cellule B3, de la plage de cellules B4:B5 et de la valeur littérale 8, soit (10 + 5 + 4 + 8) / 4 = 6,75.

PGCD

La fonction PGCD retourne le plus grand diviseur commun de plusieurs nombres entiers. Vous pouvez utiliser des références à des cellules, des plages de cellules ou des nombres. Si vous insérez plusieurs arguments, séparez-les par des points-virgules. Si un des nombres n'est pas un entier, il est tronqué à sa partie entière.

Note La fonction PGCD est limitée à vingt-neuf arguments. Elle nécessite la macro complémentaire Utilitaire d'analyse (consultez la fin du chapitre 1). Si un argument n'est pas une valeur numérique, la fonction renvoie la valeur #VALEUR!. Si un argument est négatif, la fonction renvoie la valeur d'erreur #NOMBRE!.

Microsoft Excel - PGCD.xls

	A	B	C
1		**Fonction**	
2			
3	Nombre 1	18	
4	Nombre 2	12	
5	Nombre 3	36	
6	PGCD	=PGCD(B3;B4:B5;24)	
7			
8		**Résultat**	
9			
10	Nombre 1	18	
11	Nombre 2	12	
12	Nombre 3	36	
13	PGCD	6	
14			

Dans l'exemple, la fonction recherche le plus grand diviseur commun des nombres de la cellule B3, de la plage de cellules B4:B5 et de la valeur littérale 24.

PPCM

La fonction PPCM retourne le plus petit multiple commun des nombres entiers spécifiés en arguments. Vous pouvez utiliser des références à des cellules, des plages de cellules ou des nombres. Si vous insérez plusieurs arguments, séparez-les par des points-virgules. Si un des nombres n'est pas un entier, il est tronqué à sa partie entière.

Note La fonction PPCM est limitée à vingt-neuf arguments. Elle nécessite la macro complémentaire Utilitaire d'analyse (consultez la fin du chapitre 1). Si un argument n'est pas une valeur numérique, la fonction renvoie la valeur #VALEUR!. Si un argument est négatif, la fonction renvoie la valeur d'erreur #NOMBRE!.

Microsoft Excel - PPCM.xls

	A	B	C
1		Fonction	
2			
3	Nombre 1	18	
4	Nombre 2	12	
5	Nombre 3	36	
6	PPCM	=PPCM(B3;B4:B5;24)	
7			
8		Résultat	
9			
10	Nombre 1	18	
11	Nombre 2	12	
12	Nombre 3	36	
13	PPCM	72	
14			

Dans l'exemple, la fonction recherche le plus petit multiple commun des nombres de la cellule B3, de la plage de cellules B4:B5 et de la valeur littérale 24.

PRODUIT

Cette fonction retourne le produit de la multiplication entre tous les arguments spécifiés. Vous pouvez utiliser des références à des cellules, des plages de cellules ou des nombres. Si vous insérez plusieurs arguments, séparez-les par des points-virgules.

Note La fonction PRODUIT est limitée à trente arguments.

Microsoft Excel - Produit.xls

	A	B	C
1		Fonction	
2			
3	Nombre 1	4	
4	Nombre 2	7	
5	Nombre 3	5	
6	Produit	=PRODUIT(B3;B4:B5;12)	
7			
8		Résultat	
9			
10	Nombre 1	4	
11	Nombre 2	7	
12	Nombre 3	5	
13	Produit	1680	
14			

PUISSANCE

Cette fonction retourne un nombre (premier argument) élevé à la puissance spécifiée (second argument).

Note La fonction PUISSANCE accepte tous les nombres, y compris les réels (=PUISSANCE(5,6;2,4) ou =5,6^2,4).

Microsoft Excel - Puissance.xls

	A	B	C
1		Fonction	
2			
3	Côté	4	m
4	Carré	=PUISSANCE(B3;2)	m^2
5	Cube	=PUISSANCE(B3;3)	m^3
6			
7		Résultat	
8			
9	Côté	4	m
10	Carré	16	m^2
11	Cube	64	m^3
12			

L'exemple calcule la surface d'un carré (puissance 2) et le volume d'un cube (puissance 3). Vous pouvez remplacer la fonction PUISSANCE par l'opérateur ^ comme dans l'exemple ci-après.

Microsoft Excel - Puissance 2.xls

	A	B	C
1		**Fonction**	
2			
3	Côté	4	m
4	Carré	=B3^2	m²
5	Cube	=B3^3	m³
6			
7		**Résultat**	
8			
9	Côté	4	m
10	Carré	16	m²
11	Cube	64	m³
12			

QUOTIENT

Cette fonction renvoie la partie entière du résultat d'une division. Elle permet d'ignorer le reste d'une division. Le premier argument correspond au dividende et le second au diviseur.

Note Utilisez cette fonction pour ignorer le reste d'une division sans passer par une fonction d'arrondi. Elle nécessite la macro complémentaire Utilitaire d'analyse (consultez la fin du chapitre 1).

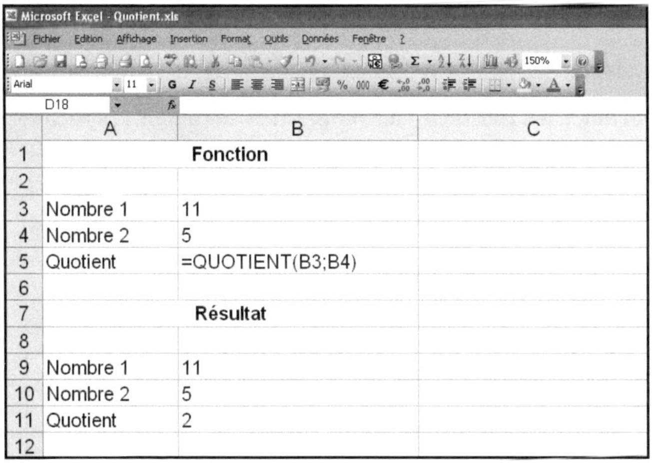

Microsoft Excel - Quotient.xls

Fichier Edition Affichage Insertion Format Outils Données Fenêtre ?

Arial 11 150%

D18

	A	B	C
1		**Fonction**	
2			
3	Nombre 1	11	
4	Nombre 2	5	
5	Quotient	=QUOTIENT(B3;B4)	
6			
7		**Résultat**	
8			
9	Nombre 1	11	
10	Nombre 2	5	
11	Quotient	2	
12			

Dans l'exemple, la fonction QUOTIENT retourne la partie entière de la division de 11 par 5.

RACINE

Cette fonction retourne la racine carrée d'un nombre.

Note L'argument doit être un nombre positif. Si ce n'est pas le cas, Excel affiche l'erreur #NOMBRE!. Pour éviter cette erreur, utilisez au préalable la fonction ABS, par exemple =ABS(RACINE(1024)).

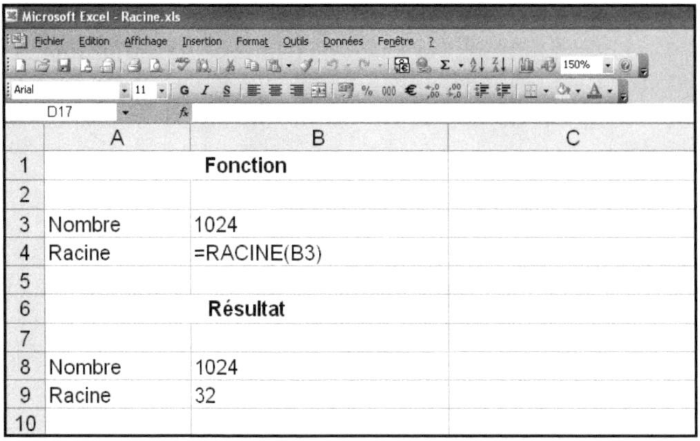

Microsoft Excel - Racine.xls

Fichier Edition Affichage Insertion Format Outils Données Fenêtre ?

Arial 11 150%

D17

	A	B	C
1		**Fonction**	
2			
3	Nombre	1024	
4	Racine	=RACINE(B3)	
5			
6		**Résultat**	
7			
8	Nombre	1024	
9	Racine	32	
10			

L'exemple recherche la racine carrée de 1 024.

SOMME

Cette fonction retourne la somme des arguments spécifiés. Vous pouvez utiliser des références à des cellules, des plages de cellules ou des nombres. Si vous insérez plusieurs arguments, séparez-les par des points-virgules.

Note La fonction SOMME est limitée à trente arguments.

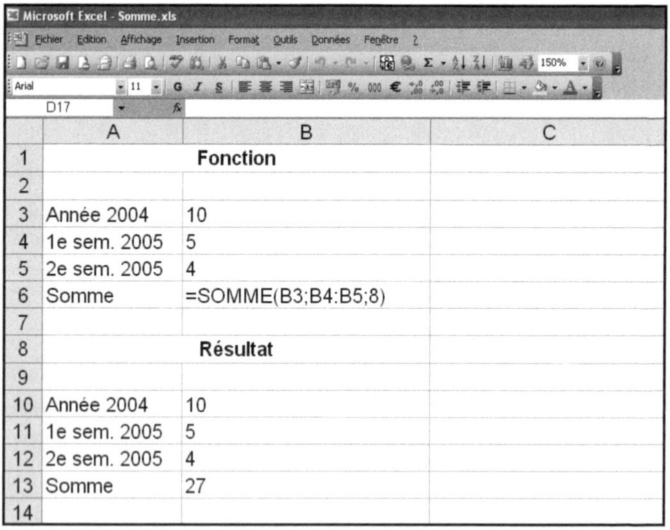

Microsoft Excel - Somme.xls

	A	B	C
1		**Fonction**	
2			
3	Année 2004	10	
4	1e sem. 2005	5	
5	2e sem. 2005	4	
6	Somme	=SOMME(B3;B4:B5;8)	
7			
8		**Résultat**	
9			
10	Année 2004	10	
11	1e sem. 2005	5	
12	2e sem. 2005	4	
13	Somme	27	
14			

Dans l'exemple, la fonction calcule la somme des nombres de la cellule B3, de la plage de cellules B4:B5 et de la valeur littérale 8, soit 10 + 5 + 4 + 8 = 27.

Fonctions trigonométriques

Pour tous vos calculs de géométrie et de trigonométrie, Excel propose plusieurs fonctions de base.

Note Toutes les fonctions trigonométriques fonctionnent en radians, et non en degrés. Les fonctions RADIANS et DEGRES permettent de passer d'un système à l'autre.

ACOS

La fonction ACOS retourne, en radians, l'arc cosinus d'un nombre. L'arc cosinus est l'angle dont le cosinus est fourni en argument. ACOS est donc la fonction inverse de la fonction COS.

Note Pour convertir le résultat en degrés, multipliez-le par 180/PI() ou utilisez la fonction DEGRES.

Microsoft Excel - Arc Cosinus.xls

	A	B	C
1		**Fonction**	
2			
3	Cosinus	0,9239	
4	Arc Cosinus	=ACOS(B3)	
5			
6		**Résultat**	Angle
7			
8	Cosinus	0,9239	Cosinus
9	Arc Cosinus	0,3926	
10			
11			
12			

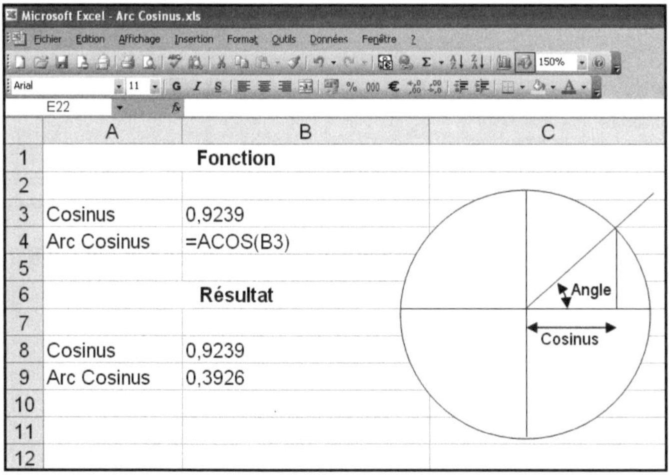

ASIN

La fonction ASIN retourne, en radians, l'arc sinus d'un nombre. L'arc sinus est l'angle dont le sinus est fourni en argument. ASIN est la fonction inverse de la fonction SIN.

Note Pour convertir le résultat en degrés, multipliez-le par 180/PI() ou utilisez la fonction DEGRES.

Microsoft Excel - Arc Sinus.xls

	A	B	C
1		Fonction	
2			
3	Sinus	0,9239	
4	Arc Sinus	=ASIN(B3)	
5			
6		Résultat	
7			
8	Sinus	0,9239	
9	Arc Sinus	1,1781	
10			
11			
12			

ATAN

La fonction ATAN retourne l'arc tangente d'un nombre. L'arc tangente est l'angle dont la tangente est fournie en argument. Le résultat est exprimé en radians.

Microsoft Excel - Arc Tangente.xls

	A	B	C	D
1		Fonction		
2				
3	Tangente	1		
4	Arc Tangente	=ATAN(B3)		
5				
6		Résultat		
7				
8	Tangente	1		
9	Arc Tangente	0,785398163397448		
10				
11				
12				

Note Pour convertir le résultat en degrés, multipliez-le par 180/PI() ou utilisez la fonction DEGRES.

COS

Cette fonction retourne le cosinus d'un angle en radians.

Note Si l'argument est en degrés, multipliez-le par PI()/180 ou utilisez la fonction RADIANS.

Microsoft Excel - Cosinus.xls

Fichier Edition Affichage Insertion Format Outils Données Fenêtre ?

E18

	A	B	C
1		**Fonction**	
2			
3	Angle	=PI()/4	
4	Cosinus	=COS(B3)	
5			
6		**Résultat**	
7			
8	Angle	0,78539	
9	Cosinus	0,7071	
10			
11			
12			

Angle

Cosinus

04-19

Dans l'exemple, la fonction retourne le cosinus d'un angle de PI/4 (45 degrés).

PI

La fonction PI retourne la valeur du nombre PI (3,1415926…). En fait, la fonction PI se contente de retourner la constante correspondante.

Cette fonction n'a pas d'argument, mais les parenthèses sont obligatoires.

Microsoft Excel - PI.xls

	A	B	C
1		Fonction	
2			
3	PI	=PI()	
4	PI/2	=PI()/2	
5	PI/4	=PI()/4	
6	2PI	=2*PI()	
7			
8		Résultat	
9			
10	PI	3,14159265358979	
11	PI/2	1,5707963267949	
12	PI/4	0,785398163397448	
13	2PI	6,28318530717959	
14			

L'exemple calcule diverses valeurs de PI.

SIN

La fonction SIN retourne le sinus d'un angle en radians.

Note Si l'argument est en degrés, multipliez-le par PI()/180 ou utilisez la fonction RADIANS.

Microsoft Excel - Sinus.xls

	A	B	C
1		Fonction	
2			
3	Angle	=PI()/4	
4	Sinus	=SIN(B3)	
5			
6		Résultat	
7			
8	Angle	0,785398163397448	
9	Sinus	0,707106781186547	
10			
11			
12			

Dans l'exemple, la fonction retourne le sinus d'un angle de PI/4 (45 degrés).

TAN

La fonction TAN retourne la tangente d'un angle en radians.

Note Si l'argument est en degrés, multipliez-le par PI()/180 ou utilisez la fonction RADIANS.

Microsoft Excel - Tangente.xls

	A	B	C	D
1		**Fonction**		
2				
3	Angle	=PI()/4		
4	Tangente	=TAN(B3)		Tangeante
5				
6		**Résultat**	Angle	
7				
8	Angle	0,785398163397448		
9	Tangente	1		
10				
11				
12				

Dans l'exemple, la fonction retourne la tangente d'un angle de PI/4 (45 degrés).

Fonctions de conversion et d'arrondi

Il est souvent nécessaire de convertir ou d'arrondir des valeurs. Excel propose pour cela une grande quantité de fonctions.

ABS

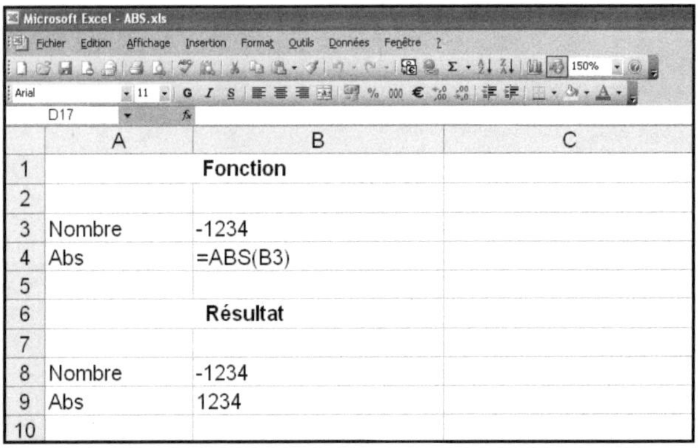

Microsoft Excel - ABS.xls

	A	B	C
1		Fonction	
2			
3	Nombre	-1234	
4	Abs	=ABS(B3)	
5			
6		Résultat	
7			
8	Nombre	-1234	
9	Abs	1234	
10			

La fonction ABS retourne la valeur absolue d'un nombre. Quel que soit son signe, elle retourne donc un nombre positif.

Note Pour connaître le signe d'un nombre, utilisez la fonction SIGNE.

ARRONDI

Cette fonction arrondit un nombre (premier argument) au nombre de chiffres spécifié (second argument). Si le second argument est négatif, le nombre est arrondi à gauche de la virgule.

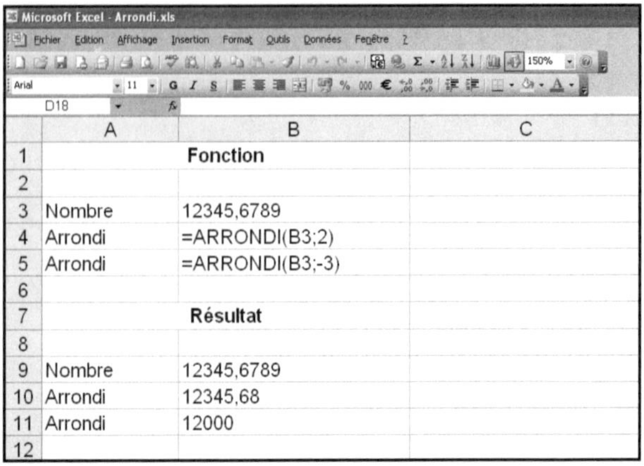

Microsoft Excel - Arrondi.xls

	A	B	C
1		Fonction	
2			
3	Nombre	12345,6789	
4	Arrondi	=ARRONDI(B3;2)	
5	Arrondi	=ARRONDI(B3;-3)	
6			
7		Résultat	
8			
9	Nombre	12345,6789	
10	Arrondi	12345,68	
11	Arrondi	12000	
12			

Dans l'exemple, on arrondit le même nombre, une fois avec un argument positif (le nombre est limité à deux chiffres après la virgule), et une fois avec un nombre négatif (les trois chiffres à gauche de la virgule sont remplacés par des 0 et tous ceux à droite de la virgule sont supprimés).

ARRONDI.AU.MULTIPLE

Cette fonction arrondit un nombre (premier argument) au multiple le plus proche (second argument).

Note Cette fonction nécessite la macro complémentaire Utilitaire d'analyse (consultez la fin du chapitre 1).

Microsoft Excel - Arrondi-Au-Multiple.xls

	A	B	C
1		Fonction	
2			
3	Nombre	230	
4	Arrondi au multiple	=ARRONDI.AU.MULTIPLE(B3;6)	
5			
6		Résultat	
7			
8	Nombre	230	
9	Arrondi au multiple	228	
10			

Dans l'exemple, 228 est un multiple de 6, et c'est la valeur la plus proche de 230.

ARRONDI.INF

Cette fonction arrondit un nombre (premier argument) en tendant vers 0, avec le nombre de décimales spécifié (second argument). Si le second argument est négatif, le nombre est arrondi à la valeur immédiatement inférieure, par incréments de 10 (–1), 100 (–2), *etc.*

Note Si le second argument est 0 ou omis, la fonction retourne le nombre entier inférieur le plus proche.

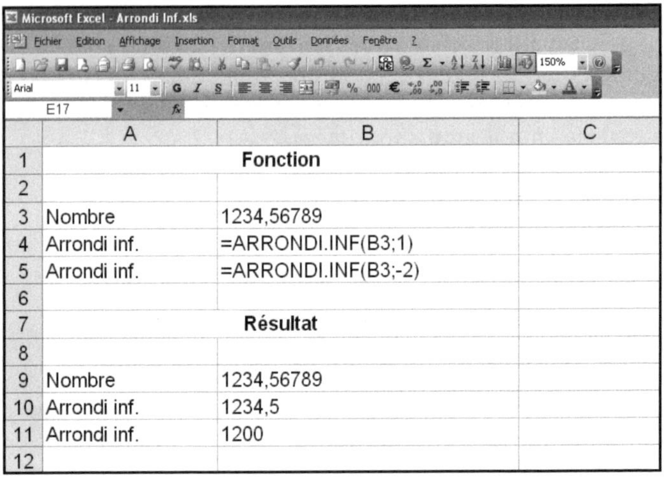

Microsoft Excel - Arrondi Inf.xls

	A	B	C
1		Fonction	
2			
3	Nombre	1234,56789	
4	Arrondi inf.	=ARRONDI.INF(B3;1)	
5	Arrondi inf.	=ARRONDI.INF(B3;-2)	
6			
7		Résultat	
8			
9	Nombre	1234,56789	
10	Arrondi inf.	1234,5	
11	Arrondi inf.	1200	
12			

Dans le premier exemple (cellule B4), le nombre est arrondi vers l'entier inférieur mais en conservant une décimale.

Dans le second exemple (cellule B5), le nombre est arrondi à la centaine inférieure la plus proche.

ARRONDI.SUP

Cette fonction arrondit un nombre (premier argument) en s'éloignant de 0, avec le nombre de décimales spécifié (second argument). Si le second argument est négatif, le nombre est arrondi à la valeur immédiatement supérieure, par incréments de 10 (–1), 100 (–2), *etc.*

Note Si le second argument est 0 ou omis, la fonction retourne le nombre entier supérieur le plus proche.

Microsoft Excel - Arrondi Sup.xls

	A	B	C
1		**Fonction**	
2			
3	Nombre	1234,56789	
4	Arrondi Sup.	=ARRONDI.SUP(B3;1)	
5	Arrondi Sup.	=ARRONDI.SUP(B3;-2)	
6			
7		**Résultat**	
8			
9	Nombre	1234,56789	
10	Arrondi Sup.	1234,6	
11	Arrondi Sup.	1300	
12			

Dans le premier exemple (cellule B4), le nombre est arrondi vers l'entier supérieur, mais en conservant une décimale.

Dans le second exemple (cellule B5), le nombre est arrondi à la centaine supérieure la plus proche.

DEGRES

Cette fonction convertit en degrés un nombre en radians.

Microsoft Excel - Degrés.xls

	A	B	C
1		**Fonction**	
2			
3	PI	=DEGRES(PI())	
4	PI/2	=DEGRES(PI()/2)	
5	PI/4	=DEGRES(PI()/4)	
6	2PI	=DEGRES(2*PI())	
7			
8		**Résultat**	
9			
10	PI	180	
11	PI/2	90	
12	PI/4	45	
13	2PI	360	
14			

L'exemple convertit diverses valeurs de PI en degrés.

Note Pour convertir des degrés en radians, utilisez la fonction RADIANS.

ENT

La fonction ENT arrondit un nombre à l'entier inférieur le plus proche.

Microsoft Excel - Ent.xls

	A	B	C
1		Fonction	
2			
3	Nombre	123,456	
4	Ent	=ENT(B3)	
5	Décimales	=B3-ENT(B3)	
6			
7		Résultat	
8			
9	Nombre	123,456	
10	Ent	123	
11	Décimales	0,456	
12			

Le premier exemple (cellule B4) supprime les décimales d'un nombre. La formule du second exemple (cellule B5) retourne uniquement les décimales.

Note Consultez aussi les fonctions ARRONDI, ARRONDI.INF, ARRONDI.SUP, PLANCHER, PLAFOND et TRONQUE.

IMPAIR

La fonction IMPAIR arrondit un nombre à l'entier impair le plus proche en s'éloignant de 0. Si l'argument est négatif, le résultat s'éloigne aussi de 0, comme le montre le second exemple en B4.

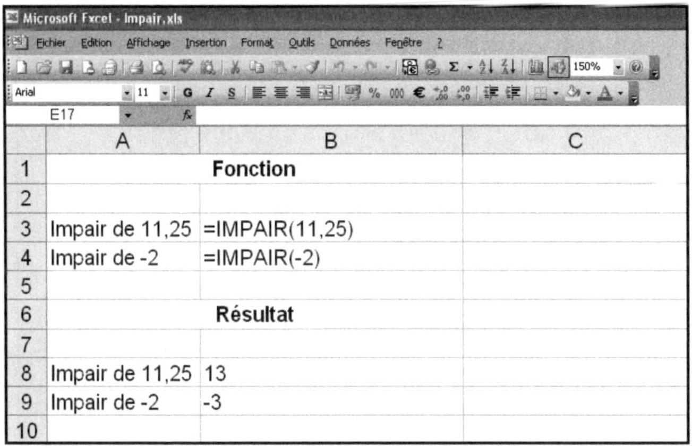

Microsoft Excel - Impair.xls

Fichier Edition Affichage Insertion Format Outils Données Fenêtre ?

150% Arial 11 G I S % 000 €

E17

	A	B	C
1		**Fonction**	
2			
3	Impair de 11,25	=IMPAIR(11,25)	
4	Impair de -2	=IMPAIR(-2)	
5			
6		**Résultat**	
7			
8	Impair de 11,25	13	
9	Impair de -2	-3	
10			

PAIR

La fonction PAIR arrondit un nombre à l'entier pair le plus proche en s'éloignant de 0. Si l'argument est négatif, la fonction PAIR s'éloigne aussi de 0, comme le montre l'exemple en B4.

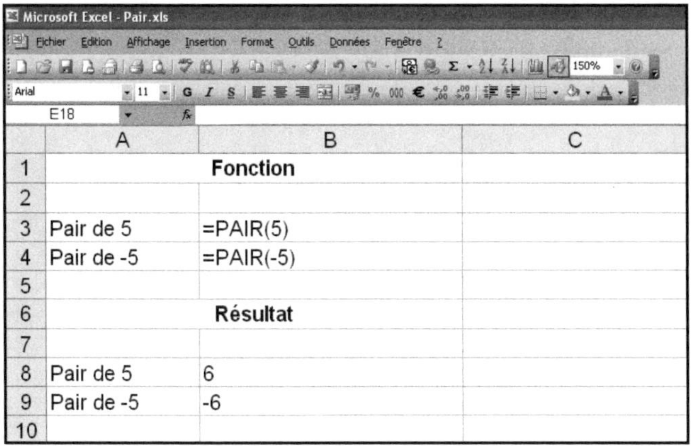

Microsoft Excel - Pair.xls

Fichier Edition Affichage Insertion Format Outils Données Fenêtre ?

150% Arial 11 G I S % 000 €

E18

	A	B	C
1		**Fonction**	
2			
3	Pair de 5	=PAIR(5)	
4	Pair de -5	=PAIR(-5)	
5			
6		**Résultat**	
7			
8	Pair de 5	6	
9	Pair de -5	-6	
10			

PLAFOND

La fonction PLAFOND arrondit un nombre (premier argument) au multiple le plus proche (second argument) en s'éloignant de 0. Le second argument est un entier ou un nombre décimal.

Microsoft Excel - Plafond.xls

	A	B	C
1		**Fonction**	
2			
3	Nombre	123,441	
4	Plafond	=PLAFOND(B3;0,05)	
5			
6		**Résultat**	
7			
8	Nombre	123,441	
9	Plafond	123,45	
10			

Cette fonction permet d'arrondir des nombres avec un multiple précis. Dans l'exemple, le nombre est arrondi au multiple de 0,05 supérieur.

PLANCHER

La fonction PLANCHER arrondit un nombre (premier argument) au multiple le plus proche (second argument) en se rapprochant de 0. Le second argument est un entier ou un nombre décimal.

Microsoft Excel - Plancher.xls

	A	B	C
1		**Fonction**	
2			
3	Nombre	123,441	
4	Plancher	=PLANCHER(B3;0,05)	
5			
6		**Résultat**	
7			
8	Nombre	123,441	
9	Plancher	123,4	
10			

Cette fonction permet d'arrondir des nombres avec un multiple précis. Dans l'exemple, le nombre est arrondi au multiple de 0,05 inférieur.

RADIANS

La fonction RADIANS convertit en radians un nombre en degrés.

Microsoft Excel - Radians.xls

	A	B	C
1		**Fonction**	
2			
3	180°	=RADIANS(180)	
4	90°	=RADIANS(90)	
5	45°	=RADIANS(45)	
6	360°	=RADIANS(360)	
7			
8		**Résultat**	
9			
10	180°	3,14159265358979	
11	90°	1,5707963267949	
12	45°	0,785398163397448	
13	360°	6,28318530717959	
14			

L'exemple convertit plusieurs angles en radians.

Note Pour convertir des radians en degrés, utilisez la fonction DEGRES.

SIGNE

Cette fonction retourne 1 si le nombre en argument est positif, 0 si le nombre est égal à zéro et –1 si le nombre est négatif.

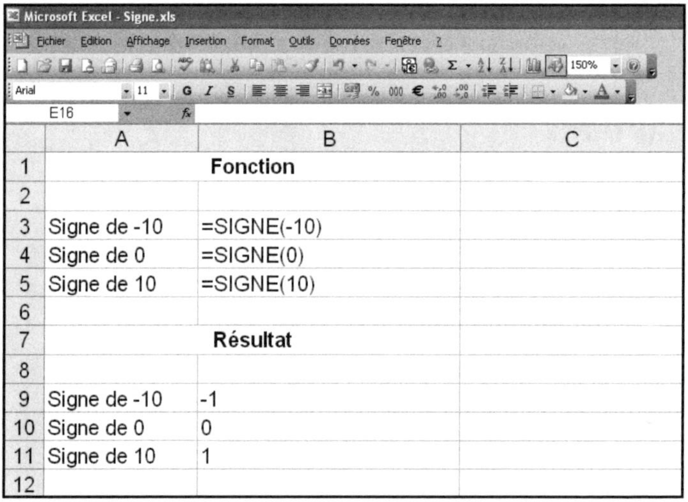

Microsoft Excel - Signe.xls

Fichier Edition Affichage Insertion Format Outils Données Fenêtre ?

150%

Arial 11 G I S % 000 €

E16

	A	B	C
1		Fonction	
2			
3	Signe de -10	=SIGNE(-10)	
4	Signe de 0	=SIGNE(0)	
5	Signe de 10	=SIGNE(10)	
6			
7		Résultat	
8			
9	Signe de -10	-1	
10	Signe de 0	0	
11	Signe de 10	1	
12			

Les exemples montrent les trois cas possibles.

Note Pour supprimer le signe d'un nombre, utilisez la fonction ABS.

TRONQUE

Cette fonction supprime la partie décimale d'un nombre.

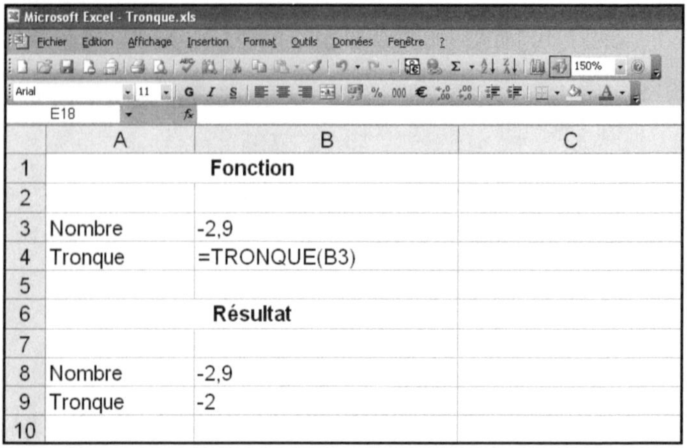

Microsoft Excel - Tronque.xls

Fichier Edition Affichage Insertion Format Outils Données Fenêtre ?

150%

Arial 11 G I S % 000 €

E18

	A	B	C
1		Fonction	
2			
3	Nombre	-2,9	
4	Tronque	=TRONQUE(B3)	
5			
6		Résultat	
7			
8	Nombre	-2,9	
9	Tronque	-2	
10			

Note La fonction TRONQUE se contente de supprimer les décimales, alors que la fonction ENT retourne la valeur la plus proche. Ainsi, TRONQUE(–2,9) retourne –2 alors que ENT(–2,9) retourne –3.

ALEA

Nous avons placé cette fonction en dernier car elle est un peu particulière. Elle retourne un nombre aléatoire entre 0 (compris) et 1 (non compris). Appuyez sur la touche **F9** pour recalculer la feuille et modifier le résultat. Vous pouvez utiliser cette fonction pour créer des jeux de hasard.

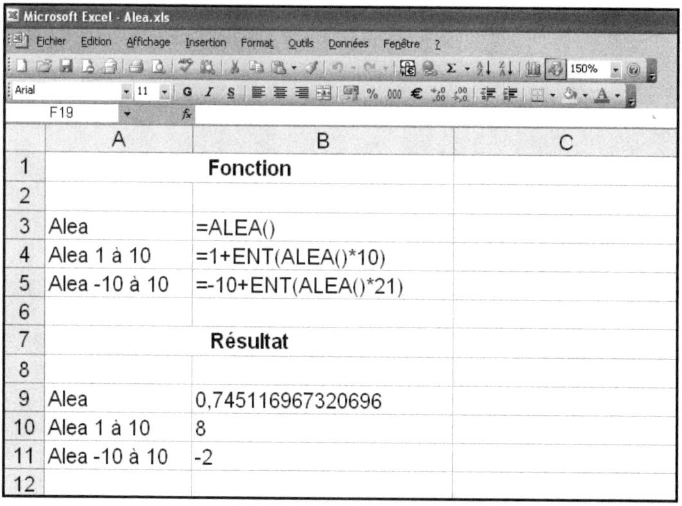

Microsoft Excel - Alea.xls

	A	B	C
1		**Fonction**	
2			
3	Alea	=ALEA()	
4	Alea 1 à 10	=1+ENT(ALEA()*10)	
5	Alea -10 à 10	=-10+ENT(ALEA()*21)	
6			
7		**Résultat**	
8			
9	Alea	0,745116967320696	
10	Alea 1 à 10	8	
11	Alea -10 à 10	-2	
12			

Dans l'exemple, la formule en B3 retourne un nombre aléatoire entre 0 et 1 (non compris). La formule en B4 retourne un nombre entier entre 1 (compris) et 10 (compris). La formule en B5 retourne un nombre entier entre –10 (compris) et 10 (compris).

Note Le résultat de cette fonction est différent à chaque recalcul de la feuille ou du classeur.

Formules mathématiques

Vous trouverez ici quelques exemples de formules qui utilisent les fonctions vues précédemment. À partir de ces modèles, vous pouvez créer toutes les formules que vous employez habituellement dans votre métier.

Formules des surfaces

Périmètre d'un carré

```
=Côté*4
```

Surface d'un carré

```
=Côté*Côté
```

ou

```
=Côté^2
```

ou encore

```
=Puissance(Côté;2)
```

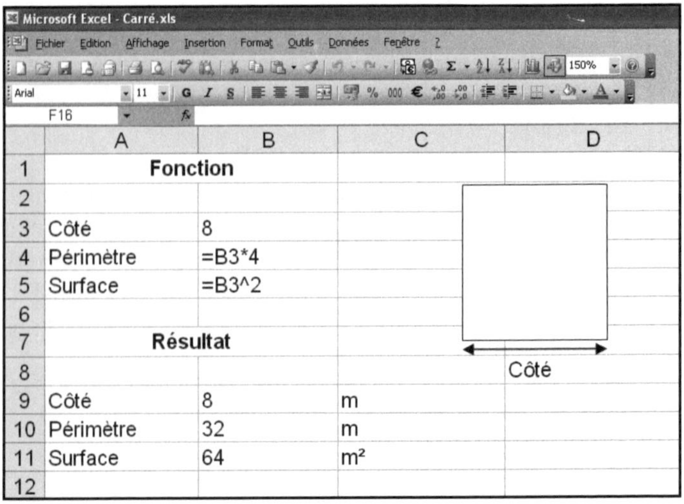

Microsoft Excel - Carré.xls

	A	B	C	D
1	Fonction			
2				
3	Côté	8		
4	Périmètre	=B3*4		
5	Surface	=B3^2		
6				
7	Résultat			
8				Côté
9	Côté	8	m	
10	Périmètre	32	m	
11	Surface	64	m²	
12				

Périmètre d'un rectangle

```
=(Longueur*2)+(Largeur*2)
```

Surface d'un rectangle

```
=Longueur*Largeur
```

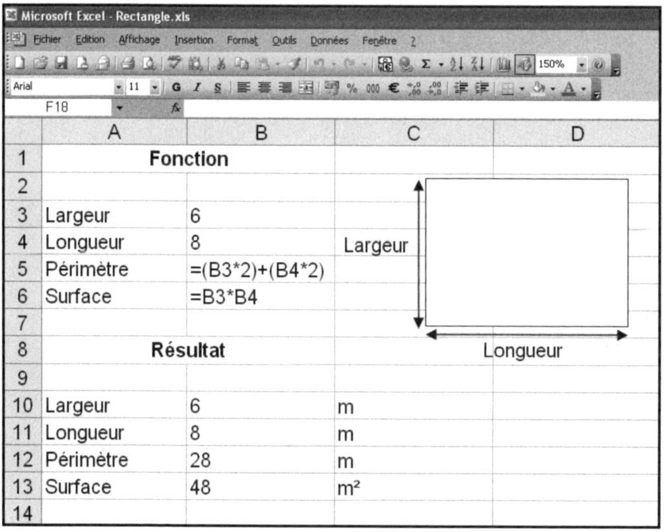

Microsoft Excel - Rectangle.xls

	A	B	C	D
1	Fonction			
2				
3	Largeur	6		
4	Longueur	8	Largeur	
5	Périmètre	=(B3*2)+(B4*2)		
6	Surface	=B3*B4		
7				
8	Résultat		Longueur	
9				
10	Largeur	6	m	
11	Longueur	8	m	
12	Périmètre	28	m	
13	Surface	48	m²	
14				

Périmètre d'un cercle

```
=(2*Rayon)*PI()
```

ou

```
=Diamètre*PI()
```

Surface d'un cercle

```
=(Rayon^2)*PI()
```

ou

```
=Puissance(Rayon;2)*PI()
```

Microsoft Excel - Cercle.xls

	A	B	C	D
1	Fonction			
2				
3	Rayon	5		
4	Périmètre	=(2*B3)*PI()		
5	Surface	=(B3^2)*PI()		Rayon
6				
7	Résultat			
8				
9	Rayon	5	m	
10	Périmètre	31,4	m	
11	Surface	78,5	m²	
12				

Surface d'un triangle

```
=(Base*Hauteur)/2
```

Surface d'un trapèze

```
=((Base1+Base2)*Hauteur)/2
```

Microsoft Excel - Triangle-Trapèze.xls

	A	B	C	D
1	Triangle			
2			Hauteur	
3	Base	6		
4	Hauteur	8		
5	Surface	=(B3*B4)/2		
6				Base
7	Trapèze			
8				Base2
9	Base1	5		
10	Base2	8	Hauteur	
11	Hauteur	8		
12	Surface	=((B9+B10)*B11)/2		
13				
14				Base1

Formules des volumes

Surface d'un cube

```
=(Côté^2)*6
```

Volume d'un cube

```
=Côté^3
```

ou

```
=Puissance(Côté;3)
```

Microsoft Excel - Cube.xls

Fichier Edition Affichage Insertion Format Outils Données Fenêtre ?

	A	B	C	D
1	Fonction			
2				
3	Côté	8		
4	Surface	=(B3^2)*6		
5	Volume	=B3^3		
6				
7	Résultat			
8				Côté
9	Côté	8	m	
10	Surface	384	m²	
11	Volume	512	m³	
12				

Surface d'un parallélépipède

```
=(Largeur*Hauteur*2)+(Largeur*Profondeur*2)+
(Hauteur*Profondeur*2)
```

Volume d'un parallélépipède

```
=Largeur*Hauteur*Profondeur
```

Microsoft Excel - Parallélépipède.xls

	A	B	C	D
1	Fonction			
2				
3	Largeur	6		
4	Hauteur	8		
5	Profondeur	4		
6	Surface	=(B3*B4*2)+(B3*B5*2)+(B4*B5*2)		
7	Volume	=B3*B4*B5		
8				
9	Résultat			
10				
11	Largeur	6	m	
12	Hauteur	8	m	
13	Profondeur	4	m	
14	Surface	208	m²	
15	Volume	192	m³	
16				

Surface d'une sphère

```
=(Rayon*2)*4*PI()
```

Volume d'une sphère

```
=((Rayon^3)*(4*PI()))/3
```

Microsoft Excel - Sphère.xls

	A	B	C	D
1	Fonction			
2				
3	Rayon	5		
4	Surface	=(B3*2)*4*PI()		
5	Volume	=((B3^3)*(4*PI()))/3		
6				
7	Résultat			
8				
9	Rayon	5	cm	
10	Surface	125,66	cm²	
11	Volume	523,59	cm³	
12				

Volume d'un cylindre

```
=(Rayon^2)*Hauteur*PI()
```

Volume d'une pyramide

```
=(Largeur*Longueur*Hauteur)/3
```

Volume d'un cône

```
=((Rayon^2)*Hauteur*PI())/3
```

Volume d'un cône tronqué

```
=((Hauteur*PI())/
3)*(Rayon1^2+Rayon2^2+(Rayon1*Rayon2))
```

Conversion de distances, de poids et de volumes

Pour convertir des données, il suffit de multiplier la mesure d'origine par le facteur de conversion que vous trouverez dans le tableau ci-après.

Conversion de distances

	Mètre	**Pied**	**Pouce**	**Mile nautique**	**Mile standard**
Mètre		3,2808398 95	39,370 07 8 74	0,000539957	0,000621371
Pied	0,3048		12	0,000164579	0,000189394
Pouce	0,0254	0,0833333 33		1,37149E-05	1,57828E-05
Mile nautique	1 852	6 076,1154 86	72 913,38 583		1,150779448
Mile standard	1 609,344	5 280	63 360	0,868976242	

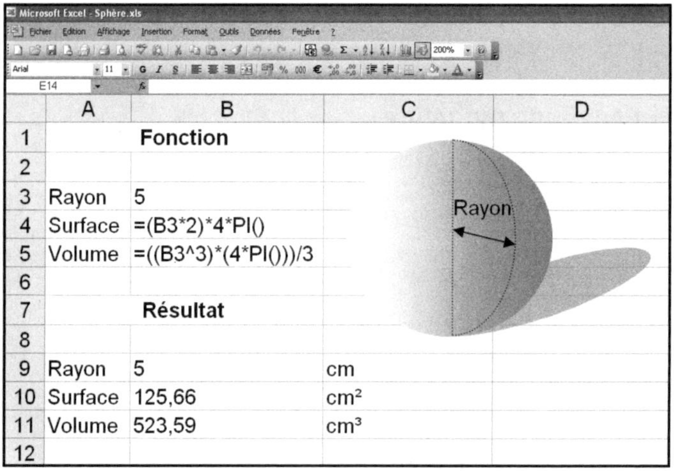

Microsoft Excel - Sphère.xls

	A	B	C	D
1		Fonction		
2				
3	Rayon	5		
4	Surface	=(B3*2)*4*PI()		
5	Volume	=((B3^3)*(4*PI()))/3		
6				
7		Résultat		
8				
9	Rayon	5	cm	
10	Surface	125,66	cm²	
11	Volume	523,59	cm³	
12				

Rayon

L'exemple précédent montre la conversion de 17 m dans diverses mesures.

Conversion de poids

	Gramme	Once	Livre
Gramme		0,035274	0,002205
Once	28,34952		0,0625
Livre	453,5923	16	

Conversion de volume des liquides

	Once liquide	Gallon	Litre	Pinte
Once liquide		0,007813	0,02958	0,0625
Gallon	128		3,786235	8
Litre	33,80667	0,264115		2,112917
Pinte	16	0,125	0,473279	

Conversion de températures

Contrairement aux autres conversions, celles des températures nécessitent d'utiliser des formules.

Degrés Celsius en Fahrenheit

```
=(Température*1,8)+32
```

Degrés Celsius en Kelvin

```
=Température+273
```

Degrés Fahrenheit en Celsius

```
=(Température-32)*(5/9)
```

Degrés Fahrenheit en Kelvin

```
=(Température-32)*(5/9)+273
```

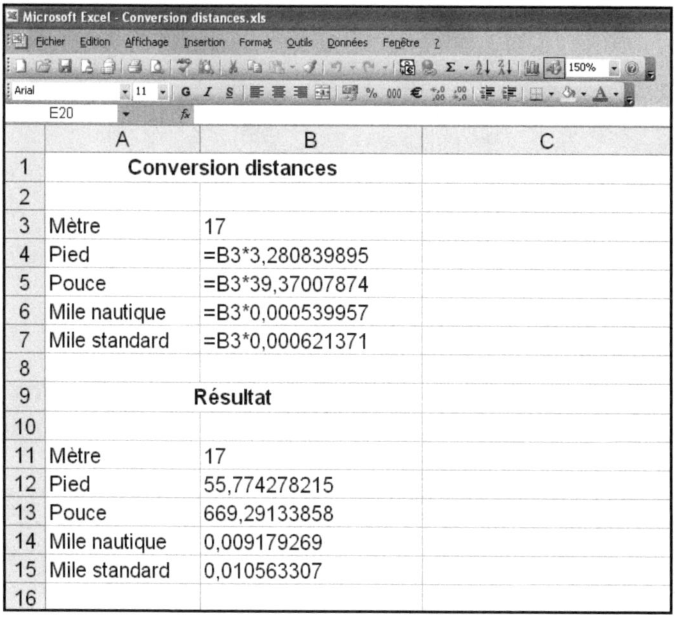

Microsoft Excel - Conversion distances.xls

	A	B	C
1	Conversion distances		
2			
3	Mètre	17	
4	Pied	=B3*3,280839895	
5	Pouce	=B3*39,37007874	
6	Mile nautique	=B3*0,000539957	
7	Mile standard	=B3*0,000621371	
8			
9	Résultat		
10			
11	Mètre	17	
12	Pied	55,774278215	
13	Pouce	669,29133858	
14	Mile nautique	0,009179269	
15	Mile standard	0,010563307	
16			

Chapitre 5

Fonctions de texte

Les fonctions de texte permettent de manipuler des chaînes de caractères. Même si Excel est avant tout un tableur, donc destiné à utiliser des nombres et des formules, les fonctions de texte sont indispensables dans l'agencement des feuilles de calcul. Ce chapitre vous fait découvrir toutes les fonctions disponibles dans ce domaine, et donne des exemples de formules.

Dans ce chapitre

- Manipulation de texte
- Recherche de texte
- Conversion de texte

Manipuler du texte

Les fonctions de manipulation permettent d'extraire, de remplacer ou de substituer des portions de texte. Elles permettent aussi de supprimer les caractères indésirables dans les textes provenant d'applications extérieures.

Définition **Chaîne de caractères :** ensemble de caractères alphanumériques formant des mots et des phrases. Lors de la saisie d'une cellule, Excel analyse son contenu pour déterminer s'il s'agit d'un texte. Toute saisie ne contenant pas un nombre ou ne débutant pas par le signe égale est considérée comme étant une chaîne de caractères. Par défaut, les chaînes sont alignées à gauche.

CONCATENER

Cette fonction permet de mettre bout à bout plusieurs chaînes (tous les arguments) pour n'en former qu'une seule. Utilisez-la pour regrouper des informations, par exemple un nom et un prénom.

Note Vous pouvez aussi utiliser l'opérateur **&** (="Monsieur" & "Dupont" & "Jean").

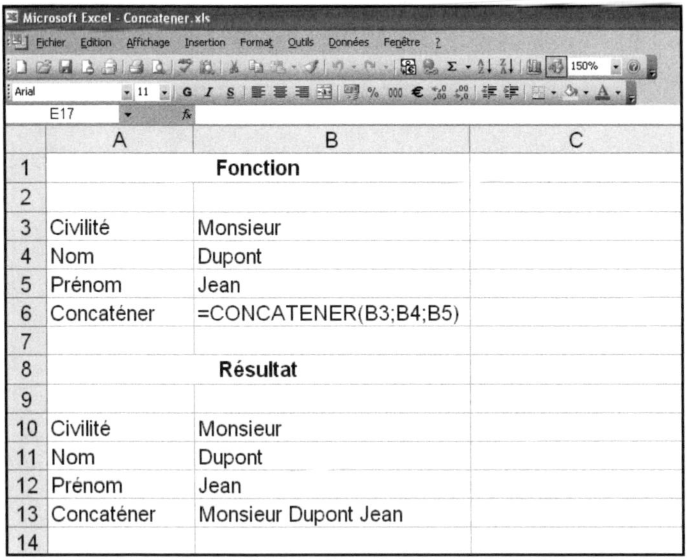

	A	B	C
1		**Fonction**	
2			
3	Civilité	Monsieur	
4	Nom	Dupont	
5	Prénom	Jean	
6	Concaténer	=CONCATENER(B3;B4;B5)	
7			
8		**Résultat**	
9			
10	Civilité	Monsieur	
11	Nom	Dupont	
12	Prénom	Jean	
13	Concaténer	Monsieur Dupont Jean	
14			

L'exemple concatène les trois textes des cellules B3 à B5. Notez que chaque texte contient un espace final, ce qui permet de séparer les mots. Si ce n'est pas votre cas, vous devez les ajouter dans la fonction : = CONCATENER(B3;" ";B4;" ";B5).

DROITE

Cette fonction retourne les *x* caractères (second argument) de droite d'une chaîne (premier argument). Utilisez-la pour extraire les mots à droite d'une chaîne, par exemple un nom dans un texte contenant un prénom et un nom.

Note Si le second argument est omis, sa valeur par défaut est 1.

Microsoft Excel - Droite.xls

	A	B	C
1		Fonction	
2			
3	Texte	Dupont Jean	
4	Droite	=DROITE(B3;4)	
5			
6		Résultat	
7			
8	Texte	Dupont Jean	
9	Droite	Jean	
10			

L'exemple extrait les quatre caractères de droite de la chaîne en B3.

EPURAGE

Cette fonction supprime tous les caractères non imprimables d'un texte. Elle est essentiellement utilisée pour les textes provenant d'applications extérieures.

Microsoft Excel - Epurage.xls

	A	B
1		Fonction
2		
3	Texte	=CAR(20) & "Dupont" & CAR(20) & " Jean" & CAR(20)
4	Epurage	=EPURAGE(B3)
5		
6		Résultat
7		
8	Texte	□Dupont□ Jean□
9	Epurage	Dupont Jean
10		

Dans l'exemple, la cellule en B3 contient du texte avec des caractères non imprimables ajoutés volontairement. La fonction en B4 supprime ces caractères.

GAUCHE

Cette fonction retourne les *x* caractères (second argument) de gauche d'une chaîne (premier argument). Utilisez-la pour extraire les mots à gauche d'une chaîne, par exemple un prénom dans un texte contenant un prénom et un nom.

Note Si le second argument est omis, sa valeur par défaut est 1.

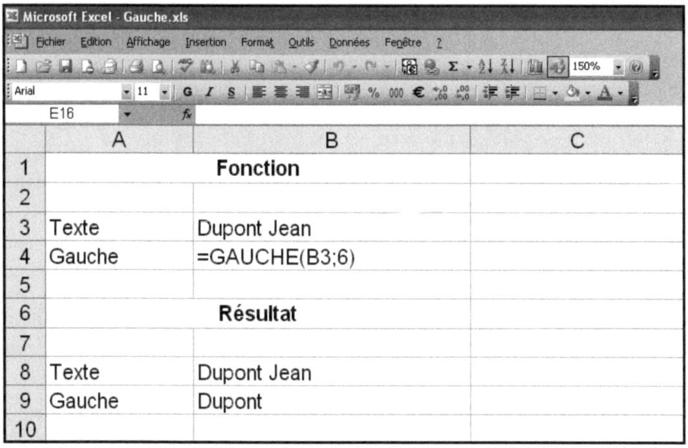

Microsoft Excel - Gauche.xls

	A	B	C
1		**Fonction**	
2			
3	Texte	Dupont Jean	
4	Gauche	=GAUCHE(B3;6)	
5			
6		**Résultat**	
7			
8	Texte	Dupont Jean	
9	Gauche	Dupont	
10			

L'exemple extrait les six caractères de gauche de la chaîne en B3.

REMPLACER

Cette fonction remplace une partie d'une chaîne de caractères (premier argument), à partir d'une position précise (deuxième argument), et pour un nombre de caractères précis (troisième argument), par les caractères d'une autre chaîne (quatrième argument).

Microsoft Excel - Gauche.xls

	A	B	C
1	Fonction		
2			
3	Texte	Dupont Jean	
4	Gauche	=GAUCHE(B3;6)	
5			
6	Résultat		
7			
8	Texte	Dupont Jean	
9	Gauche	Dupont	
10			

Dans l'exemple, on remplace la chaîne 2002 par la chaîne 2003.

REPT

Cette fonction crée une chaîne en répétant *x* fois (second argument) une chaîne (premier argument).

Note La chaîne générée ne peut pas dépasser 32 767 caractères. Si c'est le cas, Excel affiche l'erreur #VALEUR!. Si le second argument est 0, la fonction retourne une chaîne vide.

Microsoft Excel - Rept.xls

	A	B	C
1	Fonction		
2			
3	Texte	*_*	
4	Répétition	5	
5	Remplacer	=REPT(B3;B4)	
6			
7	Résultat		
8			
9	Texte	*_*	
10	Répétition	5	
11	Remplacer	*_**_**_**_**_*	
12			

Dans l'exemple, on répète cinq fois la chaîne « *–* ».

SUBSTITUE

Cette fonction remplace une portion de texte (deuxième argument) d'une chaîne (premier argument) par une autre chaîne (troisième argument).

Note Si la chaîne du deuxième argument n'existe pas dans la chaîne d'origine (premier argument), la fonction retourne la chaîne d'origine.

Microsoft Excel - Substitue.xls

	A	B	C
1	Fonction		
2			
3	Texte	Office 2002 fonctions Excel	
4	à remplacer	2002	
5	remplacer par	2003	
6	Substitue	=SUBSTITUE(B3;B4;B5)	
7			
8	Résultat		
9			
10	Texte	Office 2002 fonctions Excel	
11	à remplacer	2002	
12	remplacer par	2003	
13	Substitue	Office 2003 fonctions Excel	
14			

Dans l'exemple, on remplace le texte 2002 par 2003.

Si le texte à remplacer existe plusieurs fois dans la chaîne d'origine, toutes les occurrences sont remplacées. Pour n'en remplacer qu'une seule, précisez en quatrième argument le numéro de cette occurrence. L'exemple ci-après montre l'utilisation de ce quatrième argument facultatif.

Microsoft Excel - Substitue2.xls

Fichier Edition Affichage Insertion Format Outils Données Fenêtre ?

D21

	A	B
1		**Fonction**
2		
3	Texte	Rouge Bleu Rouge Bleu Rouge Bleu
4	à remplacer	Rouge
5	remplacer par	Vert
6	Occurrence	2
7	Subtitue	=SUBSTITUE(B3;B4;B5)
8	Substitue occurrence	=SUBSTITUE(B3;B4;B5;B6)
9		
10		**Résultat**
11		
12	Texte	Rouge Bleu Rouge Bleu Rouge Bleu
13	à remplacer	Rouge
14	remplacer par	Vert
15	Occurrence	2
16	Subtitue	Vert Bleu Vert Bleu Vert Bleu
17	Substitue occurrence	Rouge Bleu Vert Bleu Rouge Bleu
18		

SUPPRESPACE

Cette fonction supprime les espaces d'une chaîne en ne gardant que ceux entre les mots.

Microsoft Excel - Supprespace.xls

Fichier Edition Affichage Insertion Format Outils Données Fenêtre ?

E13

	A	B	C
1		**Fonction**	
2			
3	Texte	Jean Dupont	
4	Supprespace	=SUPPRESPACE(B3)	
5			
6		**Résultat**	
7			
8	Texte	Jean Dupont	
9	Supprespace	Jean Dupont	
10			

On utilise généralement cette fonction pour corriger des textes provenant d'une autre application.

Rechercher du texte

Les fonctions de recherche permettent de connaître la longueur d'une chaîne, la position d'un texte dans un autre ou de comparer des chaînes. Elles sont généralement utilisées conjointement avec les fonctions de manipulation de texte.

CHERCHE

Cette fonction recherche une chaîne (premier argument) à l'intérieur d'une autre chaîne (deuxième argument) à partir du x-ième caractère (troisième argument). Elle retourne le numéro de la position de la chaîne trouvé (0 si non trouvé).

Note Si le troisième argument est omis, sa valeur par défaut est 1. La fonction ne tient pas compte des majuscules et des minuscules et accepte les jokers (? et *), contrairement à la fonction TROUVE.

Microsoft Excel - Cherche.xls

Fichier Edition Affichage Insertion Format Outils Données Fenêtre ?

E14

	A	B	C
1		**Fonction**	
2			
3	Texte	Monsieur Jean Dupont	
4	Cherche	=CHERCHE("e";B3;9)	
5			
6		**Résultat**	
7			
8	Texte	Monsieur Jean Dupont	
9	Cherche	11	
10			

L'exemple recherche la lettre « e » à partir du neuvième caractère. La fonction retourne la valeur 11, position de la seconde lettre « e » dans le texte.

EXACT

La fonction EXACT retourne la valeur **Vrai** si une chaîne (premier argument) est identique à une autre chaîne (second argument). La fonction tient compte des majuscules et des minuscules, comme le montre l'exemple. En revanche, elle ne tient pas compte de la mise forme (police, format, *etc.*). Utilisez cette fonction pour vérifier qu'une saisie correspond à une valeur demandée.

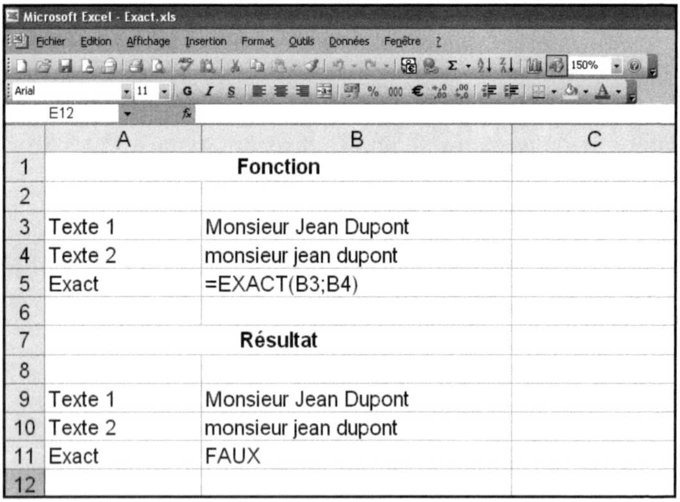

Microsoft Excel - Exact.xls

Fichier Edition Affichage Insertion Format Outils Données Fenêtre ?

150%

Arial 11

E12

	A	B	C
1		**Fonction**	
2			
3	Texte 1	Monsieur Jean Dupont	
4	Texte 2	monsieur jean dupont	
5	Exact	=EXACT(B3;B4)	
6			
7		**Résultat**	
8			
9	Texte 1	Monsieur Jean Dupont	
10	Texte 2	monsieur jean dupont	
11	Exact	FAUX	
12			

NBCAR

Cette fonction retourne le nombre de caractères d'une chaîne (y compris les espaces). Si l'argument représente une chaîne vide, la fonction retourne 0. Si l'argument est une valeur numérique, la fonction retourne le nombre de caractères nécessaires à son affichage, y compris le séparateur des décimales, comme le montre l'exemple en B6.

Microsoft Excel - NbCar.xls

Fichier Edition Affichage Insertion Format Outils Données Fenêtre ?

E18

	A	B	C
1		**Fonction**	
2			
3	Chaîne	Monsieur Jean Dupont	
4	NbCar	=NBCAR(B3)	
5	Nombre	12,5	
6	NbCar	=NBCAR(B5)	
7			
8		**Résultat**	
9			
10	Chaîne	Monsieur Jean Dupont	
11	NbCar	20	
12	Nombre	12,5	
13	NbCar	4	
14			

STXT

La fonction STXT retourne les *x* caractères (troisième argument) d'une chaîne (premier argument) à partir de la position spécifiée (deuxième argument).

Microsoft Excel - STXT.xls

Fichier Edition Affichage Insertion Format Outils Données Fenêtre ?

E15

	A	B	C
1		**Fonction**	
2			
3	Chaîne	Monsieur Jean Dupont	
4	STXT	=STXT(B3;10;4)	
5			
6		**Résultat**	
7			
8	Chaîne	Monsieur Jean Dupont	
9	STXT	Jean	
10			

L'exemple extrait quatre caractères à partir du 10e.

TROUVE

Recherche une chaîne (premier argument) à l'intérieur d'une autre chaîne (deuxième argument) à partir du x-ième caractère (troisième argument). Retourne le numéro de la position de la chaîne trouvé (0 si non trouvé).

Note Si le troisième argument est omis, sa valeur par défaut est 1. La fonction TROUVE fonctionne comme la fonction CHERCHE, mais elle respecte les majuscules et les minuscules et n'accepte pas les jokers (? et *).

Microsoft Excel - Trouve.xls

	A	B	C
1		**Fonction**	
2			
3	Chaîne	Monsieur Jean Dupont	
4	Trouve	=TROUVE("Jean";B3)	
5			
6		**Résultat**	
7			
8	Chaîne	Monsieur Jean Dupont	
9	Trouve	10	
10			

Dans l'exemple, la fonction retourne la position du texte « Jean » à l'intérieur de la chaîne en B3.

Convertir du texte

La conversion consiste à transformer un nombre en chaîne de caractères. Cette conversion est nécessaire pour intégrer des nombres à l'intérieur d'une chaîne, par exemple pour ajouter des titres avec des années dans vos feuilles de calcul.

CAR

Cette fonction retourne le caractère correspondant au numéro spécifié dans le jeu de caractères ASCII (un espace pour 32, la lettre A pour 65, le symbole € pour 128, *etc.*).

Microsoft Excel - CAR.xls

Fichier Edition Affichage Insertion Format Outils Données Fenêtre ?

E17

	A	B	C
1		**Fonction**	
2			
3	Code ASCII	128	
4	Caractère	=CAR(B3)	
5	Répétition *	=REPT(CAR(42);15)	
6			
7		**Résultat**	
8			
9	Code ASCII	128	
10	Caractère	€	
11	Répétition *	***************	
12			

Dans l'exemple, la fonction en B4 affiche le caractère correspondant au code 128 (le symbole €). La formule en B5 utilise la fonction REPT pour répéter quinze fois le caractère 42 (le symbole *).

RETROUVER LES CODES ASCII

Si vous avez besoin de connaître le code d'un caractère, vous pouvez l'obtenir avec la boîte d'insertion des caractères spéciaux :

1 Cliquez le menu **Insertion → Caractères spéciaux**.

2 Sélectionnez **ASCII (décimal)** dans la liste **de**.

3 Cliquez le caractère dont vous voulez connaître le code.

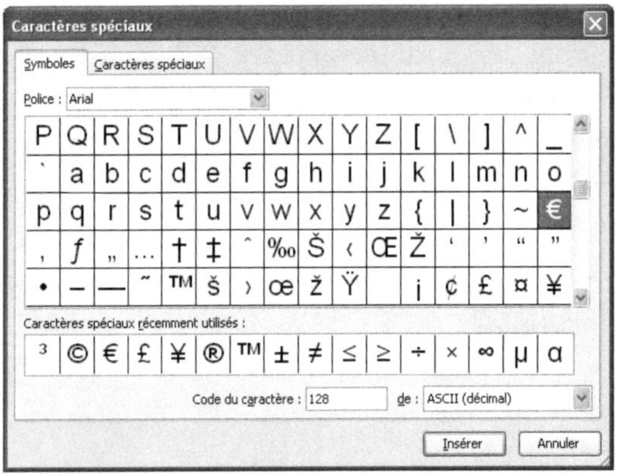

La zone **Code du caractère** vous donne la correspondance à utiliser avec les fonctions CAR et CODE.

CODE

Cette fonction retourne le numéro du premier caractère d'une chaîne dans le jeu de caractères ASCII (32 pour l'espace, 65 pour A, *etc.*).

Microsoft Excel - Code.xls

	A	B	C
1		**Fonction**	
2			
3	Texte	Paiement en €	
4	Code 1er car.	=CODE(B3)	
5	Code dernier car.	=CODE(DROITE(B3;1))	
6			
7		**Résultat**	
8			
9	Texte	Paiement en €	
10	Code 1er car.	80	
11	Code dernier car.	128	
12			

Dans l'exemple, la fonction en B4 affiche le code du premier caractère de la chaîne en B3 (80 pour la lettre P majuscule). La formule en B5 utilise la fonction DROITE pour sélectionner le dernier caractère de la chaîne en B3. La formule retourne 128, code du symbole €.

CTXT

Cette fonction convertit un nombre (premier argument) au format texte avec un nombre de décimales précis (second argument). Si le second argument est négatif, le nombre est arrondi à gauche de la virgule.

Note Si le second argument est omis, sa valeur par défaut est 2.

Microsoft Excel - CTXT.xls

Fichier Edition Affichage Insertion Format Outils Données Fenêtre ?

E17

	A	B	C
1		**Fonction**	
2			
3	Nombre	1234,5678	
4	CTXT	=CTXT(B3;2)	
5	CTXT	=CTXT(B3;-2)	
6			
7		**Résultat**	
8			
9	Nombre	1234,5678	
10	CTXT	1 234,57	
11	CTXT	1 200	
12			

Dans l'exemple, la fonction en B4 convertit le nombre en texte et l'arrondit à deux décimales. En B5, étant donné que le second argument est négatif, les unités et les dizaines sont supprimées. Notez que le résultat est aligné à gauche comme un texte.

FRANC

La fonction FRANC convertit un nombre (premier argument) au format texte avec un nombre de décimales précis (second argument) et ajoute le symbole monétaire par défaut. Si le second argument est négatif, le nombre est arrondi à gauche de la virgule.

Note Si le second argument est omis, sa valeur par défaut est 2. Même si la fonction s'appelle FRANC, Excel utilise la monnaie définie par défaut dans le Panneau de configuration de Windows. Le nom est conservé pour des raisons de compatibilité avec les classeurs créés avant l'euro.

Microsoft Excel - Franc.xls

	A	B	C
1		**Fonction**	
2			
3	Nombre	1234,5678	
4	Franc	=FRANC(B3;2)	
5	Franc	=FRANC(B3;-2)	
6			
7		**Résultat**	
8			
9	Nombre	1234,5678	
10	Franc	1 234,57 €	
11	Franc	1 200 €	
12			

Dans l'exemple, la fonction en B4 convertit le nombre en texte en ajoutant le symbole monétaire, puis l'arrondit à deux décimales. En B5, étant donné que le second argument est négatif, les unités et les dizaines sont supprimées. Notez que le résultat est aligné à gauche comme un texte.

MAJUSCULE

Cette fonction convertit tous les caractères d'une chaîne en majuscules. Utilisez-la, par exemple, pour harmoniser des saisies.

Microsoft Excel - Majuscule.xls

	A	B	C
1		**Fonction**	
2			
3	Texte	Monsieur Dupont Jean	
4	Majuscule	=MAJUSCULE(B3)	
5			
6		**Résultat**	
7			
8	Texte	Monsieur Dupont Jean	
9	Majuscule	MONSIEUR DUPONT JEAN	
10			

Note Si l'argument est un nombre ou une référence à un nombre, la fonction retourne un texte comme après une conversion avec la fonction CTXT, sans toutefois modifier les décimales.

MINUSCULE

Cette fonction convertit tous les caractères d'une chaîne en minuscules. Utilisez-la, par exemple, pour harmoniser des saisies.

Microsoft Excel - Minuscule.xls

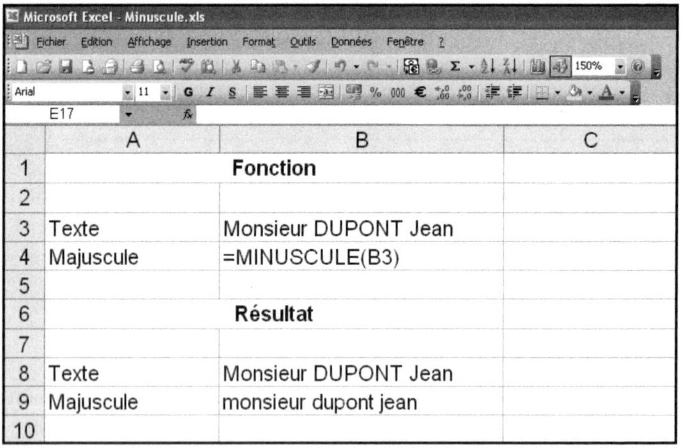

	A	B	C
1		Fonction	
2			
3	Texte	Monsieur DUPONT Jean	
4	Majuscule	=MINUSCULE(B3)	
5			
6		Résultat	
7			
8	Texte	Monsieur DUPONT Jean	
9	Majuscule	monsieur dupont jean	
10			

Note Si l'argument est un nombre ou une référence à un nombre, la fonction retourne un texte comme après une conversion avec la fonction CTXT, sans toutefois modifier les décimales.

NOMPROPRE

Cette fonction convertit en majuscule la première lettre de chaque mot d'une chaîne et met toutes les autres lettres en minuscules. Utilisez-la, par exemple, pour harmoniser des saisies.

Microsoft Excel - NomPropre.xls

	A	B	C
1		**Fonction**	
2			
3	Texte	monsieur DUPONT jean	
4	NomPropre	=NOMPROPRE(B3)	
5			
6		**Résultat**	
7			
8	Texte	monsieur DUPONT jean	
9	NomPropre	Monsieur Dupont Jean	
10			

Note Si l'argument est un nombre ou une référence à un nombre, la fonction retourne un texte comme après une conversion avec la fonction CTXT, sans toutefois modifier les décimales.

ROMAIN

Cette fonction convertit un chiffre arabe en chiffre romain. Le second argument, facultatif, permet de simplifier l'écriture. Si cet argument est 0 ou omis, la fonction retourne un chiffre romain classique. Si cet argument est compris entre 1 et 4, le chiffre romain est simplifié. 1 correspond à peu simplifié et 4 à très simplifié. Vous pouvez aussi utiliser un opérateur logique, VRAI correspondant à classique (0) et FAUX à très simplifié (4).

Microsoft Excel - Romain.xls

Fichier Edition Affichage Insertion Format Outils Données Fenêtre ?

E12

	A	B	C
1		**Fonction**	
2			
3	Nombre	1999	
4	Romain	=ROMAIN(B3)	
5	Romain niv 1	=ROMAIN(B3;1)	
6	Romain niv 2	=ROMAIN(B3;2)	
7	Romain niv 3	=ROMAIN(B3;3)	
8	Romain niv 4	=ROMAIN(B3;4)	
9			
10		**Résultat**	
11			
12	Nombre	1999	
13	Romain	MCMXCIX	
14	Romain niv 1	MLMVLIV	
15	Romain niv 2	MXMIX	
16	Romain niv 3	MVMIV	
17	Romain niv 4	MIM	
18			

L'exemple convertit les chiffres arabes 1999 en chiffres romains. Les cellules B4 à B8 montrent les différents résultats en fonction de chaque niveau de simplification.

TEXTE

Cette fonction convertit un nombre (premier argument) en texte dans le format spécifié (second argument).

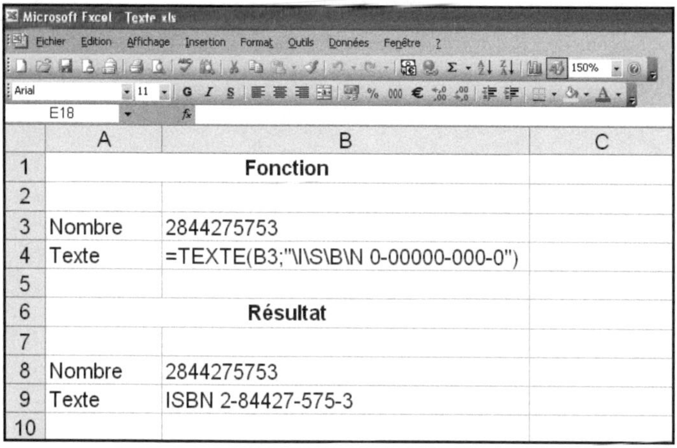

Microsoft Excel - Texte.xls

	A	B	C
1		**Fonction**	
2			
3	Nombre	2844275753	
4	Texte	=TEXTE(B3;"\I\S\B\N 0-00000-000-0")	
5			
6		**Résultat**	
7			
8	Nombre	2844275753	
9	Texte	ISBN 2-84427-575-3	
10			

Dans l'exemple, la fonction convertit un nombre au format ISBN (classification des livres).

Le format (second argument) correspond à celui employé par Excel pour formater une cellule (consultez l'onglet **Nombre** de la boîte de dialogue **Format de cellule**). Pour créer votre format, utilisez les symboles du tableau ci-après.

Symbole	**Utilisation**
#	Emplacement d'un nombre significatif (n'affiche rien s'il n'y a pas de chiffre)
0	Emplacement d'un chiffre significatif ou non (affiche 0 s'il n'y a pas de chiffre)
%	Format pourcentage (multiplie par 100 et ajoute le signe %)
Espace	Divise par 1 000 le nombre qui précède l'espace
\	Affiche tel quel le caractère qui suit le symbole \
" "	Affiche tels quels les caractères entre guillemets
;	Séparateur pour le format des nombres négatifs
[Couleur]	Change la couleur d'affichage ([Bleu] pour afficher en bleu)
?/?	Format des fractions (1/2, 1/4, 2/5, *etc.*)

Symbole	Utilisation
j	Jour sur un ou deux chiffres (1, 5, 10, 15, *etc.*)
jj	Jour sur deux chiffres (01, 05, 10, 15, *etc.*)
jjj	Trois premières lettres du jour de la semaine (lun, mar, *etc.*)
jjjj	Jour de la semaine en toutes lettres (lundi, mardi, *etc.*)
m	Mois sur un ou deux chiffres (1, 5, 10, *etc.*)
mm	Mois sur deux chiffres (01, 05, 10, *etc.*)
mmm	Trois ou quatre premières lettres du mois (janv, févr, mars, *etc.*)
mmmm	Mois en toutes lettres (janvier, février, mars, *etc.*)
aa	Années sur deux chiffres (99, 00, 04, 05, *etc.*)
aaaa	Années sur quatre chiffres (1999, 2000, 2004, 2005, *etc.*)
hh	Format des heures
mm	Format des minutes
ss	Format des secondes

Tableau 5-1 Symboles des formats d'affichage.

Formules de texte

Vous trouverez ici des exemples de formules qui utilisent les fonctions vues précédemment.

Ajouter des étoiles devant un chiffre

La formule ci-après ajoute des étoiles devant le chiffre contenu dans la cellule B1. L'ensemble est limité à douze caractères :

```
=REPT("*";12-NBCAR(B1))&B1
```

On utilise la fonction REPT pour répéter des étoiles, et la fonction NBCAR pour compter le nombre de caractères en B1. En effectuant 12–NBCAR(B1), on limite le résultat à douze caractères.

Microsoft Excel - Chèque.xls

B2 =REPT("*";12-NBCAR(B1))&B1

	A	B	C	D
1	Montant	12345,67		
2	Chèque	****12345,67		
3				

Compter certains caractères

La formule ci-après compte le nombre de lettres « o » dans la chaîne en A1 :

```
=NBCAR(A1)-NBCAR(SUBSTITUE(A1;"o";"")
```

Dans cette formule, la fonction SUBSTITUE crée une chaîne dans laquelle les lettres correspondant au second argument sont supprimées (la lettre « o » dans l'exemple). La longueur de la chaîne obtenue est soustraite de la longueur de la chaîne initiale (fonction NBCAR).

Microsoft Excel - Compter caractères.xls

A3 =NBCAR(A1)-NBCAR(SUBSTITUE(A1;"o";""))

	A	B	C	D	E
1	Poche Micro Fonctions & Macros Excel				
2					
3	5				
4					

Créer un histogramme simple

La formule ci-après a pour but de créer de faux histogrammes en répétant un caractère le nombre de fois indiqué par la cellule en regard :

```
=REPT(CAR(149);B3)
```

On utilise ici la fonction REPT pour répéter le caractère précisé par la fonction CAR et ce autant de fois que le nombre contenu dans la cellule B3.

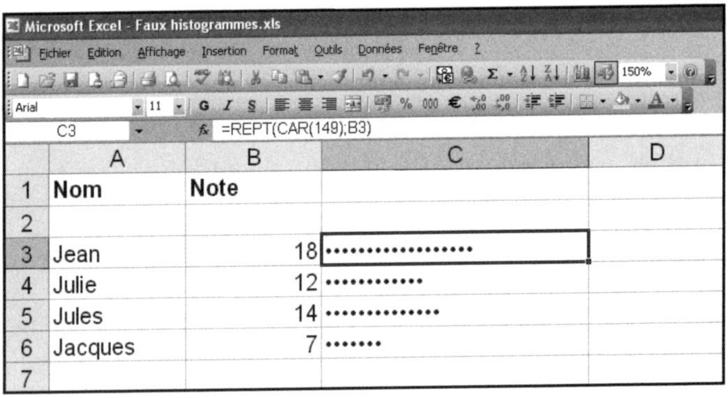
Microsoft Excel - Faux histogrammes.xls
Fichier Edition Affichage Insertion Format Outils Données Fenêtre ?
C3
=REPT(CAR(149);B3)
A B C D
1 Nom Note
2
3 Jean 18 ••••••••••••••••••
4 Julie 12 ••••••••••••
5 Jules 14 ••••••••••••••
6 Jacques 7 •••••••
7

Astuce Avec cette astuce, il est possible de créer facilement un histogramme de la même taille qu'un tableau de valeurs. L'histogramme peut donc s'étendre sur 65 536 lignes, ce qui est difficile, voire impossible, à réaliser avec un graphique classique.

Supprimer le premier mot d'une chaîne

La formule ci-après élimine le premier mot d'une chaîne, par exemple les mots « Madame » ou « Monsieur » devant un nom :

```
=DROITE(A1;NBCAR(A1)-TROUVE(" ";A1;1))
```

Dans cette formule, la fonction TROUVE recherche la position du premier espace dans la chaîne en A1. La fonction DROITE retourne uniquement les caractères après cet espace.

Microsoft Excel - Supprimer 1e mot.xls

B2 =DROITE(B1;NBCAR(B1)-TROUVE(" ";B1;1))

	A	B	C	D
1	Nom complet	Monsieur Jean Dupont		
2	Nom	Jean Dupont		
3				

Chapitre 6

Fonctions de date et d'heure

Les fonctions de date et d'heure permettent de manipuler des valeurs horaires. C'est une partie importante des fonctions proposées par Excel. Vous trouverez dans ce chapitre l'essentiel des fonctions pour déterminer des dates d'échéances, calculer des jours ouvrés, trouver l'écart entre deux dates, connaître le jour de la semaine, *etc.*, ainsi que des exemples d'utilisation.

Dans ce chapitre

Numéro de série

Excel ne conserve pas les dates et les heures telles qu'elles sont affichées, mais sous forme de nombres. La partie entière correspond à la date : 1 correspond au premier janvier 1900, 2 au 2 janvier 1900, *etc.* La partie décimale correspond à l'heure : 0,04166666 correspond à une heure, 0,00069444 à une minute et 0,00001157 à une seconde. Pour obtenir une heure précise, il suffit d'effectuer l'opération suivante : (heures*0,04166666) + (minutes*0,00069444) + (secondes*0,00001157). À titre d'exemple, 0,0625 correspond à 1:30, 0,5 à 12:00 et 0,875 à 21:00.

Quand vous saisissez une date, Excel la convertit en numéro de série, puis il modifie le format d'affichage. C'est pour cette raison que le numéro de série n'est pas visible dans les cellules. Pour afficher le numéro de série, vous devez appliquer le format **Standard** à la cellule (boîte de dialogue **Format de cellule**, onglet **Nombre**, liste **Catégorie**).

Extraire des dates et des heures

Les fonctions qui suivent servent à extraire des données de types date ou heure. Cela permet par exemple de regrouper des informations dans vos feuilles de calcul pour des jours ou des heures précis. Ces fonctions permettent aussi d'obtenir la date et l'heure actuelles.

Attention ! Dans les exemples, l'affichage est en mode Formule (**Ctrl**+") pour la partie « Fonction ». Il est donc normal que les dates apparaissent sous forme de numéro de série. Les dates saisies sont visibles dans la partie « Résultat ».

ANNEE

Cette fonction retourne l'année contenue dans une date. L'argument doit être une date sous forme de numéro de série.

Note Pour convertir une chaîne contenant une date en numéro de série, utilisez la fonction DATE.

Microsoft Excel - Année.xls

	A	B	C
1		Fonction	
2			
3	Date	38721	
4	Année	=ANNEE(B3)	
5			
6		Résultat	
7			
8	Date	04/01/06	
9	Année	2006	
10			

AUJOURDHUI

Cette fonction retourne la date actuelle de l'horloge de l'ordinateur. La date est mise à jour à chaque recalcul de la feuille ou du classeur (appuyez sur **F9** pour forcer le recalcul).

Note Cette fonction n'a pas d'argument, mais les parenthèses sont obligatoires. Pour obtenir la date et l'heure, utilisez la fonction MAINTENANT. Pour mettre à jour l'horloge de votre ordinateur, double-cliquez l'heure dans la barre des tâches.

Microsoft Excel - Aujourdhui.xls

	A	B	C
1		Fonction	
2			
3	Aujourd'hui	=AUJOURDHUI()	
4	Année aujoud'hui	=ANNEE(AUJOURDHUI())	
5			
6		Résultat	
7			
8	Aujourd'hui	28/11/05	
9	Année aujoud'hui	2005	
10			

Dans l'exemple, la fonction en B4 retourne la date actuelle. La formule en B5 retourne l'année de la date actuelle.

HEURE

Cette fonction retourne un nombre correspondant aux heures (entre 0 et 23) contenues dans une journée. L'argument doit être une heure sous forme de numéro de série.

Note Pour convertir une chaîne contenant une heure en numéro de série, utilisez la fonction TEMPSVAL.

Microsoft Excel - Heure.xls

	A	B	C
1		**Fonction**	
2			
3	Maintenant	=MAINTENANT()	
4	Heure	=HEURE(B3)	
5			
6		**Résultat**	
7			
8	Maintenant	28/11/05 15:22	
9	Heure	15	
10			

JOUR

Cette fonction retourne le jour contenu dans une date. L'argument doit être une date sous forme de numéro de série.

Note Pour convertir une chaîne contenant une date en numéro de série, utilisez la fonction DATE.

Microsoft Excel - Jour.xls

	A	B	C
1		**Fonction**	
2			
3	Maintenant	=MAINTENANT()	
4	Jour	=JOUR(B3)	
5			
6		**Résultat**	
7			
8	Maintenant	28/11/05 15:22	
9	Jour	28	
10			

JOURS360

Cette fonction retourne le nombre de jours compris entre deux dates (premier et deuxième arguments) sur la base d'une année de 360 jours (12 mois de 30 jours). Ce mode de calcul est utilisé en comptabilité. Le troisième argument est une valeur logique : FAUX, ou omis, pour la méthode de calcul américaine, et VRAI pour la méthode européenne. Sauf cas particulier, ajoutez toujours la valeur VRAI en troisième argument.

Microsoft Excel - Jours360.xls

	A	B	C
1		**Fonction**	
2			
3	Date début	38353	
4	Date fin	39082	
5	Nb jours	=JOURS360(B3;B4;VRAI)	
6			
7		**Résultat**	
8			
9	Date début	01/01/2005	
10	Date fin	31/12/2006	
11	Nb jours	719	
12			

Dans l'exemple, on calcule le nombre de jours entre le premier janvier 2005 et le 31 décembre 2006 avec la méthode européenne.

JOURSEM

Cette fonction retourne le jour de la semaine sous la forme d'un nombre (1 pour dimanche, 2 pour lundi, *etc.*).

La fonction JOURSEM propose un second argument facultatif pour choisir le premier jour de la semaine : 1 (ou omis) pour 1 = dimanche, 2 = lundi, *etc.* ; 2 pour 1 = lundi, 2 = mardi, *etc.* ; ou 3 pour 0 = lundi, 1 = mardi, *etc.*

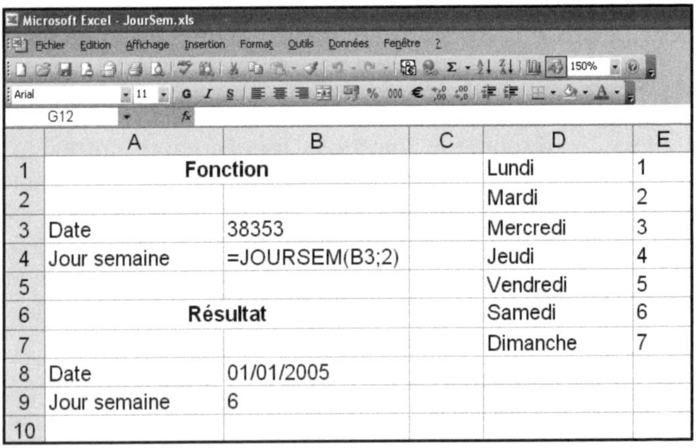

Microsoft Excel - JourSem.xls

	A	B	C	D	E
1	**Fonction**			Lundi	1
2				Mardi	2
3	Date	38353		Mercredi	3
4	Jour semaine	=JOURSEM(B3;2)		Jeudi	4
5				Vendredi	5
6	**Résultat**			Samedi	6
7				Dimanche	7
8	Date	01/01/2005			
9	Jour semaine	6			
10					

Dans l'exemple, on calcule le jour de la semaine du premier janvier 2005 en considérant que le chiffre 1 correspond à un lundi (second argument = 2). La fonction retourne 6, c'est-à-dire un samedi.

MAINTENANT

Cette fonction retourne la date et l'heure de l'horloge de l'ordinateur.

Note Cette fonction n'a pas d'argument, mais les parenthèses sont obligatoires. Pour obtenir uniquement la date, utilisez la fonction AUJOURDHUI. Pour mettre à jour l'horloge de votre ordinateur, double-cliquez l'heure dans la barre des tâches.

Microsoft Excel - Maintenant.xls

	A	B	C
1		**Fonction**	
2			
3	Maintenant	=MAINTENANT()	
4	Année maintenant	=ANNEE(MAINTENANT())	
5			
6		**Résultat**	
7			
8	Maintenant	28/11/05 15:22	
9	Année maintenant	2005	
10			

Dans l'exemple, la fonction en B4 retourne la date et l'heure actuelles. La formule en B5 retourne l'année de la date actuelle.

MINUTE

Cette fonction retourne un nombre correspondant aux minutes (entre 0 et 59) contenues dans une heure. L'argument doit être une heure sous forme de numéro de série.

Note Pour convertir une chaîne contenant une heure en numéro de série, utilisez la fonction TEMPSVAL.

Microsoft Excel - Minute.xls

	A	B	C
1		**Fonction**	
2			
3	Maintenant	=MAINTENANT()	
4	Minutes	=MINUTE(B3)	
5			
6		**Résultat**	
7			
8	Maintenant	28/11/05 15:22	
9	Minutes	22	
10			

MOIS

Cette fonction retourne le mois contenu dans une date. L'argument doit être une date sous forme de numéro de série.

Note Pour convertir une chaîne contenant une date en numéro de série, utilisez la fonction DATE.

Microsoft Excel - Mois.xls

	A	B	C
1		**Fonction**	
2			
3	Maintenant	=MAINTENANT()	
4	Mois	=MOIS(B3)	
5			
6		**Résultat**	
7			
8	Maintenant	29/11/05 16:52	
9	Mois	11	
10			

NO.SEMAINE

Cette fonction renvoie le numéro de la semaine dans l'année pour la date spécifiée (premier argument). Utilisez la valeur 2 dans le second argument, facultatif, si vous voulez que la semaine débute un lundi et non un dimanche (voir exemple).

Note Cette fonction nécessite la macro complémentaire Utilitaire d'analyse (consultez la fin du chapitre 1).

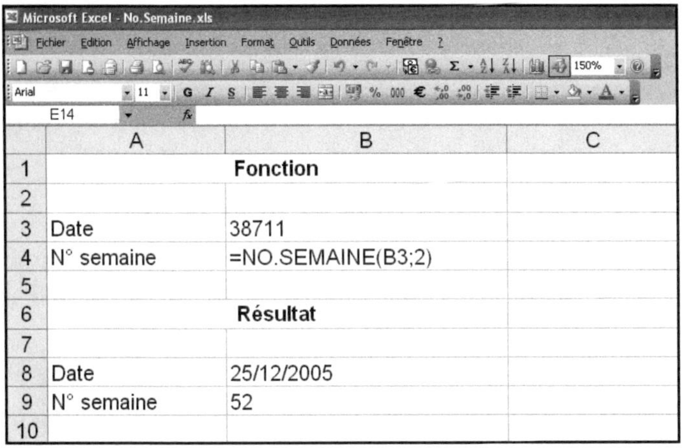

Microsoft Excel - No.Semaine.xls

Fichier Edition Affichage Insertion Format Outils Données Fenêtre ?

150%

Arial 11 G I S

E14

	A	B	C
1		**Fonction**	
2			
3	Date	38711	
4	N° semaine	=NO.SEMAINE(B3;2)	
5			
6		**Résultat**	
7			
8	Date	25/12/2005	
9	N° semaine	52	
10			

SECONDE

Cette fonction retourne un nombre correspondant aux secondes contenues dans une minute (entre 0 et 59). L'argument doit être une heure sous forme de numéro de série.

Note Pour convertir une chaîne contenant une heure en numéro de série, utilisez la fonction TEMPSVAL.

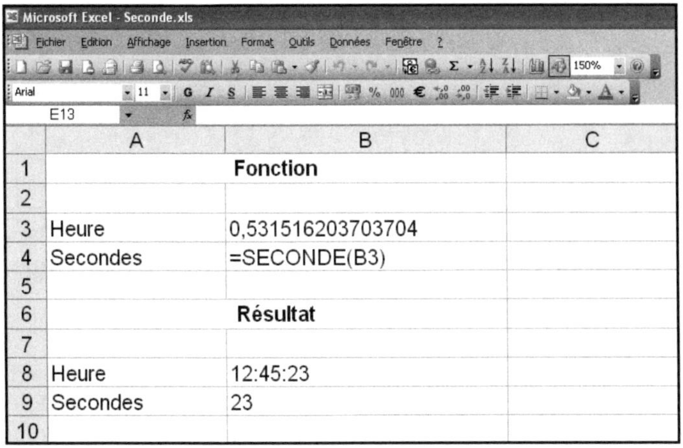

Microsoft Excel - Seconde.xls

Fichier Edition Affichage Insertion Format Outils Données Fenêtre ?

150%

Arial 11 G I S

E13

	A	B	C
1		**Fonction**	
2			
3	Heure	0,531516203703704	
4	Secondes	=SECONDE(B3)	
5			
6		**Résultat**	
7			
8	Heure	12:45:23	
9	Secondes	23	
10			

Utiliser des dates et des heures

Les fonctions qui suivent permettent de déterminer des dates d'échéances, de calculer des jours ouvrés, de trouver l'écart entre deux dates, de connaître un jour de la semaine, *etc.*

DATE

Cette fonction retourne le numéro de série d'une date, à partir de l'année (premier argument), du mois (deuxième argument) et du jour (troisième argument).

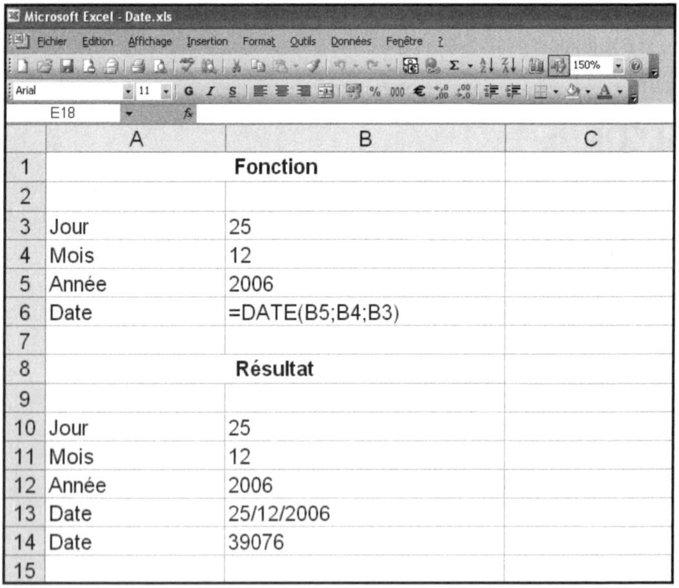

Microsoft Excel - Date.xls

	A	B	C
1		**Fonction**	
2			
3	Jour	25	
4	Mois	12	
5	Année	2006	
6	Date	=DATE(B5;B4;B3)	
7			
8		**Résultat**	
9			
10	Jour	25	
11	Mois	12	
12	Année	2006	
13	Date	25/12/2006	
14	Date	39076	
15			

Pour afficher le numéro de série, appliquez le format **Standard** comme en B14 dans l'exemple (boîte **Format de cellule**, onglet **Nombre**, liste **Catégorie**).

DATEDIF

La fonction DATEDIF retourne la différence entre une date de début (premier argument) et une date de fin (deuxième argument). La date du premier argument doit être antérieure à celle du deuxième argument. Le troisième argument indique le type de différence (années, mois ou jours). Cet argument utilise les valeurs du tableau ci-après.

Type	Différence
"y"	Retourne le nombre d'années entières entre les deux dates.
"m"	Retourne le nombre de mois entiers entre les deux dates.
"d"	Retourne le nombre de jours entre les deux dates.
"md"	Retourne le nombre de jours entre les deux dates. Les mois et les années ne sont pas pris en compte.
"ym"	Retourne le nombre de mois entre les deux dates. Les jours et les années ne sont pas pris en compte.
"yd"	Retourne le nombre de jours entre les deux dates. Les années ne sont pas prises en compte.

Microsoft Excel - DateDif.xls

Fichier Edition Affichage Insertion Format Outils Données Fenêtre ?

Arial 11 150%

E20

	A	B	C
1		Fonction	
2			
3	Date de naissance	33310	
4	Date actuelle	=AUJOURDHUI()	
5	Age (années)	=DATEDIF(B3;B4;"y")	
6	Age (mois)	=DATEDIF(B3;B4;"m")	
7	Age (jours)	=DATEDIF(B3;B4;"d")	
8			
9		Résultat	
10			
11	Date de naissance	13/03/1991	
12	Date actuelle	29/11/2004	
13	Age (années)	13	
14	Age (mois)	164	
15	Age (jours)	5010	
16			

L'exemple calcule un âge entre une date de naissance et la date actuelle (voir fonction AUJOURDHUI).

Attention! Cette fonction n'est pas listée dans la boîte de dialogue **Insérer une fonction** (boîte **Coller une fonction** dans Excel 2000). Elle n'apparaît pas non plus dans l'Aide en ligne.

DATEVAL

Cette fonction retourne le numéro de série d'une date contenue dans une chaîne de caractères. Si le texte ne contient pas d'années, DATEVAL utilise l'année en cours. Vous pouvez employer tous les formats de date (1/1/2004, 1-janvier-2004, 1 janv, *etc.*).

Note Pour afficher la date à la place du numéro de série, appliquez le format Date comme en B11 dans l'exemple (boîte **Format de cellule**, onglet **Nombre**).

Microsoft Excel - DateVal.xls

	A	B	C
1		**Fonction**	
2			
3	Date	1 janvier 2006	
4	DateVal	=DATEVAL(B3)	
5	DateVal	=DATEVAL(B3)	
6			
7		**Résultat**	
8			
9	Date	1 janvier 2006	
10	DateVal	38718	
11	DateVal	01/01/2006	
12			

FIN.MOIS

Cette fonction renvoie le numéro de série du dernier jour d'un mois par rapport à une date (premier argument). Le second argument définit le décalage par rapport à la date du premier argument (0 pour ce mois, –1 pour le mois précédent, 1 pour le mois suivant, *etc.*). Cette fonction permet de calculer des dates d'échéance tombant le dernier jour du mois.

Note Pour afficher la date à la place du numéro de série, appliquez le format Date comme en C10:C13 dans l'exemple (boîte **Format de cellule**, onglet **Nombre**). Cette fonction nécessite la macro complémentaire Utilitaire d'analyse (consultez la fin du chapitre 1).

Microsoft Excel - Fin.Mois.xls

	A	B	C
1	**Fonction**		
2			
3	Date	=AUJOURDHUI()	
4	Fin mois précédent	=FIN.MOIS(B3;-1)	
5	Fin mois en cours	=FIN.MOIS(B3;0)	
6	Fin mois suivant	=FIN.MOIS(B3;1)	
7			
8	**Résultat**		
9			
10	Date	38320	29/11/2004
11	Fin mois précédent	38291	31/10/2004
12	Fin mois en cours	38321	30/11/2004
13	Fin mois suivant	38352	31/12/2004
14			

MOIS.DECALER

Cette fonction renvoie le numéro de série correspondant à la date spécifiée (premier argument), corrigée du nombre de mois indiqués (second argument).

Note Cette fonction nécessite la macro complémentaire Utilitaire d'analyse (consultez la fin du chapitre 1).

Microsoft Excel - Mois.Décaler.xls

Fichier Edition Affichage Insertion Format Outils Données Fenêtre ?

150%

Arial 11 G I S % 000 €

E16 fx

	A	B	C
1	Fonction		
2			
3	Date	38656	
4	Mois précédent	=MOIS.DECALER(B3;-1)	
5	Mois suivant	=MOIS.DECALER(B3;1)	
6			
7	Résultat		
8			
9	Date	31/10/2005	
10	Mois précédent	30/09/2005	
11	Mois suivant	30/11/2005	
12			

L'exemple calcule la date du mois précédent et celle du mois suivant de la date en B3.

NB.JOURS.OUVRES

Cette fonction retourne le nombre de jours ouvrés compris entre deux dates (premier et second arguments).

Microsoft Excel - Nb.Jours.Ouvres.xls

Fichier Edition Affichage Insertion Format Outils Données Fenêtre ?

150%

Arial 11 G I S % 000 €

E14 fx

	A	B	C
1	Fonction		
2			
3	Date début	38353	
4	Date fin	38717	
5	Nb jours ouvrés	=NB.JOURS.OUVRES(B3;B4)	
6			
7	Résultat		
8			
9	Date début	01/01/2005	
10	Date fin	31/12/2005	
11	Nb jours ouvrés	260	
12			

Note Cette fonction nécessite la macro complémentaire Utilitaire d'analyse (consultez la fin du chapitre 1).

Ce premier exemple calcule le nombre de jours ouvrés sans tenir compte des jours fériés.

La fonction NB.JOURS.OUVRES permet aussi de spécifier les jours fériés à ne pas comptabiliser (troisième argument). Créez à cet effet une plage des dates dont vous ne voulez pas tenir compte.

Microsoft Excel - Nb.Jours.Ouvres2.xls

	A	B	C	D	E
1		**Fonction**		Jour de l'an	01/01/2005
2				Fête du travail	01/05/2005
3	Date début	38353		Fête nationale	14/07/2005
4	Date fin	38717		Noël	25/12/2005
5	Nb jours ouvrés	=NB.JOURS.OUVRES(B3;B4;E1:E4)			
6					
7		**Résultat**			
8					
9	Date début	01/01/2005			
10	Date fin	31/12/2005			
11	Nb jours ouvrés	259			
12					

Ce second exemple calcule le nombre de jours, mais cette fois-ci en tenant compte des jours fériés de la plage E1:E4.

SERIE.JOUR.OUVRE

Cette fonction renvoie le numéro de série correspondant à la date spécifiée (premier argument), corrigée du nombre de jours ouvrés (second argument).

Note Cette fonction nécessite la macro complémentaire Utilitaire d'analyse (consultez la fin du chapitre 1).

Microsoft Excel - Serie.jour.ouvre.xls

F18

	A	B	C
1	**Fonction**		
2			
3	Date	38534	
4	Nb jours	90	
5	Serie jour ouvré	=SERIE.JOUR.OUVRE(B3;B4)	
6			
7	**Résultat**		
8			
9	Date	01/07/2005	
10	Nb jours	90	
11	Serie jour ouvré	04/11/2005	
12			

Ce premier exemple calcule une date décalée de 90 jours ouvrés sans tenir compte des jours fériés.

La fonction SERIE.JOUR.OUVRE permet aussi de spécifier les jours fériés dont on ne doit pas tenir compte (troisième argument). Créez à cet effet une plage des dates que vous voulez éliminer.

Microsoft Excel - Serie.jour.ouvre2.xls

G17

	A	B	C	D	E
1	**Fonction**			Jour de l'an	01/01/2005
2				Fête du travail	01/05/2005
3	Date	38534		Fête nationale	14/07/2005
4	Nb jours	90		Noël	25/12/2005
5	Serie jour ouvré	=SERIE.JOUR.OUVRE(B3;B4;E1:E4)			
6					
7	**Résultat**				
8					
9	Date	01/07/2005			
10	Nb jours	90			
11	Serie jour ouvré	07/11/2005			
12					

Ce second exemple calcule une date décalée de 90 jours ouvrés en tenant compte des jours fériés de la plage E1:E4.

TEMPS

Cette fonction retourne le numéro de série d'une heure, à partir des heures (premier argument), des minutes (deuxième argument) et des secondes (troisième argument).

Microsoft Excel - Temps.xls

	A	B	C
1		**Fonction**	
2			
3	Heures	14	
4	Minutes	25	
5	Secondes	17	
6	Temps	=TEMPS(B5;B4;B3)	
7			
8		**Résultat**	
9			
10	Heures	14	
11	Minutes	25	
12	Secondes	17	
13	Temps	17:25:14	
14	Temps	0,725856481481482	
15			

Pour afficher le numéro de série, appliquez le format **Standard** comme en B14 dans l'exemple (boîte **Format de cellule**, onglet **Nombre**, liste **Catégorie**).

TEMPSVAL

Cette fonction retourne le numéro de série d'une heure contenue dans une chaîne de caractères. Vous pouvez utiliser tous les formats d'heure (10:22, 10:22:45 AM, 1/1/2006 10:22, *etc.*). La fonction ne tient pas compte des informations de date qui se trouvent dans la chaîne.

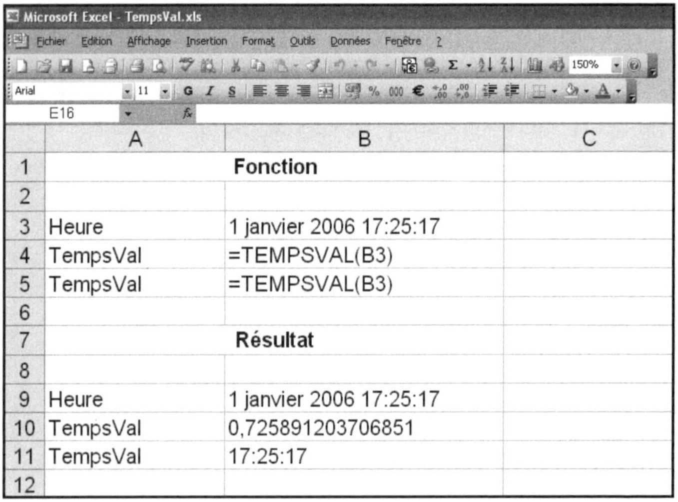

Microsoft Excel - TempsVal.xls

Fichier Edition Affichage Insertion Format Outils Données Fenêtre ?

Arial 11 G I S 150%

E16

	A	B	C
1		**Fonction**	
2			
3	Heure	1 janvier 2006 17:25:17	
4	TempsVal	=TEMPSVAL(B3)	
5	TempsVal	=TEMPSVAL(B3)	
6			
7		**Résultat**	
8			
9	Heure	1 janvier 2006 17:25:17	
10	TempsVal	0,725891203706851	
11	TempsVal	17:25:17	
12			

Note Pour afficher l'heure à la place du numéro de série, appliquez le format **Heure** (hh:mm:ss) comme en B11 dans l'exemple (boîte **Format de cellule**, onglet **Nombre**).

Formules de date et d'heure

Vous trouverez ci-après des exemples de formules qui utilisent les fonctions vues précédemment.

Trouver le jour de la semaine le plus proche

La formule suivante recherche le jour de la semaine le plus proche par rapport à une date précise :

```
= AUJOURDHUI()-MOD(AUJOURDHUI()-1;7)
```

Cet exemple retourne la date du dimanche le plus proche par rapport à la date d'aujourd'hui. Pour trouver un autre jour, remplacez le 1 par un 2 pour obtenir le lundi, le 1 par un 3 pour le mardi, *etc.*

Microsoft Excel - Jour semaine plus proche.xls

B3 =$B$1-MOD($B$1-1;7)

	A	B	C	D	E
1	Aujourd'hui	11/01/2005			
2					
3	Dimanche	09/01/2005			
4	Lundi	10/01/2005			
5	Mardi	11/01/2005			
6	Mercredi	05/01/2005			
7	Jeudi	06/01/2005			
8	Vendredi	07/01/2005			
9	Samedi	08/01/2005			
10					

Dans l'exemple, la cellule B1 contient la formule = AUJOURDHUI(), B3 la formule = $B$1-MOD($B$1-1;7), B4 la formule = $B$1-MOD($B$1-2;7), *etc.*

Connaître le dernier jour du mois

La formule suivante permet de connaître le dernier jour du mois pour des échéanciers, par exemple :

```
= DATE(ANNEE(A1);MOIS(A1)+1;0)
```

Dans cette formule, le mois est incrémenté de 1 et le jour défini à 0. La fonction DATE retourne alors le dernier jour du mois.

Microsoft Excel - Dernier jour du mois.xls

B3 = DATE(ANNEE(B1);MOIS(B1)+1;0)

	A	B	C	D
1	Aujourd'hui	14/12/2004		
2				
3	Dernier jour du mois	31/12/2004		
4				

Dans l'exemple, la cellule B1 contient la formule = AUJOURDHUI().

Conseil En utilisant la fonction JOUR avec le résultat de la formule précédente, vous pouvez connaître le nombre de jours d'un mois. Vous pouvez aussi utiliser directement la formule = JOUR(DATE(ANNEE(A1);MOIS(A1)+1;0))

Déterminer le trimestre pour une date

Cet exemple permet de connaître le numéro du trimestre à partir d'une date :

```
= ARRONDI.SUP(MOIS(A1)/3;0)
```

La formule divise le mois par 3, puis arrondit le résultat en s'éloignant de 0 (fonction ARRONDI.SUP).

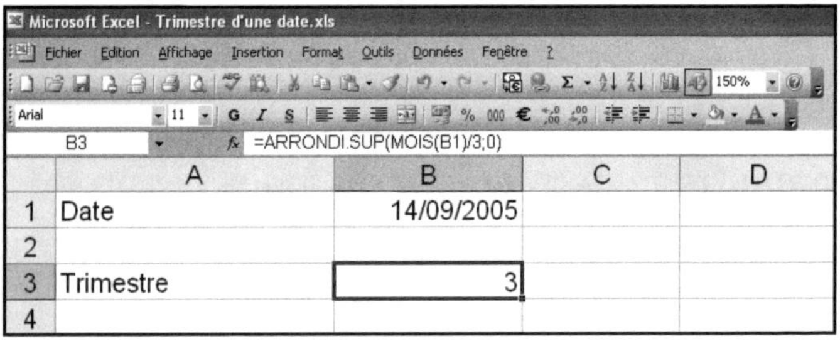

Microsoft Excel - Trimestre d'une date.xls

B3 =ARRONDI.SUP(MOIS(B1)/3;0)

	A	B	C	D
1	Date	14/09/2005		
2				
3	Trimestre	3		
4				

Afficher des heures et des jours

Lors d'un cumul d'heures supérieur à 24, le format Standard des heures n'affiche pas les jours. Autrement dit, le compteur revient à zéro toutes les 24 heures. Cet exemple permet d'afficher des heures au-delà de 24, mais aussi d'afficher le nombre de jours.

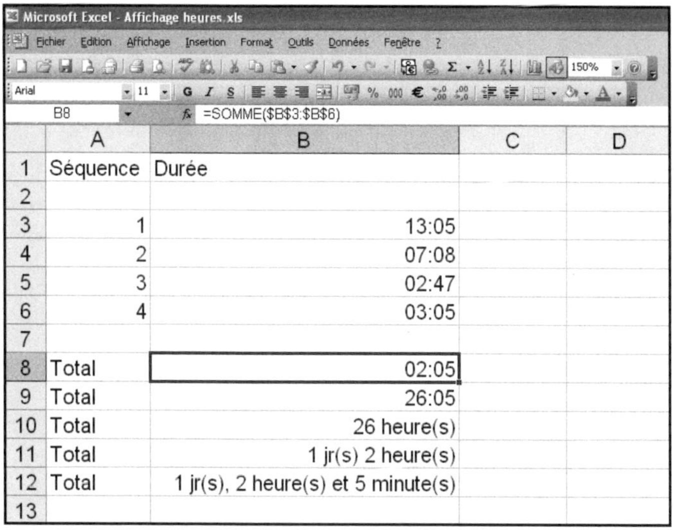

Microsoft Excel - Affichage heures.xls

B8 =SOMME($B$3:$B$6)

	A	B	C	D
1	Séquence	Durée		
2				
3	1	13:05		
4	2	07:08		
5	3	02:47		
6	4	03:05		
7				
8	Total	02:05		
9	Total	26:05		
10	Total	26 heure(s)		
11	Total	1 jr(s) 2 heure(s)		
12	Total	1 jr(s), 2 heure(s) et 5 minute(s)		
13				

On n'utilise pas ici de formule. Seuls les formats d'affichage sont modifiés. Les cellules B8 à B12 effectuent toutes la somme des cellules B3 à B6.

La cellule B8 utilise le format Standard des heures et des minutes. Étant donné que la somme B3:B6 dépasse les 24 heures, la cellule affiche uniquement 2:05. La cellule B9 utilise le format Personnalisé [h]:mm. La cellule B10 utilise le format Personnalisé [h]" heure(s)". La cellule B11 utilise le format Personnalisé j "jr(s)" h "heure(s)". La cellule B12 utilise le format Personnalisé j "jr(s)," h "heure(s) et" m "minute(s)".

Chapitre 7

Fonctions financières

Excel vous propose, à titre personnel ou pour votre entreprise, des fonctions pour établir un plan de financement relatif à votre prochain emprunt. De quoi apporter des bases solides à vos banquiers lors de vos entretiens. Ce chapitre regroupe toutes les fonctions disponibles dans ce domaine. Il propose des exemples concrets concernant les tableaux d'amortissement ou l'optimisation d'un plan d'épargne logement.

Dans ce chapitre

Arguments des fonctions financières

Les fonctions financières utilisent presque toutes les mêmes arguments. Il est donc plus simple de les connaître avant d'appliquer une fonction.

Argument	Rôle
VA (valeur actuelle)	C'est le montant du principal. Si vous placez de l'argent, VA représente la valeur actuelle de l'argent que vous investissez. Si vous empruntez, VA représente le principal ou la valeur actuelle de l'emprunt. La valeur actuelle peut donc être positive ou négative.
VC (valeur capitalisée)	C'est le principal plus les intérêts. Si vous placez de l'argent, VC représente votre placement plus les intérêts à percevoir. Si vous empruntez, VC correspond au capital emprunté plus les intérêts à payer. La valeur capitalisée peut donc être positive ou négative.
VPM (paiement)	Il s'agit soit du capital seul, soit du capital plus les intérêts. Si vous placez de l'argent régulièrement (par exemple sur un PEL), VPM représente le capital déposé. Si vous remboursez un emprunt, VPM représente à la fois le capital et les intérêts.
Taux (taux d'intérêt)	Les intérêts représentent un pourcentage du capital. Ils vous sont versés dans le cas d'un placement ; vous devez les payer dans le cas d'un emprunt.
Période	La période représente le moment où les intérêts sont perçus (placement) ou versés (emprunt). La période doit toujours être en relation avec le taux. Si le taux est annuel, la période doit être d'un an. Si la période est mensuelle, vous devez diviser le taux annuel par 12 dans vos calculs.
NPM (durée)	C'est le nombre de périodes du placement ou de l'emprunt.

Argument	Rôle
Type	Si les paiements s'effectuent en fin de période, l'argument Type a la valeur 0. Si les paiements s'effectuent en début de période, l'argument Type a la valeur 1. Si vous omettez cet argument, il prend par défaut la valeur 0.

Liste des fonctions financières

Les fonctions financières concernent essentiellement des calculs d'emprunts et de placements. À chacun des arguments vus précédemment correspond une fonction. Par exemple, l'argument Taux, utilisé pour calculer des intérêts, possède sa fonction (du même nom) pour retrouver un taux à partir des autres arguments.

INTPER (intérêts d'une période)

Cette fonction retourne, pour une période précise, le montant des intérêts d'un emprunt remboursé par des versements périodiques constants, avec un taux d'intérêt constant.

Syntaxe : INTPER(taux;période;npm;va;vc;type). Vc et type sont facultatifs.

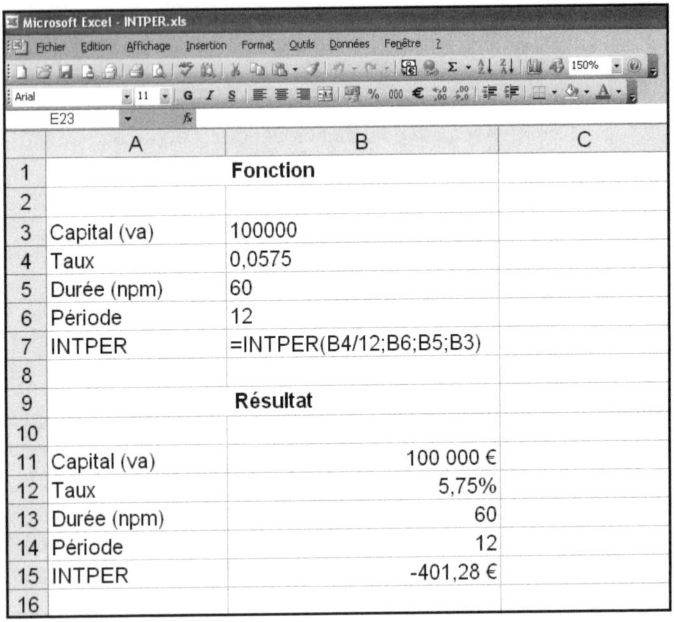

Microsoft Excel - INTPER.xls

	A	B	C
1		**Fonction**	
2			
3	Capital (va)	100000	
4	Taux	0,0575	
5	Durée (npm)	60	
6	Période	12	
7	INTPER	=INTPER(B4/12;B6;B5;B3)	
8			
9		**Résultat**	
10			
11	Capital (va)	100 000 €	
12	Taux	5,75%	
13	Durée (npm)	60	
14	Période	12	
15	INTPER	-401,28 €	
16			

L'exemple calcule les intérêts de la 12e mensualité d'un emprunt de 100 000 € à 5,75% sur 60 mois.

NPM (nombre de périodes)

Cette fonction retourne le nombre de paiements nécessaires pour rembourser un emprunt à taux d'intérêt constant et à versements périodiques constants.

Syntaxe : NPM(taux;vpm;va;vc;type). Vc et type sont facultatifs.

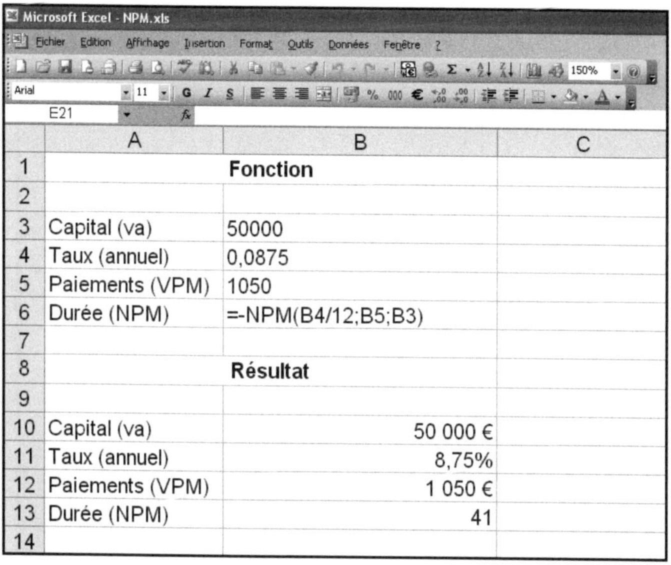

	A	B	C
1		**Fonction**	
2			
3	Capital (va)	50000	
4	Taux (annuel)	0,0875	
5	Paiements (VPM)	1050	
6	Durée (NPM)	=-NPM(B4/12;B5;B3)	
7			
8		**Résultat**	
9			
10	Capital (va)	50 000 €	
11	Taux (annuel)	8,75%	
12	Paiements (VPM)	1 050 €	
13	Durée (NPM)	41	
14			

L'exemple calcule la durée d'un prêt de 50 000 € à 8,75 % avec des remboursements de 1 050 € par mois.

PRINCPER (remboursement du principal)

Cette fonction retourne, pour une période précise, la part de remboursement du principal d'un prêt à remboursements périodiques constants et à taux d'intérêt constant.

Syntaxe : PRINCPER(taux;pér;npm;va;vc;type). Vc et type sont facultatifs.

Microsoft Excel - PRINCPER.xls

	A	B	C
1		**Fonction**	
2			
3	Capital (va)	150000	
4	Taux (annuel)	0,0915	
5	Durée (NPM)	120	
6	Période	6	
7	Remb. Capital	=PRINCPER(B4/12;B6;B5;B3)	
8			
9		**Résultat**	
10			
11	Capital (va)	150 000 €	
12	Taux (annuel)	9,15 %	
13	Durée (NPM)	120	
14	Période	6	
15	Remb. Capital	-798,34 €	
16			

L'exemple calcule la part du capital remboursé au 6e mois pour un prêt de 150 000 € sur 10 ans à un taux de 9,15 %.

PRIX.DEC

Cette fonction retourne, sous forme décimale, un nombre exprimé sous forme de fraction (premier argument). Le second argument correspond au dénominateur de la fraction. Par exemple, PRIX.DEC(2,3;5) correspond à 2 3/5, et PRIX.DEC (6,05;12) à 6 5/12.

Microsoft Excel - Prix.Dec.xls

	A	B	C
1		Fonction	
2			
3	Fraction	6,05	
4	Dénominateur	12	
5	Décimal	=PRIX.DEC(B3;B4)	
6			
7		Résultat	
8			
9	Fraction	6,05	
10	Dénominateur	12	
11	Décimal	6,41666666666667	
12			

L'exemple calcule, sous forme de nombre décimal, la fraction 6 5/12.

Note Pour convertir un nombre décimal en fraction, utilisez la fonction PRIX.FRAC.

PRIX.FRAC

Cette fonction retourne, sous forme de fraction, un nombre décimal (premier argument). Le second argument correspond au dénominateur de la fraction.

	A	B	C
1		Fonction	
2			
3	Décimal	3,25	
4	Dénominateur	4	
5	Fraction	=PRIX.FRAC(B3;B4)	
6			
7		Résultat	
8			
9	Décimal	3,25	
10	Dénominateur	4	
11	Fraction	3,1	
12			

L'exemple calcule, sous forme de fraction, le décimal 3,25.

Note Pour convertir un nombre sous forme de fraction en décimal, utilisez la fonction PRIX.DEC.

TAUX

Cette fonction calcule le taux d'intérêt par périodes d'un investissement.

Syntaxe : TAUX(npm;vpm;va;vc;type). Vc et type sont facultatifs.

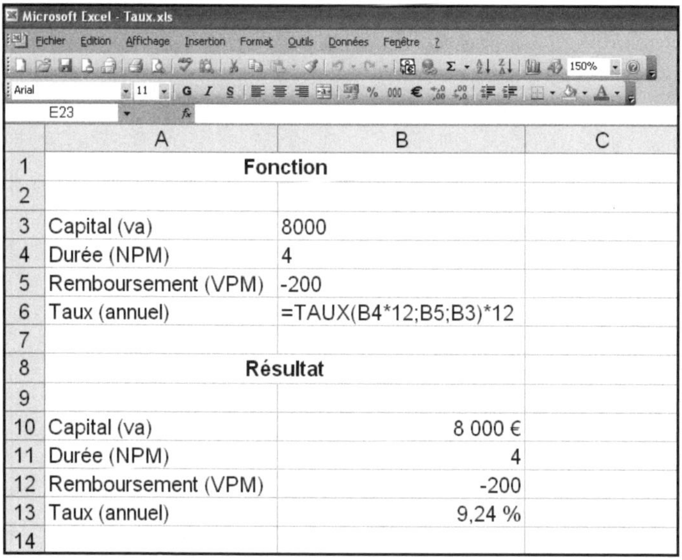

Microsoft Excel - Taux.xls

	A	B	C
1	Fonction		
2			
3	Capital (va)	8000	
4	Durée (NPM)	4	
5	Remboursement (VPM)	-200	
6	Taux (annuel)	=TAUX(B4*12;B5;B3)*12	
7			
8	Résultat		
9			
10	Capital (va)	8 000 €	
11	Durée (NPM)	4	
12	Remboursement (VPM)	-200	
13	Taux (annuel)	9,24 %	
14			

L'exemple calcule le taux d'un emprunt de 8 000 € sur 4 ans avec des remboursements de 200 € par mois.

TRI (taux de rentabilité interne)

Cette fonction calcule le taux de rentabilité interne d'un investissement. Les mouvements de trésorerie doivent avoir lieu à intervalles réguliers (par mois ou par années). L'argument correspond à la plage de cellules contenant ces mouvements. Au moins un des mouvements doit être négatif.

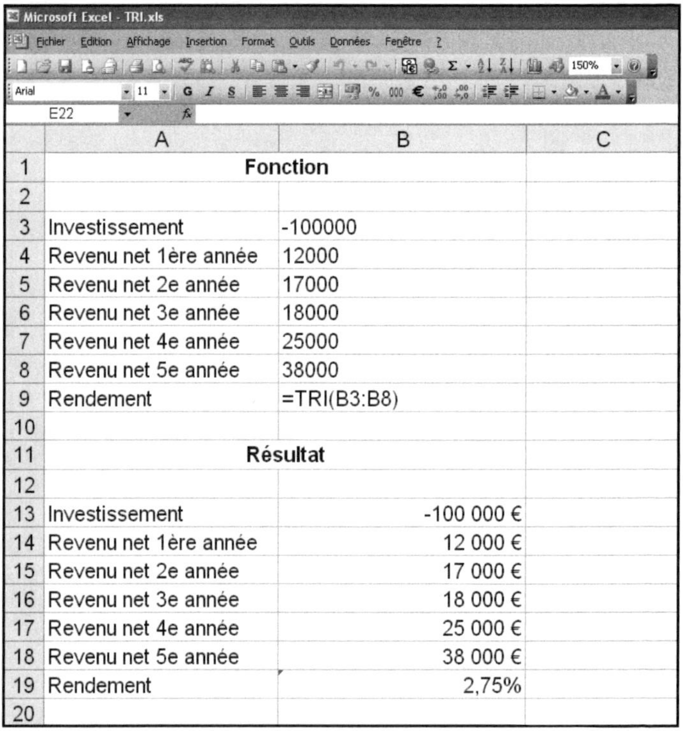

Microsoft Excel - TRI.xls

	A	B	C
1	**Fonction**		
2			
3	Investissement	-100000	
4	Revenu net 1ère année	12000	
5	Revenu net 2e année	17000	
6	Revenu net 3e année	18000	
7	Revenu net 4e année	25000	
8	Revenu net 5e année	38000	
9	Rendement	=TRI(B3:B8)	
10			
11	**Résultat**		
12			
13	Investissement	-100 000 €	
14	Revenu net 1ère année	12 000 €	
15	Revenu net 2e année	17 000 €	
16	Revenu net 3e année	18 000 €	
17	Revenu net 4e année	25 000 €	
18	Revenu net 5e année	38 000 €	
19	Rendement	2,75%	
20			

Dans l'exemple, on calcule le rendement d'un placement initial de 100 000 € et de cinq revenus annuels.

VA (valeur actuelle)

La fonction VA retourne la valeur actuelle, c'est-à-dire le capital investi ou emprunté.

Syntaxe : VA(taux;npm;vpm;vc;type). Vc et type sont facultatifs.

Microsoft Excel - VA.xls

Fichier Edition Affichage Insertion Format Outils Données Fenêtre ?

E21

	A	B	C
1	Fonction		
2			
3	Durée (NPM)	20	
4	Remboursement (VPM)	-500	
5	Taux (annuel)	0,0795	
6	Capital (VA)	=VA(B5/12;B3*12;B4)	
7			
8	Résultat		
9			
10	Durée (NPM)	20	
11	Remboursement (VPM)	-500 €	
12	Taux (annuel)	7,95%	
13	Capital (VA)	60 000 €	
14			

Dans cet exemple, on calcule le montant du capital pour un emprunt sur 20 ans à 7,95 % avec des remboursements mensuels de 500 €.

VC (valeur capitalisée)

Cette fonction renvoie la valeur capitalisée d'un investissement à remboursements périodiques constants, avec un taux d'intérêt constant.

Syntaxe : VC(taux;npm;vpm;va;type). Va et type sont facultatifs.

Microsoft Excel - VC.xls

	A	B	C
1	Fonction		
2			
3	Durée (NPM)	36	
4	Remboursement (VPM)	-150	
5	Taux (annuel)	0,0795	
6	Valeur capitalisée (VC)	=VC(B5/12;B3;B4)	
7			
8	Résultat		
9			
10	Durée (NPM)	36	
11	Remboursement (VPM)	-150 €	
12	Taux (annuel)	7,95%	
13	Valeur capitalisée (VC)	6 076 €	
14			

L'exemple calcule la valeur capitalisée (capital et intérêts) d'un placement de 150 € sur 36 mois à un taux de 7,95 %.

VPM (montant des remboursements)

La fonction VPM calcule le montant des remboursements d'un emprunt, avec des remboursements constants et un taux d'intérêt constant.

Syntaxe : VPM(taux;npm;va;vc;type). Vc et type sont facultatifs.

	A	B	C
1	**Fonction**		
2			
3	Capital (VA)	8000	
4	Durée (NPM)	4	
5	Taux (annuel)	0,0924	
6	Remboursement (VPM)	=VPM(B5/12;B4*12;B3)	
7			
8	**Résultat**		
9			
10	Capital (VA)	8 000 €	
11	Durée (NPM)	4	
12	Taux (annuel)	9,24%	
13	Remboursement (VPM)	-200 €	
14			

Dans l'exemple, on calcule le montant des remboursements d'un emprunt de 8 000 € sur 4 ans à un taux de 9,24 %.

Exemples d'utilisations des fonctions financières

Cette partie présente des mises en application des fonctions financières vues précédemment.

Calculer des mensualités ou des annuités

La fonction VPM permet de calculer les mensualités ou les annuités d'un emprunt à remboursements et à taux constants :

1 Saisissez les renseignements de base du prêt comme à la figure 7-1.

2 Tapez = VPM() dans la cellule qui doit contenir la formule (B4 dans l'exemple).

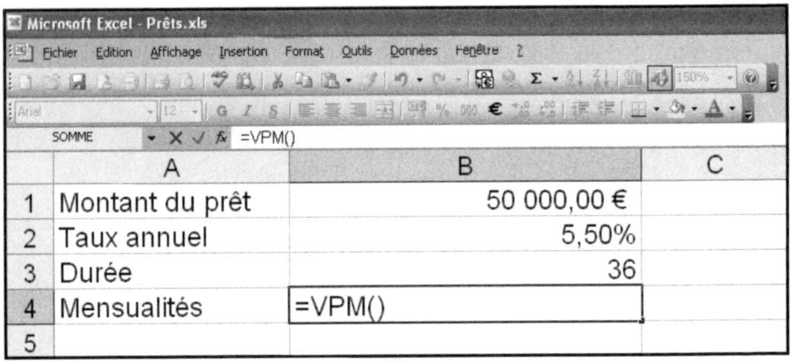

Microsoft Excel - Prêts.xls

SOMME =VPM()

	A	B	C
1	Montant du prêt	50 000,00 €	
2	Taux annuel	5,50%	
3	Durée	36	
4	Mensualités	=VPM()	
5			

Figure 7-1 Renseignements de base du prêt.

3 Cliquez le bouton *fx*.

4 Dans la zone **Taux**, tapez le taux d'intérêt annuel, ou le taux annuel divisé par douze pour calculer des mensualités (figure 7-2).

Note Les zones en gras (**Taux**, **Npm** et **Va**) sont obligatoires. Les zones en maigre (**Vc** et **Type**) sont facultatives.

Afin que la fonction utilise les valeurs présentes dans la feuille de calcul, pour chaque paramètre, cliquez, sélectionnez la cellule correspondante, puis cliquez.

5 Dans la zone **Npm**, tapez le nombre d'annuités, ou le nombre de mensualités si vous avez divisé le taux par douze.

Note La zone au-dessous affiche une explication sur la donnée à saisir.

6 Dans la zone **VA**, tapez le montant du capital emprunté.

La zone **Résultat** affiche le montant des mensualités ou des annuités.

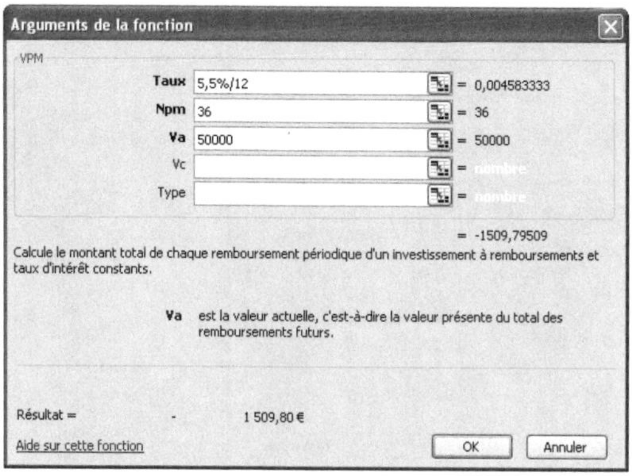

Figure 7-2 Arguments de la fonction VPM.

7 Cliquez le bouton **OK** pour valider la fonction.

La cellule sélectionnée à l'étape **2** affiche le montant de l'annuité ou de la mensualité (figure 7-3).

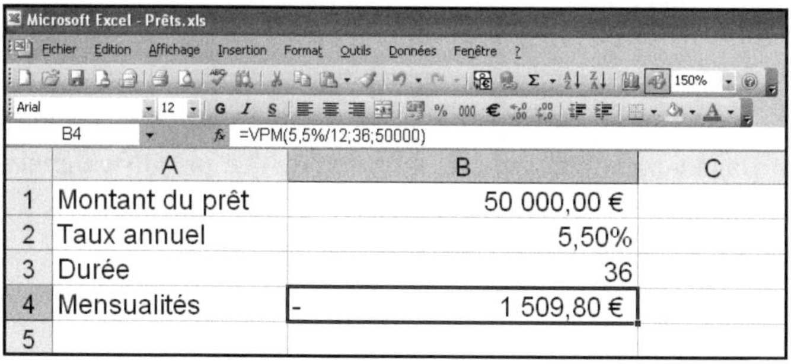

Figure 7-3 Calcul des mensualités d'un prêt.

Conseil Étant donné qu'une annuité (ou une mensualité) représente un débit, le résultat est négatif. Ajoutez un signe moins devant la fonction VPM pour afficher un résultat positif.

Pour calculer rapidement une autre annuité (ou mensualité) en modifiant les paramètres correspondants, les arguments de la fonction doivent utiliser des références à des cellules au lieu des valeurs fixes (figure 7-4).

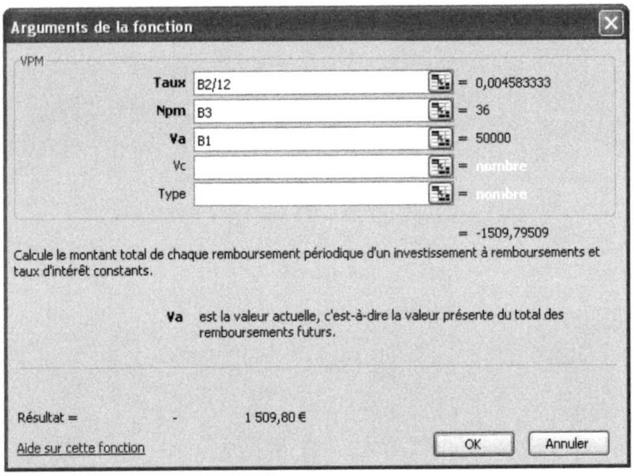

Figure 7-4 Arguments de la fonction VPM avec des références.

Calculer un remboursement in fine

Pour calculer le montant total d'un emprunt avec un remboursement *in fine*, il suffit de préciser dans l'argument **VC** le montant du capital.

Définition *In fine* : remboursement total du capital à la fin d'un emprunt et non à chaque période.

1 Dans la zone **VC**, tapez le montant de l'emprunt (le même que dans la zone **Va**) [figure 7-5].

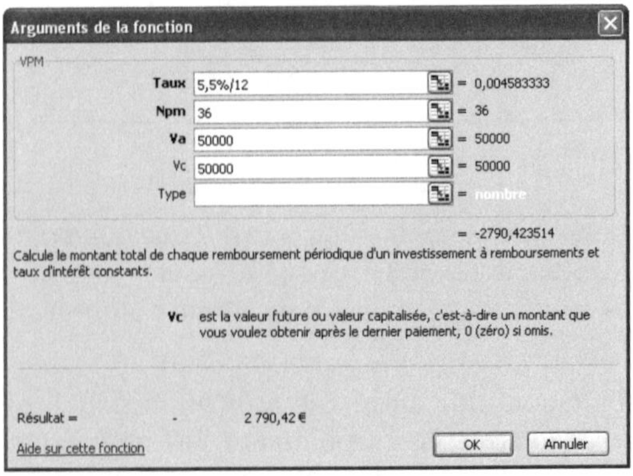

Figure 7-5 Arguments de la fonction VPM pour un remboursement *in fine*.

Calculer des remboursements en début de période

Si les remboursements s'effectuent en début, et non en fin, de période, vous devez préciser la valeur de l'argument **Type** :

1 Dans la zone **Type**, tapez **1** (figure 7-6).

Arguments de la fonction

VPM

Taux	5,5%/12	= 0,004583333
Npm	36	= 36
Va	50000	= 50000
Vc		= nombre
Type	1	= 1

= -1502,906768

Calcule le montant total de chaque remboursement périodique d'un investissement à remboursements et taux d'intérêt constants.

Type est une valeur logique: paiement au début de la période = 1; paiement à la fin de la période = 0 ou omis.

Résultat = 1 502,91 €

Aide sur cette fonction

OK Annuler

Figure 7-6 Arguments de la fonction VPM pour un remboursement en début de période.

Calculer les intérêts pour une période

La fonction INTPER permet de calculer les intérêts pour une période pour un emprunt à remboursements et à taux constants :

1 Saisissez les renseignements de base du prêt, comme à la figure 7-7.

2 Tapez = INTPER() dans la cellule qui doit contenir la formule (B6 dans l'exemple).

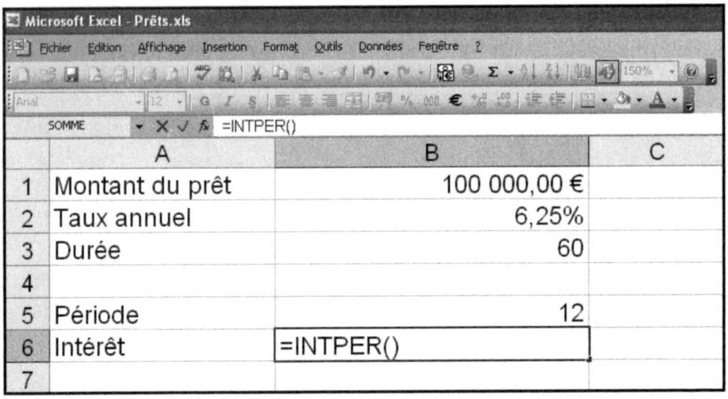

Microsoft Excel - Prêts.xls

SOMME =INTPER()

	A	B	C
1	Montant du prêt	100 000,00 €	
2	Taux annuel	6,25%	
3	Durée	60	
4			
5	Période	12	
6	Intérêt	=INTPER()	
7			

Figure 7-7 Renseignements de base du prêt.

3 Cliquez le bouton *fx*.

4 Dans la zone **Taux**, tapez le taux annuel, ou le taux annuel divisé par douze pour des remboursements mensuels (figure 7-8).

5 Dans la zone **Pér**, tapez le numéro de la période concernée.

6 Dans la zone **Npm**, tapez le nombre de périodes.

7 Dans la zone **Va**, tapez le montant du capital emprunté.

La zone **Résultat** affiche le montant des intérêts pour la période choisie.

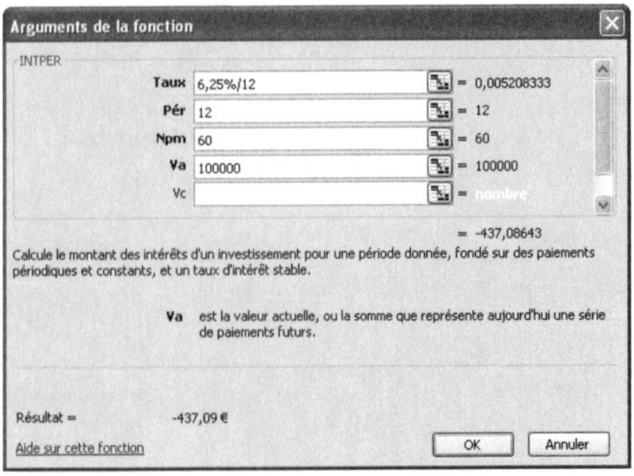

Arguments de la fonction

INTPER

Taux	6,25%/12	= 0,005208333
Pér	12	= 12
Npm	60	= 60
Va	100000	= 100000
Vc		= nombre

= -437,08643

Calcule le montant des intérêts d'un investissement pour une période donnée, fondé sur des paiements périodiques et constants, et un taux d'intérêt stable.

Va est la valeur actuelle, ou la somme que représente aujourd'hui une série de paiements futurs.

Résultat = -437,09 €

Aide sur cette fonction — OK — Annuler

Figure 7-8 Arguments de la fonction INTPER.

8 Cliquez le bouton **OK** pour valider la fonction.

La cellule sélectionnée à l'étape **2** affiche le montant des intérêts pour la période choisie (figure 7-9, ici avec des références de cellules).

Microsoft Excel - Prêts.xls

B6 =INTPER(B2/12;B5;B3;B1)

	A	B	C
1	Montant du prêt	100 000,00 €	
2	Taux annuel	6,25%	
3	Durée	60	
4			
5	Période	12	
6	Intérêt	-437,09 €	
7			

Figure 7-9 Calcul des intérêts pour une période précise.

Conseil Étant donné que des intérêts représentent un débit, le résultat est négatif. Ajoutez un signe moins devant la fonction INTPER pour afficher un résultat positif.

Calculer le capital remboursé pour une période

La fonction PRINCPER permet de calculer le capital remboursé pour une période pour un prêt à remboursements et à taux constants :

1 Saisissez les renseignements de base du prêt, comme à la figure 7-10.

2 Tapez = PRINCPER() dans la cellule qui doit contenir la formule (B7 dans l'exemple).

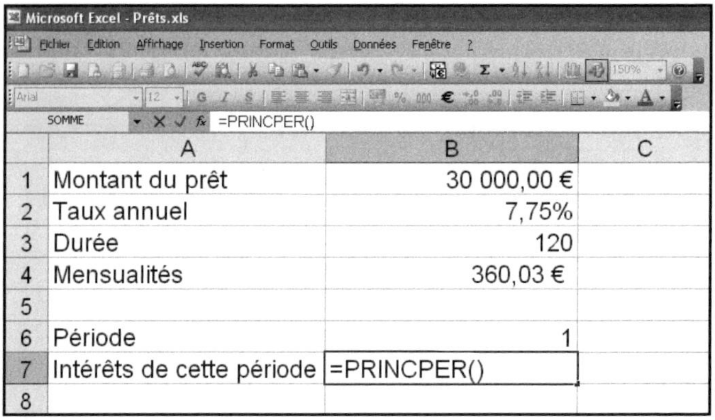

Microsoft Excel - Prêts.xls

SOMME =PRINCPER()

	A	B	C
1	Montant du prêt	30 000,00 €	
2	Taux annuel	7,75%	
3	Durée	120	
4	Mensualités	360,03 €	
5			
6	Période	1	
7	Intérêts de cette période	=PRINCPER()	
8			

Figure 7-10 Renseignements de base du prêt.

3 Cliquez le bouton *fx*.

4 Dans la zone **Taux**, tapez le taux annuel, ou le taux annuel divisé par douze pour des remboursements mensuels (figure 7-11).

5 Dans la zone **Pér**, tapez le numéro de la période concernée.

6 Dans la zone **Npm**, tapez le nombre de périodes.

7 Dans la zone **Va**, tapez le montant du capital emprunté.

La zone **Résultat** affiche le montant du capital remboursé pour la période choisie.

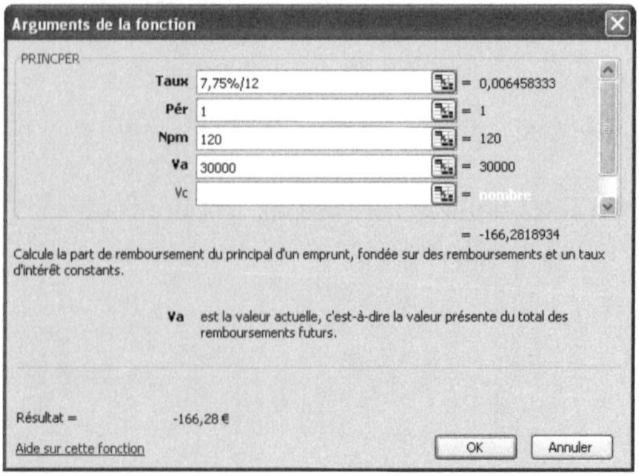

Arguments de la fonction

PRINCPER

Taux	7,75%/12	= 0,006458333
Pér	1	= 1
Npm	120	= 120
Va	30000	= 30000
Vc		= nombre

= -166,2818934

Calcule la part de remboursement du principal d'un emprunt, fondée sur des remboursements et un taux d'intérêt constants.

Va est la valeur actuelle, c'est-à-dire la valeur présente du total des remboursements futurs.

Résultat = -166,28 €

Aide sur cette fonction OK Annuler

Figure 7-11 Arguments de la fonction PRINCPER.

8 Cliquez le bouton **OK** pour valider la fonction.

La cellule sélectionnée à l'étape **2** affiche le montant du capital remboursé pour la période choisie (figure 7-12, ici avec des références de cellules).

Microsoft Excel - Prêts.xls

Fichier Edition Affichage Insertion Format Outils Données Fenêtre ?

Arial 12 G I S 150%

B7 fx =PRINCPER(B2/12;B6;B3;B1)

	A	B	C
1	Montant du prêt	30 000,00 €	
2	Taux annuel	7,75%	
3	Durée	120	
4	Mensualités	360,03 €	
5			
6	Période	1	
7	Intérêts de cette période	-166,28 €	
8			

Figure 7-12 Calcul du capital remboursé pour une période précise.

Créer un tableau d'amortissement

En utilisant les fonctions INTPER et PRINCPER, vous pouvez réaliser un tableau d'amortissement pour un emprunt à remboursements et à taux constants :

1 Tapez les renseignements sur l'emprunt, comme à la figure 7-13 (montant, taux, nombre de périodes, ainsi que les étiquettes correspondantes).

Note Si vous voulez insérer à l'identique les formules proposées plus loin, recopiez les mêmes noms d'étiquettes et d'en-têtes qu'au tableau de la figure 7-13.

2 Tapez les en-têtes du tableau d'amortissement.

3 Tapez les numéros des périodes dans la première colonne (années ou mois).

Microsoft Excel - Prêts.xls

A1 Montant

	A	B	C	D
1	Montant	75 000,00 €		
2	Taux	4,45%		
3	Durée	48		
4				
5	Périodes	Intérêts	Amortissement	Capital à amortir
6	1			
7	2			
8	3			
9	4			
10	5			

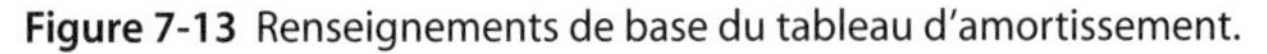

Figure 7-13 Renseignements de base du tableau d'amortissement.

Pour simplifier les formules, il est nécessaire de nommer les paramètres du tableau.

4 Sélectionnez chaque constante et son étiquette, comme à la figure 7-13 (A1:B3).

5 Cliquez le menu **Insertion → Nom → Créer**.

6 Cochez la case **Colonne de gauche** et décochez les autres cases (figure 7-14).

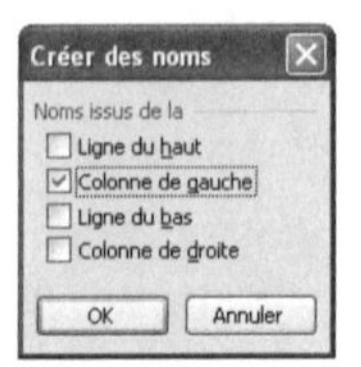

Figure 7-14 Ajout de noms pour les paramètres du tableau.

7 Cliquez le bouton **OK** pour créer les noms.

8 Cliquez une cellule du tableau (A5 dans notre exemple), puis tapez **Ctrl**+***** pour sélectionner tout le tableau.

9 Cliquez le menu **Insertion → Nom → Créer**.

10 Cochez la case **Ligne du haut** et décochez les autres cases.

11 Cliquez le bouton **OK** pour créer les noms.

12 Tapez =**-INTPER(Taux/12;Périodes;Durée;Montant)** dans la première cellule de la colonne **Intérêts** et validez avec **Entrée**.

13 Recopiez la fonction dans les autres cellules de la colonne.

Note Respectez les noms de votre tableau. Ne tapez pas **/12** si les périodes sont des annuités.

14 Tapez =**-PRINCPER(Taux/12;Périodes;Durée;Montant)** dans la première cellule de la colonne **Amortissement** et validez avec **Entrée**.

15 Recopiez la fonction dans les autres cellules de la colonne.

16 Tapez =**Montant-Amortissement** dans la première cellule de la colonne **Capital à amortir**.

17 Tapez = dans la deuxième cellule de la colonne **Capital à amortir**, cliquez la première cellule de la colonne, puis tapez -**Amortissement**.

18 Recopiez la deuxième cellule dans les autres cellules de la colonne.

Pour voir en même temps les en-têtes de colonnes et les dernières périodes, il faut figer les volets.

19 Cliquez la cellule contenant le numéro de la première période.

20 Cliquez le menu **Fenêtre → Figer les volets**.

21 Utilisez la barre de défilement verticale pour voir les dernières périodes. Le capital à amortir de la dernière période doit être égal à zéro (figure 7-15).

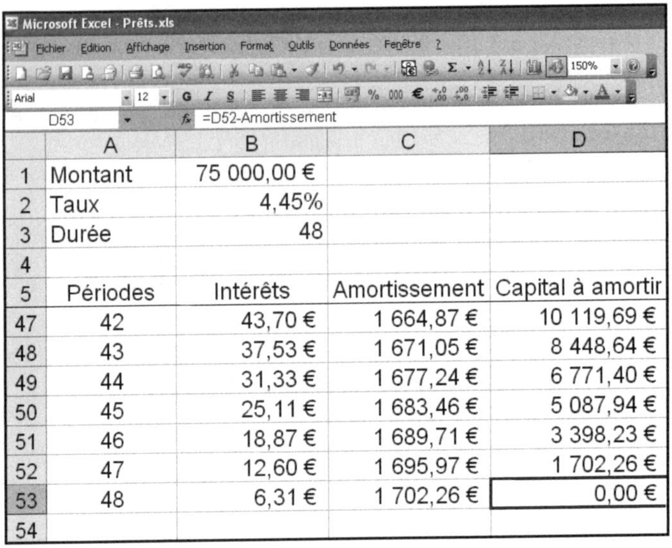

Microsoft Excel - Prêts.xls

D53 =D52-Amortissement

	A	B	C	D
1	Montant	75 000,00 €		
2	Taux	4,45%		
3	Durée	48		
4				
5	Périodes	Intérêts	Amortissement	Capital à amortir
47	42	43,70 €	1 664,87 €	10 119,69 €
48	43	37,53 €	1 671,05 €	8 448,64 €
49	44	31,33 €	1 677,24 €	6 771,40 €
50	45	25,11 €	1 683,46 €	5 087,94 €
51	46	18,87 €	1 689,71 €	3 398,23 €
52	47	12,60 €	1 695,97 €	1 702,26 €
53	48	6,31 €	1 702,26 €	0,00 €
54				

Figure 7-15 Tableau d'amortissement d'un prêt.

Simuler et optimiser un PEL

Un plan d'épargne logement (PEL) procure des intérêts versés par la banque, ainsi qu'une prime versée par l'État. Cette dernière étant plafonnée à 1 525 €, il est nécessaire de bien choisir les mensualités ou le dépôt initial pour obtenir le meilleur rendement.

Définir les constantes

1. Tapez les libellés des données nécessaires, comme dans l'exemple de la figure 7-16.
2. Tapez le taux de la banque et celui de la prime.
3. Faites la somme des taux [= SOMME(B2:B3) en B4 dans l'exemple].

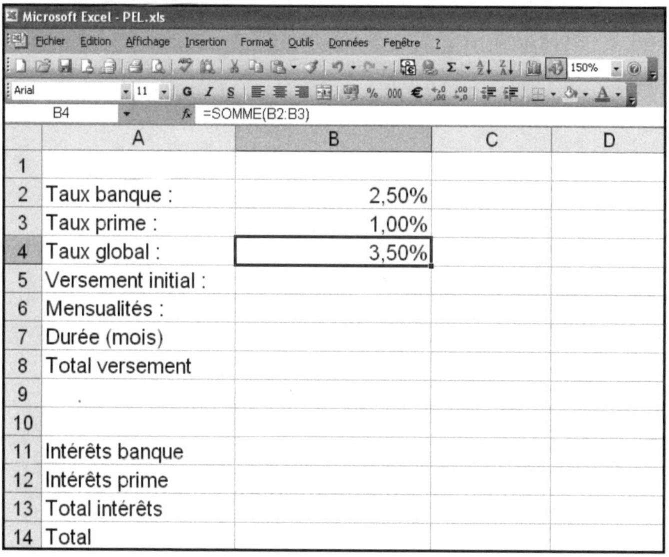

Microsoft Excel - PEL.xls

Fichier Edition Affichage Insertion Format Outils Données Fenêtre ?

B4 =SOMME(B2:B3)

	A	B	C	D
1				
2	Taux banque :	2,50%		
3	Taux prime :	1,00%		
4	Taux global :	3,50%		
5	Versement initial :			
6	Mensualités :			
7	Durée (mois)			
8	Total versement			
9				
10				
11	Intérêts banque			
12	Intérêts prime			
13	Total intérêts			
14	Total			

Figure 7-16 Renseignements de base du PEL.

Si vous ne connaissez pas les taux, demandez-les à votre banquier. Le tableau ci-après récapitule les taux des PEL de ces dernières années.

Date d'ouverture	**Rendement brut**	**Taux banque**	**Taux prime**
Du 16/05/1986 au 6/02/1994	6 %	4,62 %	1,38 %
Du 7/02/1994 au 22/01/1997	5,25 %	3,84 %	1,41 %
Du 23/01/1997 au 8/06/1998	4,25 %	3,10 %	1,15 %
Du 9/06/1998 au 25/07/1999	4 %	2,90 %	1,10 %
Du 26/07/1999 au 30/06/2000	3,60 %	2,61 %	0,99 %
Du 1/07/2000 au 31/07/2003	4,50 %	3,21 %	1,29 %

Date d'ouverture	Rendement brut	Taux banque	Taux prime
Depuis août 2003	3,50 %	2,50 %	1 %

4 Tapez le montant du versement initial.

5 Tapez le montant des versements mensuels.

6 Tapez la durée du plan en mois.

7 Tapez = **B5+(B6*B7)** [montant initial + versements * nombre de mois] dans la cellule Total des versements.

8 Formatez les cellules comme dans l'exemple de la figure 7-17.

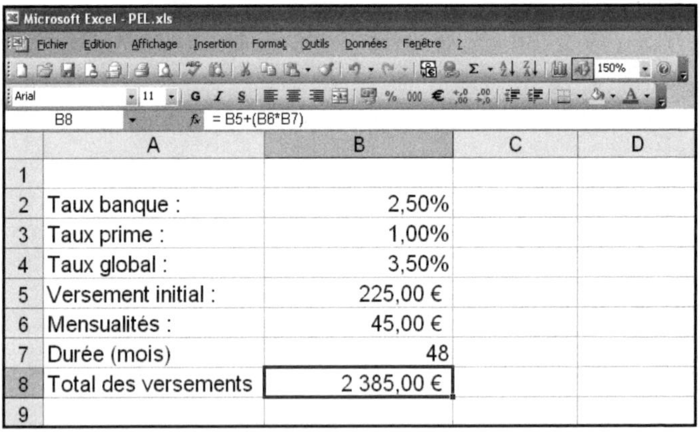

Microsoft Excel - PEL.xls

B8 = B5+(B6*B7)

	A	B	C	D
1				
2	Taux banque :	2,50%		
3	Taux prime :	1,00%		
4	Taux global :	3,50%		
5	Versement initial :	225,00 €		
6	Mensualités :	45,00 €		
7	Durée (mois)	48		
8	Total des versements	2 385,00 €		
9				

Figure 7-17 Informations sur les montants et la durée du PEL.

Calculer les intérêts

1 Dans la cellule des intérêts versés par la banque (B11 dans l'exemple), tapez = **VC()**.

2 Cliquez *fx* pour modifier les arguments.

3 Dans la zone **Taux**, tapez **B2/12** (un douzième du taux).

4 Dans la zone **Npm**, tapez **B7** (durée du plan) et appuyez sur **F4** pour appliquer des références absolues.

5 Dans la zone **Vpm**, tapez **–B6** (mensualités) et appuyez sur **F4**.

6 Dans la zone **Va**, tapez **-B5** (versement initial) et appuyez sur **F4**.

7 Dans la zone **Type**, tapez **1** pour des versements en début de mois (figure 7-18).

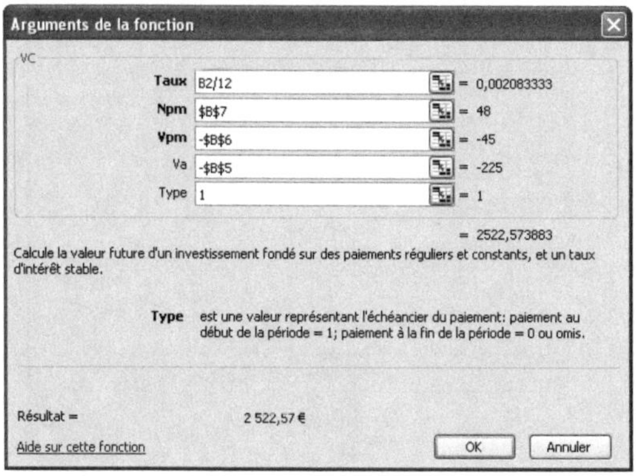

Arguments de la fonction

VC

Taux	B2/12	=	0,002083333
Npm	$B$7	=	48
Vpm	-$B$6	=	-45
Va	-$B$5	=	-225
Type	1	=	1

= 2522,573883

Calcule la valeur future d'un investissement fondé sur des paiements réguliers et constants, et un taux d'intérêt stable.

Type est une valeur représentant l'échéancier du paiement: paiement au début de la période = 1; paiement à la fin de la période = 0 ou omis.

Résultat = 2 522,57 €

Aide sur cette fonction

OK Annuler

Figure 7-18 Arguments de la fonction VC.

8 Cliquez le bouton **OK** pour valider les arguments.

La fonction retourne les versements et les intérêts. Supprimons les versements afin de ne garder que les intérêts.

9 Cliquez, à la fin de la fonction, en B11, dans la barre de formule.

10 Tapez **-B8** (le total des versements) et appuyez sur **F4** pour appliquer des références absolues (figure 7-19).

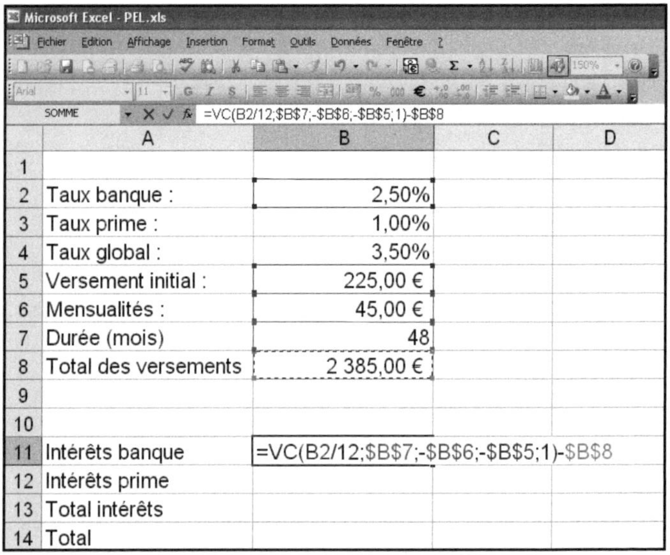

Microsoft Excel - PEL.xls

Fichier Edition Affichage Insertion Format Outils Données Fenêtre ?

SOMME =VC(B2/12;$B$7;-$B$6;-$B$5;1)-$B$8

	A	B	C	D
1				
2	Taux banque :	2,50%		
3	Taux prime :	1,00%		
4	Taux global :	3,50%		
5	Versement initial :	225,00 €		
6	Mensualités :	45,00 €		
7	Durée (mois)	48		
8	Total des versements	2 385,00 €		
9				
10				
11	Intérêts banque	=VC(B2/12;$B$7;-$B$6;-$B$5;1)-$B$8		
12	Intérêts prime			
13	Total intérêts			
14	Total			

Figure 7-19 Calcul des intérêts versés par la banque.

11 Recopiez la cellule des intérêts versés par la banque dans celle de la prime (B12).

12 Cliquez la cellule du total des intérêts (B13).

13 Cliquez le bouton Σ et validez la formule de la somme avec la touche **Entrée**.

14 Dans la cellule B14, tapez = **B8** + **B13** (total des versements + total des intérêts) [figure 7-20].

Microsoft Excel - PEL.xls

B14 =B8+B13

	A	B	C	D
1				
2	Taux banque :	2,50%		
3	Taux prime :	1,00%		
4	Taux global :	3,50%		
5	Versement initial :	225,00 €		
6	Mensualités :	45,00 €		
7	Durée (mois)	48		
8	Total des versements	2 385,00 €		
9				
10				
11	Intérêts banque	137,57 €		
12	Intérêts prime	53,86 €		
13	Total intérêts	191,43 €		
14	Total	2 576,43 €		
15				

Figure 7-20 Calcul complet d'un PEL à versements réguliers.

Optimiser le plan en modifiant les mensualités

En modifiant les versements mensuels, on peut optimiser un PEL en se rapprochant du plafond de la prime versée par l'État :

1 Cliquez la cellule des intérêts de la prime (B12 dans nos exemples).

2 Cliquez le menu **Outils → Valeur cible**.

3 Tapez **1525** dans la zone **Valeur à atteindre** (valeur maximale de la prime).

4 Cliquez la zone **Cellule à modifier**, puis cliquez les mensualités (B6 dans nos exemples) [figure 7-21].

Figure 7-21 Paramètres de recherche d'une valeur optimisée.

5 Cliquez le bouton **OK** pour obtenir une solution (figure 7-22).

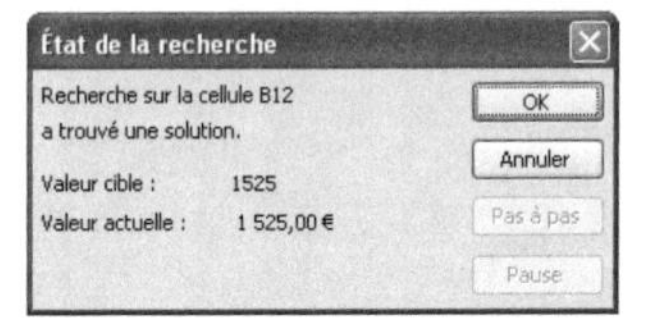

Figure 7-22 Valeur proposée par Excel.

6 Cliquez le bouton **OK** pour accepter la solution trouvée, sinon cliquez **Annuler**.

Attention ! Le total des dépôts est limité à 61 200 €. Vérifiez que la cellule Total versement ne dépasse pas cette somme (cellule B8 dans l'exemple).

Optimiser le plan en modifiant le versement initial

Comme pour les versements mensuels, on peut modifier le versement initial pour optimiser un PEL en se rapprochant du plafond de la prime versée par l'État :

1 Cliquez la cellule des intérêts de la prime (B12 dans nos exemples).

2 Cliquez le menu **Outils → Valeur cible**.

3 Tapez **1525** dans la zone **Valeur à atteindre** (valeur maximale de la prime).

4 Cliquez la zone **Cellule à modifier**, puis cliquez le versement initial (B5) [figure 7-23].

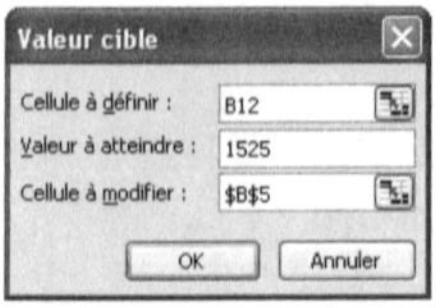

Valeur cible
Cellule à définir : B12
Valeur à atteindre : 1525
Cellule à modifier : $B$5
OK Annuler

Figure 7-23 Paramètres de recherche d'une valeur optimisée.

5 Cliquez le bouton **OK** pour obtenir une solution.

6 Cliquez **OK** pour accepter la solution trouvée, sinon cliquez **Annuler**.

Chapitre 8

Fonctions de listes et de bases de données

Les listes, ou bases de données, regroupent un ensemble d'informations sur des sujets précis. Les fonctions proposées par Excel permettent de les exploiter pour effectuer des recherches et des calculs. Ce chapitre explique comment définir des critères de sélection et comment les exploiter dans les fonctions.

Dans ce chapitre

Définir une base de données

Une base de données étant un simple tableau, vous pouvez soit la nommer, soit la définir en tant que liste. Pour une plus grande souplesse, ce nom sera utilisé dans tous les exemples des fonctions.

Nommer une base de données

1 Cliquez une cellule du tableau.

2 Tapez **Ctrl+*** pour sélectionner l'intégralité du tableau.

3 Cliquez le menu **Insertion → Nom → Définir** (figure 8-1).

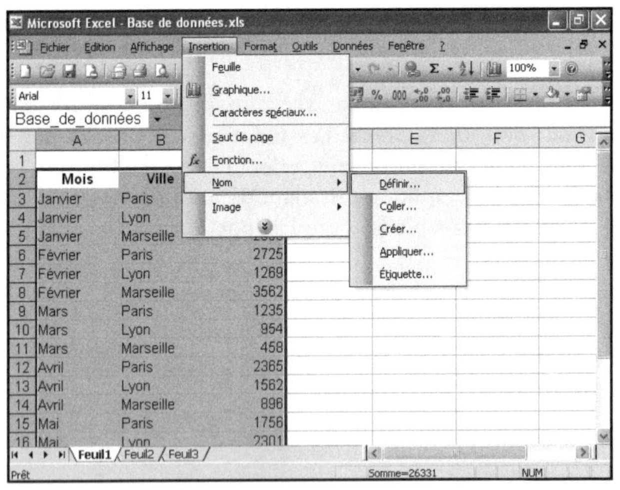

Figure 8-1 Sélection d'un tableau et attribution d'un nom.

4 Tapez Base_de_données dans la zone **Noms dans le classeur**, ou le nom que vous voulez utiliser dans les fonctions (figure 8-2).

5 Cliquez le bouton **OK**.

Conseil Étant donné qu'Excel n'accepte pas les espaces dans les noms des plages, remplacez-les par des caractères de soulignement.

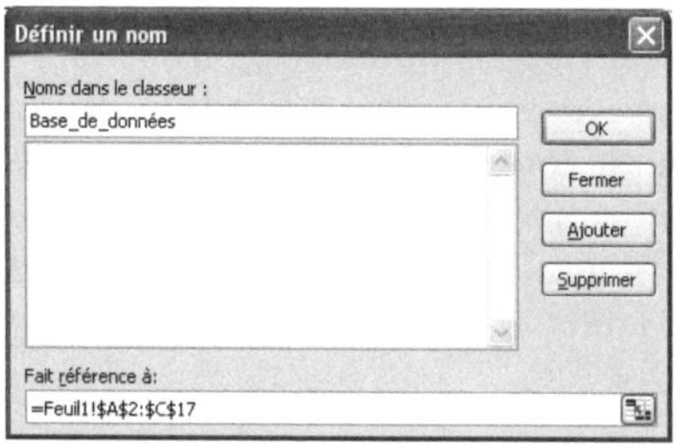

Définir un nom

Noms dans le classeur :

Base_de_données

OK | Fermer | Ajouter | Supprimer

Fait référence à:

=Feuil1!$A$2:$C$17

Figure 8-2 Définition d'un nom de base de données.

Définir une liste

L'autre solution consiste à définir votre tableau en tant que liste :

1 Cliquez une cellule du tableau.

2 Cliquez le menu **Données → Filtrer → Filtre automatique**.

Une liste apparaît pour chaque champ de la base (figure 8-3). Excel a créé le nom caché _FilterDatabase pour le tableau.

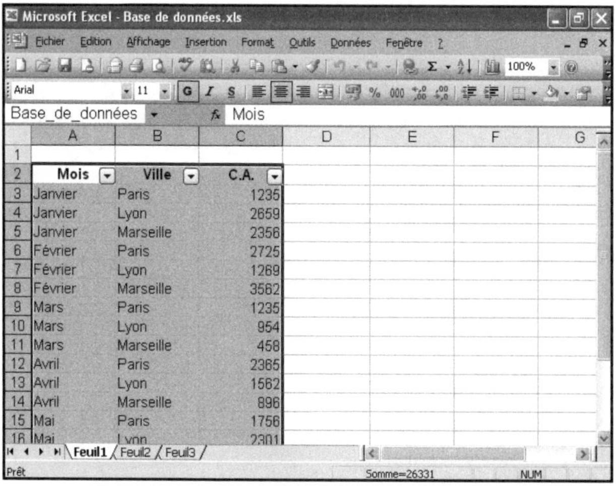

Microsoft Excel - Base de données.xls

Fichier Edition Affichage Insertion Format Outils Données Fenêtre ?

Base_de_données | Mois

	A	B	C
1			
2	Mois	Ville	C.A.
3	Janvier	Paris	1235
4	Janvier	Lyon	2659
5	Janvier	Marseille	2356
6	Février	Paris	2725
7	Février	Lyon	1269
8	Février	Marseille	3562
9	Mars	Paris	1235
10	Mars	Lyon	954
11	Mars	Marseille	458
12	Avril	Paris	2365
13	Avril	Lyon	1562
14	Avril	Marseille	896
15	Mai	Paris	1756
16	Mai	Lyon	2301

Feuil1 / Feuil2 / Feuil3

Prêt Somme=26331 NUM

Figure 8-3 Tableau sous forme de liste.

Astuce Pour voir s'il existe une liste dans la feuille ou si une liste a été précédemment définie, tapez **Ctrl+T**, tapez **_FilterDatabase** dans la zone **Référence**, puis cliquez **OK**. Les cellules de la liste actuelle ou celles de l'ancienne liste sont sélectionnées. Si aucune liste n'a été définie, Excel affiche une boîte d'erreur. Une feuille ne peut contenir qu'une seule liste.

Créer une zone de critères

Pour filtrer une base de données, vous devez utiliser des critères de sélection. Une zone de critères est composée des noms des champs (première ligne) et des critères correspondants (lignes suivantes).

1 Tapez le nom des champs à utiliser pour le filtrage (A1:B1 dans l'exemple de la figure 8-4).

2 Tapez dans les lignes en dessous les critères (A2:B2 dans l'exemple de la figure 8-4).

Microsoft Excel - Base de données.xls

A1 Mois

	A	B	C	D	E
1	Mois	C.A.			
2	Février	>2000			
3					
4	Mois	Ville	C.A.		
5	Janvier	Paris	1235		
6	Janvier	Lyon	2659		
7	Janvier	Marseille	2356		
8	Février	Paris	2725		
9	Février	Lyon	1269		
10	Février	Marseille	3562		

Figure 8-4 Zone de critères (A1:B2).

Note Consultez les pages suivantes pour la création de critères.

3 Sélectionnez la plage, puis cliquez le menu **Insertion → Nom → Définir**.

4 Tapez **Critères** dans la zone **Noms dans le classeur**, ou le nom que vous voulez utiliser dans les fonctions.

5 Cliquez le bouton **OK**.

Note Pour éviter d'interférer dans le tableau de la base de données, il est préférable de placer la zone de critères au-dessus de ce dernier.

Opérateurs de comparaison

Les critères utilisent les opérateurs du tableau ci-après.

Opérateur	Type de comparaison
=	Égale
>	Supérieur
>=	Supérieur ou égal
<	Inférieur
<=	Inférieur ou égal
<>	Différent de

Tableau 8-1 Opérateurs de comparaison des critères.

Le tableau ci-après propose des exemples de critères pour les cas les plus fréquents.

Critère	Sélection
>500	Enregistrements dont le contenu du champ est supérieur à 500
<>0	Enregistrements dont le contenu du champ est différent de 0
>=1000	Enregistrements dont le contenu du champ est supérieur ou égal à 1 000
Février	Enregistrements contenant uniquement le mot « février »

Critère	Sélection
C*	Enregistrements contenant un texte débutant par « C »
Paris	Enregistrements contenant le mot « Paris »
X?V	Enregistrements contenant un mot débutant par « X » et dont la troisième lettre est un « V »
<>*Z*	Enregistrements ne contenant pas la lettre « Z »
=	Enregistrements vides

Tableau 8-2 Exemples de critères.

Note Vous pouvez utiliser les jokers * (plusieurs caractères) ou **?** (un caractère) dans les critères contenant du texte.

Appliquer un « Et » entre plusieurs critères

Pour que le filtre tienne compte de tous les critères, vous devez les placer sur la même ligne. Tous les critères doivent être vrais pour qu'un enregistrement soit sélectionné.

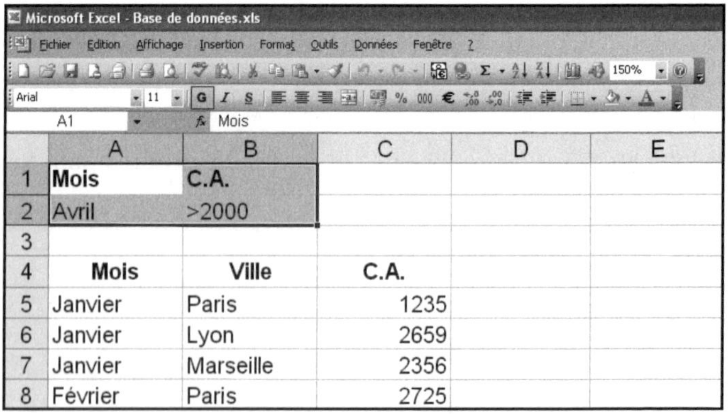

Microsoft Excel - Base de données.xls

	A	B	C	D	E
1	**Mois**	**C.A.**			
2	Avril	>2000			
3					
4	**Mois**	**Ville**	**C.A.**		
5	Janvier	Paris	1235		
6	Janvier	Lyon	2659		
7	Janvier	Marseille	2356		
8	Février	Paris	2725		

Dans l'exemple, seuls les enregistrements du mois d'avril « Et » qui présentent un chiffre d'affaires supérieur à 2 000 sont sélectionnés.

Appliquer un « Ou » entre plusieurs critères

Pour que le filtre tienne compte d'au moins un critère, vous devez placer les critères sur des lignes différentes. Au moins un des critères doit être vrai pour que l'enregistrement soit sélectionné.

Microsoft Excel - Base de données.xls

A1 Mois

	A	B	C	D	E
1	Mois	C.A.			
2	Janvier				
3		<1500			
4					
5	Mois	Ville	C.A.		
6	Janvier	Paris	1235		
7	Janvier	Lyon	2659		
8	Janvier	Marseille	2356		

Dans l'exemple, les enregistrements sélectionnés correspondent au mois de janvier « Ou » aux chiffres d'affaires supérieurs à 1 500.

Appliquer un « Et » entre plusieurs critères d'un même champ

Pour appliquer plusieurs critères à un même champ, vous devez ajouter plusieurs colonnes pour ce champ.

Microsoft Excel - Base de données.xls

A1 C.A.

	A	B	C	D	E
1	C.A.	C.A.			
2	>1000	<2000			
3					
4	Mois	Ville	C.A.		
5	Janvier	Paris	1235		
6	Janvier	Lyon	2659		
7	Janvier	Marseille	2356		
8	Février	Paris	2725		

Dans l'exemple, seuls les enregistrements dont le chiffre d'affaires est supérieur à 1 000 « Et » inférieur à 2 000 sont sélectionnés.

Appliquer des « Et » et des « Ou » entre plusieurs critères

En combinant des critères sur plusieurs champs et sur plusieurs lignes, vous pouvez combiner des « Et » et des « Ou ».

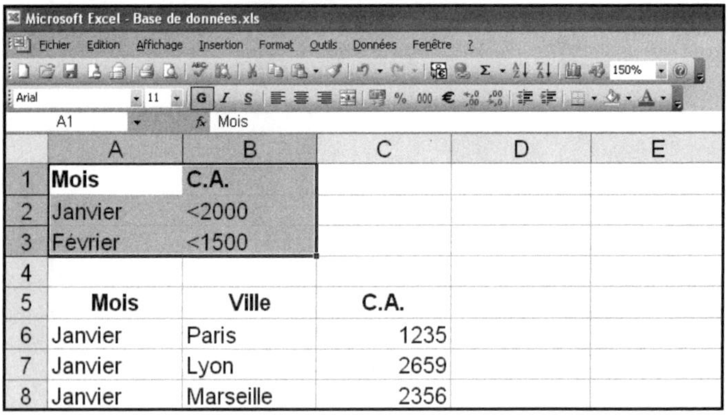

Microsoft Excel - Base de données.xls

Fichier Edition Affichage Insertion Format Outils Données Fenêtre ?

A1 Mois

	A	B	C	D	E
1	Mois	C.A.			
2	Janvier	<2000			
3	Février	<1500			
4					
5	Mois	Ville	C.A.		
6	Janvier	Paris	1235		
7	Janvier	Lyon	2659		
8	Janvier	Marseille	2356		

Dans l'exemple, le filtre prend en compte les enregistrements des mois de janvier dont le chiffre d'affaires est inférieur à 2 000, ou des mois de février dont le chiffre d'affaires est inférieur à 1 500.

Arguments des fonctions de bases de données

Toutes les fonctions de bases de données utilisent la même syntaxe : FONCTION (Base_de_données;Champ;Critères).

L'argument **Base_de_données** correspond à la plage de cellules du tableau (consultez le début de ce chapitre pour la nommer). L'argument **Champ** correspond au nom du champ entre guillemets, ou au numéro de la colonne dans la plage Base_de_données. L'argument **Critères** correspond à la plage de critères (consultez le début de ce chapitre pour la nommer).

Seul l'argument Champ est facultatif dans les fonctions BDNB et BDNBVAL. Si vous ne voulez pas utiliser cet argument, ajoutez deux points-virgules, comme dans l'exemple de la figure 8-5.

Microsoft Excel - Base de données.xls

=BDNB(Base_de_données;;Critères)

	A	B	C	D
1	Mois	C.A.		BDNB
2	Janvier	<2000		=BDNB(Base_de_données;;Critères)
3	Février	<1500		
4				
5	Mois	Ville	C.A.	
6	Janvier	Paris	1235	
7	Janvier	Lyon	2659	
8	Janvier	Marseille	2356	
9	Février	Paris	2725	
10	Février	Lyon	1269	
11	Février	Marseille	3562	
12	Mars	Paris	1235	
13	Mars	Lyon	954	
14	Mars	Marseille	458	
15	Avril	Paris	2365	
16	Avril	Lyon	1562	

Figure 8-5 Fonction sans l'argument Champ.

BDECARTYPE

Cette fonction retourne l'écart type d'une population sur la base d'un échantillon, en utilisant les valeurs d'un champ, dans la limite des enregistrements sélectionnés par les critères.

Microsoft Excel - Base de données.xls

=BDECARTYPE(Base_de_données;"C.A.";Critères)

	A	B	C	D
1	Mois			BDECARTYPE
2	Janvier			750
3				
4	Mois	Ville	C.A.	
5	Janvier	Paris	1235	
6	Janvier	Lyon	2659	
7	Janvier	Marseille	2356	
8	Février	Paris	2725	

BDECARTYPEP

Cette fonction retourne l'écart type d'une population à partir de la population entière, en utilisant les valeurs d'un champ, dans la limite des enregistrements sélectionnés par les critères.

Microsoft Excel - BDECARTYPEP.xls

D2 =BDECARTYPEP(Base_de_données;"C.A.";Critères)

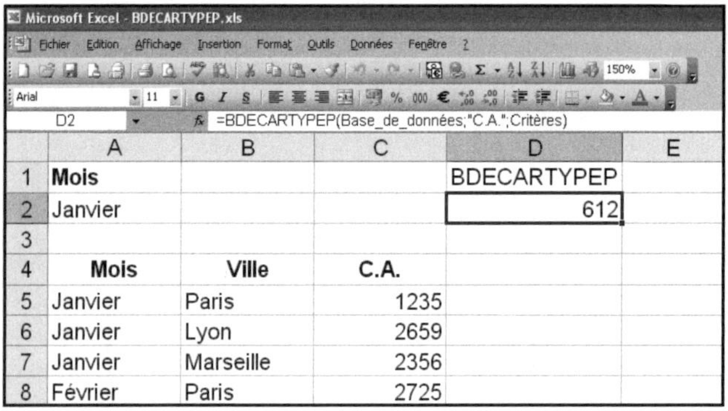

	A	B	C	D	E
1	**Mois**			BDECARTYPEP	
2	Janvier			612	
3					
4	**Mois**	**Ville**	**C.A.**		
5	Janvier	Paris	1235		
6	Janvier	Lyon	2659		
7	Janvier	Marseille	2356		
8	Février	Paris	2725		

BDLIRE

Cette fonction retourne une seule valeur du champ spécifié à partir de la base de données, dans la limite des enregistrements sélectionnés par les critères. La fonction retourne #VALEUR! si aucun enregistrement ne répond aux critères, et #NOMBRE! si plusieurs enregistrements y satisfont.

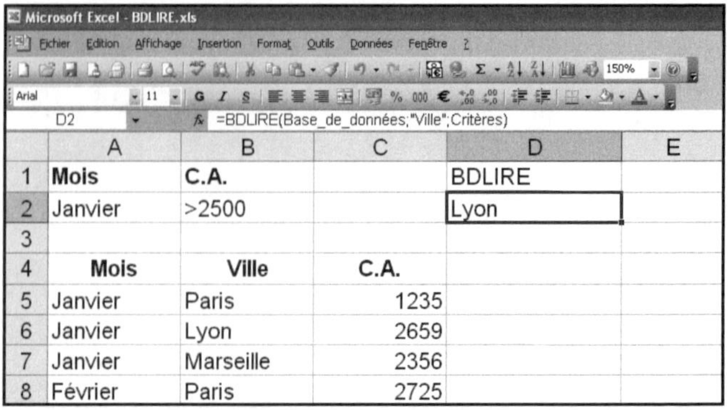

Microsoft Excel - BDLIRE.xls

D2 =BDLIRE(Base_de_données;"Ville";Critères)

	A	B	C	D	E
1	**Mois**	**C.A.**		BDLIRE	
2	Janvier	>2500		Lyon	
3					
4	**Mois**	**Ville**	**C.A.**		
5	Janvier	Paris	1235		
6	Janvier	Lyon	2659		
7	Janvier	Marseille	2356		
8	Février	Paris	2725		

Dans l'exemple, la fonction retourne la donnée « Lyon », seule valeur de « Janvier » avec un chiffre d'affaires « > 2500 ». Si l'on précise un chiffre d'affaires « > 2000 », la fonction retourne alors la valeur d'erreur #NOMBRE! car les villes « Lyon » et « Marseille » correspondent aux critères.

BDMAX

La fonction BDMAX retourne la plus grande valeur du champ spécifié dans la base de données, dans la limite des enregistrements sélectionnés par les critères.

Microsoft Excel - BDMAX.xls

D2 =BDMAX(Base_de_données;"C.A.";Critères)

	A	B	C	D	E
1	C.A.			BDMAX	
2	<1500			1269	
3					
4	Mois	Ville	C.A.		
5	Janvier	Paris	1235		
6	Janvier	Lyon	2659		
7	Janvier	Marseille	2356		
8	Février	Paris	2725		
9	Février	Lyon	1269		

Dans l'exemple, 1 269 est le plus gros chiffre d'affaires parmi ceux inférieurs à 1 500.

BDMIN

Cette fonction retourne la plus petite valeur du champ spécifié dans la base de données, dans la limite des enregistrements sélectionnés par les critères.

Microsoft Excel - BDMIN.xls

Fichier Edition Affichage Insertion Format Outils Données Fenêtre ?

150%

Arial 11 G I S % 000 €

D2 =BDMIN(Base_de_données;"C.A.";Critères)

	A	B	C	D	E
1	**C.A.**			BDMIN	
2	>2500			2659	
3					
4	**Mois**	**Ville**	**C.A.**		
5	Janvier	Paris	1235		
6	Janvier	Lyon	2659		
7	Janvier	Marseille	2356		
8	Février	Paris	2725		
9	Février	Lyon	1269		

Dans l'exemple, 2 659 est le plus petit chiffre d'affaires parmi ceux supérieurs à 2 500.

BDMOYENNE

Cette fonction retourne la moyenne des valeurs du champ spécifié dans la base de données, dans la limite des enregistrements sélectionnés par les critères.

Microsoft Excel - BDMOYENNE.xls

Fichier Edition Affichage Insertion Format Outils Données Fenêtre ?

150%

Arial 11 G I S % 000 €

D2 =BDMOYENNE(Base_de_données;"C.A.";Critères)

	A	B	C	D	E
1	**C.A.**			BDMOYENNE	
2	<1000			827	
3					
4	**Mois**	**Ville**	**C.A.**		
5	Janvier	Paris	1235		
6	Janvier	Lyon	2659		
7	Janvier	Marseille	2356		
8	Février	Paris	2725		
9	Février	Lyon	1269		

Dans l'exemple, on calcule la moyenne des chiffres d'affaires inférieurs à 1 000.

BDNB

La fonction BDNB retourne le nombre de valeurs d'un champ de la base de données qui contiennent des nombres et qui correspondent aux critères spécifiés.

L'argument **Champ** est facultatif. Si vous ne le spécifiez pas, la fonction compte le nombre d'enregistrements qui correspondent aux critères.

Microsoft Excel - BDNB.xls

D2 =BDNB(Base_de_données;;Critères)

	A	B	C	D	E
1	**Mois**	**C.A.**		BDNB	
2	Janvier	>1500		2	
3					
4	**Mois**	**Ville**	**C.A.**		
5	Janvier	Paris	1235		
6	Janvier	Lyon	2659		
7	Janvier	Marseille	2356		
8	Février	Paris	2725		

Dans l'exemple, la fonction BDNB retourne 2, car deux enregistrements correspondent aux critères (Janvier et >1500). L'argument Champ n'est pas spécifié ici.

Note Consultez la fonction BDNBVAL pour trouver un exemple qui utilise l'argument Champ.

BDNBVAL

La fonction BDNBVAL retourne le nombre de cellules non vides d'un champ de la base de données correspondant aux critères spécifiés.

L'argument **Champ** est facultatif. Si vous ne le spécifiez pas, la fonction prend en compte tous les enregistrements.

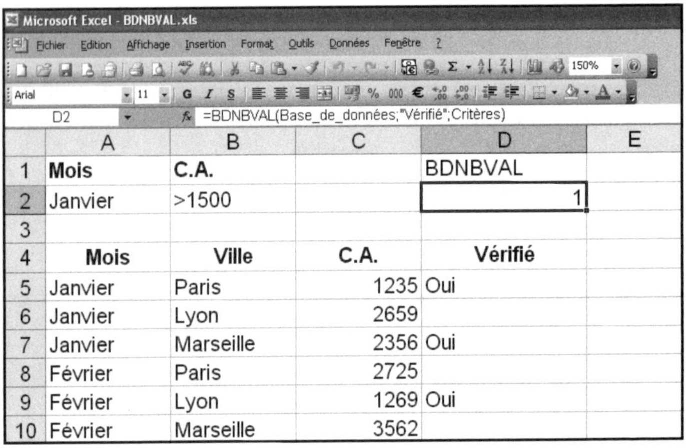

Microsoft Excel - BDNBVAL.xls

D2 =BDNBVAL(Base_de_données;"Vérifié";Critères)

	A	B	C	D	E
1	**Mois**	**C.A.**		BDNBVAL	
2	Janvier	>1500		1	
3					
4	**Mois**	**Ville**	**C.A.**	**Vérifié**	
5	Janvier	Paris	1235	Oui	
6	Janvier	Lyon	2659		
7	Janvier	Marseille	2356	Oui	
8	Février	Paris	2725		
9	Février	Lyon	1269	Oui	
10	Février	Marseille	3562		

Dans l'exemple, la fonction BDNBVAL retourne 1 car il y a un seul enregistrement dont le champ « Vérifié » contient une valeur parmi les deux enregistrements correspondant aux critères (Janvier et >1500).

Note Consultez la fonction BDNB pour trouver un exemple qui n'utilise pas l'argument Champ.

BDPRODUIT

Cette fonction retourne la multiplication de toutes les valeurs du champ spécifié dans la base de données, dans la limite des enregistrements sélectionnés par les critères.

Microsoft Excel - BDPRODUIT.xls

D2 =BDPRODUIT(Base_de_données;"Points";Critères)

	A	B	C	D	E
1	**Nom**			BDPRODUIT	
2	Jean			6	
3					
4					
5	**Nom**	**Mois**	**Points**		
6	Jean	Janvier	2		
7	Pierre	Janvier	1		
8	Paul	Janvier	3		
9	Jean	Février	3		
10	Pierre	Février	1		
11	Paul	Février	2		

Dans l'exemple, la fonction BDPRODUIT retourne la multiplication des points de « Paul » (3 en janvier * 2 en février = 6).

BDSOMME

Cette fonction retourne la somme des valeurs du champ spécifié dans la base de données, dans la limite des enregistrements sélectionnés par les critères.

Microsoft Excel - BDSOMME.xls

D2 =BDSOMME(Base_de_données;"C.A.";Critères)

	A	B	C	D	E
1	**Ville**			BDSOMME	
2	Paris			9316	
3					
4	**Mois**	**Ville**	**C.A.**		
5	Janvier	Paris	1235		
6	Janvier	Lyon	2659		
7	Janvier	Marseille	2356		
8	Février	Paris	2725		

L'exemple effectue la somme des chiffres d'affaires pour la ville de Paris.

BDVAR

Cette fonction retourne la variance d'une population sur la base d'un échantillon, en utilisant les valeurs d'un champ, dans la limite des enregistrements sélectionnés par les critères.

Microsoft Excel - BDVAR.xls

D2 =BDVAR(Base_de_données;"C.A.";Critères)

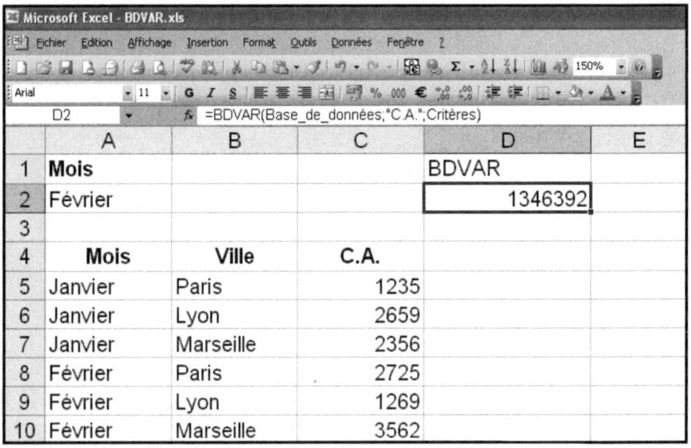

	A	B	C	D	E
1	**Mois**			BDVAR	
2	Février			1346392	
3					
4	**Mois**	**Ville**	**C.A.**		
5	Janvier	Paris	1235		
6	Janvier	Lyon	2659		
7	Janvier	Marseille	2356		
8	Février	Paris	2725		
9	Février	Lyon	1269		
10	Février	Marseille	3562		

BDVARP

Cette fonction retourne la variance d'une population à partir de la population entière, en utilisant les valeurs d'un champ, dans la limite des enregistrements sélectionnés par les critères.

Microsoft Excel - BDVARP.xls

D2 =BDVARP(Base_de_données;"C.A.";Critères)

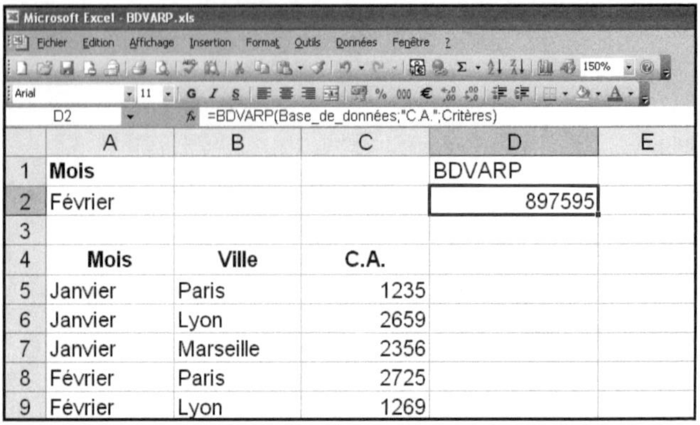

	A	B	C	D	E
1	**Mois**			BDVARP	
2	Février			897595	
3					
4	**Mois**	**Ville**	**C.A.**		
5	Janvier	Paris	1235		
6	Janvier	Lyon	2659		
7	Janvier	Marseille	2356		
8	Février	Paris	2725		
9	Février	Lyon	1269		

LIREDONNEESTABCROIS-DYNAMIQUE

Cette fonction extrait une donnée d'un tableau croisé dynamique.

Syntaxe : LIREDONNEESTABCROISDYNAMIQUE (champ de données, tableau croisé, champ1, élément1, champ2, élément2, ...).

Le premier argument correspond au champ de données du tableau croisé. Le deuxième argument correspond à la cellule en haut à gauche du tableau croisé. Les arguments suivants, par couples, correspondent au nom du champ et à l'élément dont vous voulez extraire les données (par exemple "Mois" et "Janvier").

Pour utiliser facilement cette fonction, suivez ces étapes :

1 Tapez le signe = dans la cellule de destination de la formule.

2 Cliquez la cellule à extraire dans le tableau croisé dynamique.

Microsoft Excel - LireDonnées.xls

Fichier Edition Affichage Insertion Format Outils Données Fenêtre ?

SOMME =LIREDONNEESTABCROISDYNAMIQUE("C.A.";$A$2;"Ville";"Lyon")

	A	B	C	D	E	F	G	H
1								
2	Somme de C.A.	Mois						
3	Ville	Janvier	Février	Mars	Avril	Mai	Total	
4	Lyon	2659	1269	954	1562	2301	8745	
5	Marseille	2356	3562	458	896	998	8270	
6	Paris	1235	2725	1235	2365	1756	9316	
7	Total	6250	7556	2647	4823	5055	26331	
8								
9	=LIREDONNEESTABCROISDYNAMIQUE("C.A.";$A$2;"Ville";"Lyon")							
10								

Excel crée la fonction avec les arguments correspondants.

Chapitre 9

Fonctions de comptage et de décision

Fini les messages d'erreurs quand les cellules ne sont pas renseignées ! Fini les additions qui doivent respecter certains critères ! Excel vous propose des fonctions élaborées pour gagner du temps et ménager vos nerfs. Ce chapitre vous propose l'essentiel des fonctions de comptage et de décision, mais aussi des exemples concrets.

Dans ce chapitre

Fonctions de comptage

Les fonctions de comptage permettent d'obtenir le nombre de valeurs d'une plage de cellules en se fondant sur des conditions. Certaines fonctions recherchent uniquement un type particulier de données, comme la fonction NB.VIDE qui comptabilise le nombre de cellules vides. D'autres fonctions, comme NB.SI, comptabilisent le nombre de cellules en se fondant sur le critère que vous précisez en argument.

NB

Cette fonction retourne le nombre de cellules contenant des nombres ou des dates (les textes, les valeurs logiques, les valeurs d'erreur et les cellules vides sont exclus). Les arguments (dans la limite de trente) correspondent à des cellules ou des plages de cellules dans lesquelles s'effectue la recherche, ainsi qu'à des valeurs à comptabiliser si ce sont des nombres.

Microsoft Excel - NB.xls

B7 =NB(B1:B5)

	A	B	C	D
1	N°	1234		
2	Nom	Dupont		
3	Date naissance	04/01/75		
4	Emploi			
5	Actionnaire	VRAI		
6				
7	Fonction NB	2		
8				

Dans l'exemple, la fonction retourne 2 car seules les cellules B1 et B3 contiennent un nombre ou une date.

Note Pour compter toutes les cellules non vides, utilisez la fonction NBVAL.

NB.VIDE

Cette fonction retourne le nombre de cellules vides contenues dans une plage de cellules (l'argument).

Microsoft Excel - NB.VIDE.xls

B7 =NB.VIDE(B1:B5)

	A	B	C	D
1	N°	1234		
2	Nom	Dupont		
3	Date naissance	04/01/75		
4	Emploi			
5	Actionnaire	VRAI		
6				
7	Fonction NB.VIDE	1		
8				

Dans l'exemple, la fonction retourne 1 car la cellule B4 est la seule cellule vide.

NBVAL

La fonction NBVAL retourne le nombre de cellules non vides. Les arguments (dans la limite de trente) correspondent aux cellules ou plages de cellules dans lesquelles s'effectue la recherche.

Microsoft Excel - NBVAL.xls

B7 =NBVAL(B1:B5)

	A	B	C	D
1	N°	1234		
2	Nom	Dupont		
3	Date naissance	04/01/75		
4	Emploi			
5	Actionnaire	VRAI		
6				
7	Fonction NBVAL	4		
8				

Dans l'exemple, la fonction retourne la valeur 4 car seule la cellule B4 est vide.

Note Pour compter uniquement les valeurs numériques et les dates, utilisez la fonction NB.

SOMME.CARRES

Cette fonction retourne la somme des carrés des valeurs en arguments (dans la limite de trente). Les arguments sont des nombres ou des références à des cellules contenant des nombres.

Microsoft Excel - SOMME.CARRES.xls

B6 =SOMME.CARRES(B1:B4)

	A	B	C	D
1		2		
2		3		
3		4		
4		5		
5				
6	Fonction SOMME.CARRES	54		
7				

Dans l'exemple, la fonction retourne la somme des carrés de la plage B1:B4 (2 ^ 2 + 3 ^ 2 + 4 ^ 3 + 5 ^ 2 = 54).

SOMMEPROD

Cette fonction retourne la multiplication des valeurs de plusieurs matrices (dans la limite de trente) et additionne la somme de ces produits.

Note Les plages de cellules en arguments (matrices) doivent avoir les mêmes dimensions.

Microsoft Excel - SOMMEPROD.xls

B6 =SOMMEPROD(A2:B4;D2:E4)

	A	B	C	D	E
1	Matériel	M.O.		Prix Matériel	Tarif M.O.
2	2	0,5		12	30
3	1	4		120	55
4	6	1		9	30
5					
6	Fonction SOMMEPROD	463			
7					

Dans l'exemple, on multiplie des quantités (A2:A4) par des prix de matériels (C2:C4) et des durées de main-d'œuvre (B2:B4) par des tarifs horaires (D2:D4). La fonction retourne la somme du produit de ces deux tableaux.

Fonctions de décision

Les fonctions de décision permettent de choisir le résultat d'une cellule après avoir effectué un test logique. Cela permet, par exemple, de choisir les valeurs à prendre en compte dans un calcul, mais aussi de changer de type de valeur en remplaçant un numérique par un texte.

NB.SI

La fonction NB.SI retourne le nombre de cellules à l'intérieur d'une plage (premier argument) qui répondent à un critère (second argument). Le critère est indiqué sous formes de nombre, de texte ou d'expression entre guillemets. Par exemple, 1000, "Janvier" ou ">1000" sont des critères valables.

Note Le tableau 8-2 du chapitre 8 propose des exemples de critères pour cette fonction. Vous trouverez des exemples de cette fonction à la fin de ce chapitre.

Microsoft Excel - NB.SI.xls

C12 =NB.SI(C2:C10;">2000")

	A	B	C	D	E
1	**Mois**	**Ville**	**C.A.**		
2	Janvier	Paris	1235		
3	Janvier	Lyon	2659		
4	Janvier	Marseille	2356		
5	Février	Paris	2725		
6	Février	Lyon	1269		
7	Février	Marseille	3562		
8	Mars	Paris	1235		
9	Mars	Lyon	954		
10	Mars	Marseille	458		
11					
12	NB.SI	>2000	4		
13					

Dans l'exemple, on compte le nombre de chiffres d'affaires supérieurs à 2 000.

SOMME.SI

Cette fonction retourne la somme des cellules à l'intérieur d'une plage (premier argument) qui répondent à un critère (second argument). Le critère s'exprime sous formes de nombre, de texte ou d'expression entre guillemets. Par exemple, 2000, "Février" ou ">3000" sont des critères valables.

Note Le tableau 8-2 du chapitre 8 propose des exemples de critères pour cette fonction. Vous trouverez des exemples de cette fonction à la fin de ce chapitre.

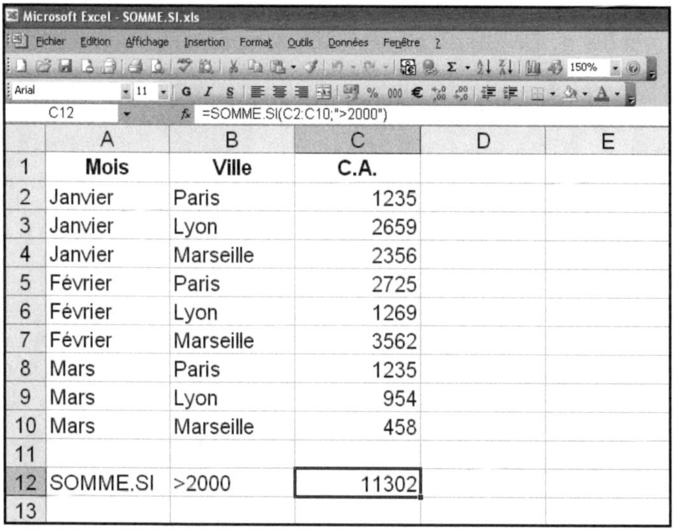

Microsoft Excel - SOMME.SI.xls

Fichier Edition Affichage Insertion Format Outils Données Fenêtre ?

150%

Arial 11 G I S % 000 €

C12 =SOMME.SI(C2:C10;">2000")

	A	B	C	D	E
1	**Mois**	**Ville**	**C.A.**		
2	Janvier	Paris	1235		
3	Janvier	Lyon	2659		
4	Janvier	Marseille	2356		
5	Février	Paris	2725		
6	Février	Lyon	1269		
7	Février	Marseille	3562		
8	Mars	Paris	1235		
9	Mars	Lyon	954		
10	Mars	Marseille	458		
11					
12	SOMME.SI	>2000	11302		
13					

Dans l'exemple précédent, on effectue la somme des chiffres d'affaires dépassant un montant de 2 000.

Si les valeurs à additionner ne se trouvent pas dans la plage du premier argument, ajoutez cette plage en troisième argument.

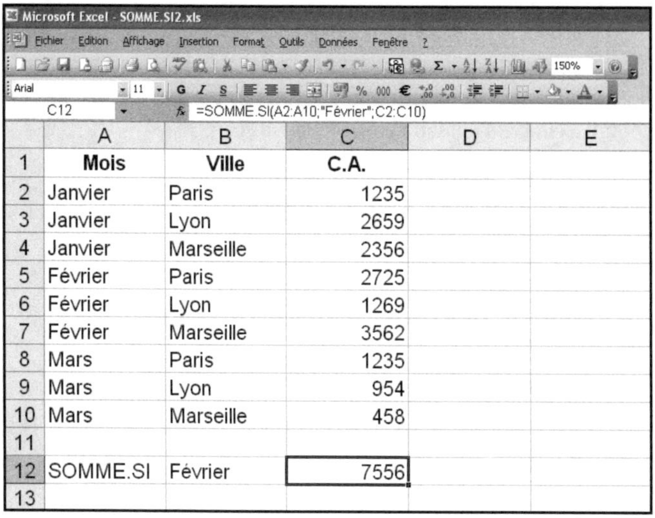

Microsoft Excel - SOMME.SI2.xls

Fichier Edition Affichage Insertion Format Outils Données Fenêtre ?

150%

Arial 11 G I S % 000 €

C12 =SOMME.SI(A2:A10;"Février";C2:C10)

	A	B	C	D	E
1	**Mois**	**Ville**	**C.A.**		
2	Janvier	Paris	1235		
3	Janvier	Lyon	2659		
4	Janvier	Marseille	2356		
5	Février	Paris	2725		
6	Février	Lyon	1269		
7	Février	Marseille	3562		
8	Mars	Paris	1235		
9	Mars	Lyon	954		
10	Mars	Marseille	458		
11					
12	SOMME.SI	Février	7556		
13					

Dans ce second exemple, on additionne les chiffres d'affaires des mois de février. Remarquez que le premier argument fait référence aux mois, alors que le troisième argument précise d'effectuer la somme des chiffres d'affaires.

SI

La fonction SI permet de décider du résultat d'une cellule après un test logique. Elle utilise la syntaxe suivante : SI(test logique;résultat si test vrai;résultat si test faux).

Pour expliquer cette fonction, prenons les données de la figure 9-1. Le tableau propose des prévisions et des bénéfices réels. L'exemple doit afficher un message en fonction des résultats obtenus.

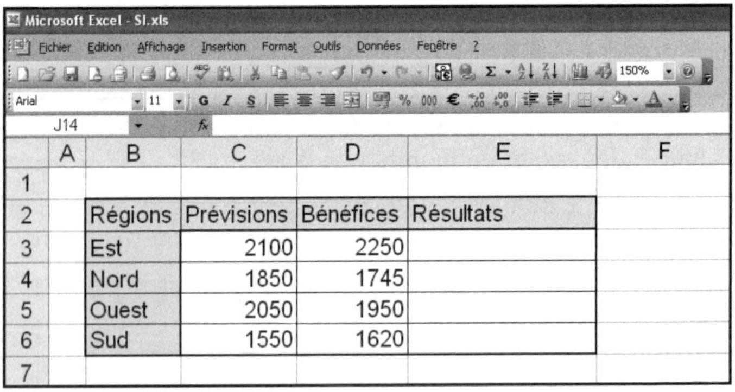

Régions	Prévisions	Bénéfices	Résultats
Est	2100	2250	
Nord	1850	1745	
Ouest	2050	1950	
Sud	1550	1620	

Figure 9-1 Exemple d'utilisation de la fonction SI.

Nous nous servons ici de la boîte d'insertion des fonctions :

1 Cliquez la cellule qui doit contenir la fonction SI (E3 dans notre exemple).

2 Cliquez le bouton *fx*.

3 Sélectionnez **Logique** dans la liste **Ou sélectionnez une catégorie**.

4 Cliquez **SI** dans la liste **Sélectionnez une fonction**.

5 Cliquez le bouton **OK** pour ajouter la fonction et saisir les arguments.

Dans cet exemple, on détermine si le bénéfice est supérieur ou égal aux prévisions.

Un test logique est composé de deux opérandes (des valeurs ou des références à des cellules) et d'un opérateur (= égale, <> différent, > supérieur, < inférieur, >= supérieur ou égal ou <= inférieur ou égal).

6 Dans la zone **Test_logique**, tapez la condition (ici D3>=C3 pour comparer les prévisions avec les bénéfices réels).

7 Tapez dans la zone **Valeur_si_vrai** ce qui doit apparaître dans la cellule si la condition est vraie.

8 Tapez dans la zone **Valeur_si_faux** ce qui doit apparaître dans la cellule si la condition est fausse (figure 9-2).

Arguments de la fonction
SI
Test_logique D3>=C3 = VRAI
Valeur_si_vrai ">= aux prévisions" = ">= aux prévisions"
Valeur_si_faux "< aux prévisions" = "< aux prévisions"
= ">= aux prévisions"
Vérifie si la condition est respectée et renvoie une valeur si le résultat d'une condition que vous avez spécifiée est VRAI, et une autre valeur si le résultat est FAUX.
Valeur_si_faux représente la valeur renvoyée si test logique est FAUX. Si omis, FAUX est renvoyé.
Résultat = >= aux prévisions
Aide sur cette fonction OK Annuler

Figure 9-2 Arguments de la fonction SI.

9 Cliquez le bouton **OK** pour ajouter la fonction dans la cellule.

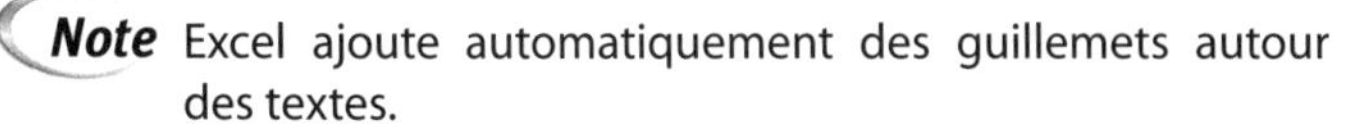

Note Excel ajoute automatiquement des guillemets autour des textes.

L'assistant a ajouté la formule suivante dans la feuille de calcul :

```
=SI(D3>=C3;">= aux prévisions";"< aux
prévisions")
```

10 Recopiez la formule si nécessaire, comme dans l'exemple de la figure 9-3.

Microsoft Excel - SI.xls

E3 =SI(D3>=C3;">= aux prévisions";"< aux prévisions")

	A	B	C	D	E	F
1						
2		Régions	Prévisions	Bénéfices	Résultats	
3		Est	2100	2250	>= aux prévisions	
4		Nord	1850	1745	< aux prévisions	
5		Ouest	2050	1950	< aux prévisions	
6		Sud	1550	1620	>= aux prévisions	
7						

Figure 9-3 Exemple de fonction SI.

Le résultat affiché dans la cellule est fonction du test SI.

Exemples d'utilisations de la fonction SI

Ajouter des calculs dans les arguments d'une fonction SI

Vous pouvez ajouter des calculs dans les arguments d'une fonction SI.

Dans l'exemple de la figure 9-4, on calcule un bonus de 20 % sur la partie qui dépasse les prévisions. Dans l'autre cas, on affiche simplement un message :

```
=SI(D3>=C3;(D3-C3)*20%;"pas de bonus")
```

Microsoft Excel - SI.xls

E3 =SI(D3>=C3;(D3-C3)*20%;"pas de bonus")

	A	B	C	D	E	F
1						
2		Régions	Prévisions	Bénéfices	Résultats	
3		Est	2100	2250	30	
4		Nord	1850	1745	pas de bonus	
5		Ouest	2050	1950	pas de bonus	
6		Sud	1550	1620	14	
7						

Figure 9-4 Calculs dans les arguments d'une fonction SI.

Ajouter des fonctions dans les arguments d'une fonction SI

Vous pouvez aussi utiliser d'autres fonctions pour calculer le résultat. Dans l'exemple de la figure 9-5, on utilise la fonction **REPT** pour répéter dix fois le symbole supérieur ou inférieur :

```
=SI(D3>=C3;REPT("> ";10);REPT("< ";10))
```

Microsoft Excel - SI.xls

E3 =SI(D3>=C3;REPT("> ";10);REPT("< ";10))

	A	B	C	D	E	F
1						
2		Régions	Prévisions	Bénéfices	Bonus	
3		Est	2100	2250	> > > > > > > > > >	
4		Nord	1850	1745	< < < < < < < < < <	
5		Ouest	2050	1950	< < < < < < < < < <	
6		Sud	1550	1620	> > > > > > > > > >	
7						

Figure 9-5 Fonctions dans les arguments d'une fonction SI.

Note Consultez le chapitre 5 pour connaître l'utilisation de la fonction **REPT**.

Supprimer les messages d'erreur

Vous pouvez éviter les erreurs dans les cellules en testant le résultat avant de l'afficher.

L'exemple de la figure 9-6 évite d'effectuer une division par zéro, donc d'afficher le message d'erreur #DIV/0!. C'est ce qui se produirait si on se contentait de la formule =B6/C6 puisque la cellule C6 n'est pas renseignée :

```
=SI(C6<>0;B6/C6;"")
```

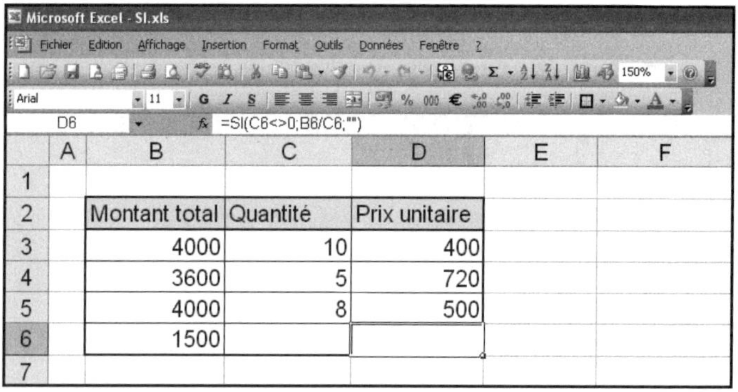

	A	B	C	D	E	F
1						
2		Montant total	Quantité	Prix unitaire		
3		4000	10	400		
4		3600	5	720		
5		4000	8	500		
6		1500				
7						

Figure 9-6 Suppression des messages d'erreur avec la fonction SI.

Imbriquer plusieurs fonctions SI

La fonction SI permet de choisir entre deux résultats. En imbriquant plusieurs fonctions SI (jusqu'à sept pour l'argument vrai et autant pour l'argument faux), vous pourrez multiplier le nombre de solutions :

1 Saisissez la fonction SI comme dans l'exemple de la figure 9-7.

2 Sélectionnez l'argument à remplacer par une autre fonction SI (le premier argument dans l'exemple de la figure 9-7).

Microsoft Excel - SI.xls

=SI(D3>=C3;"Supérieurs ou égals aux prévisions";"Inférieurs aux prévisions")

SI(test_logique; [valeur_si_vrai]; [valeur_si_faux])

	A	B	C	D	E
1					
2		Régions	Prévisions	Bénéfices	Résultats
3		Est	2000	2210	=SI(D3>=C3;"Supérieurs ou égals au
4		Nord	1800	1752	Inférieurs aux prévisions
5		Ouest	2000	2000	Supérieurs ou égals aux prévisions
6		Sud	1500	1610	Supérieurs ou égals aux prévisions
7					

Figure 9-7 Modification d'une fonction SI.

Dans cet exemple, on obtient un autre message si les prévisions sont égales aux bénéfices.

3 Tapez **SI()** pour remplacer l'argument sélectionné à l'étape 2.

4 Cliquez le bouton *fx*.

5 Dans la zone **Test_logique**, tapez la condition.

6 Dans la zone **Valeur_si_vrai**, tapez le résultat si la condition est vraie.

7 Dans la zone **Valeur_si_faux**, tapez le résultat si la condition est fausse (figure 9-8).

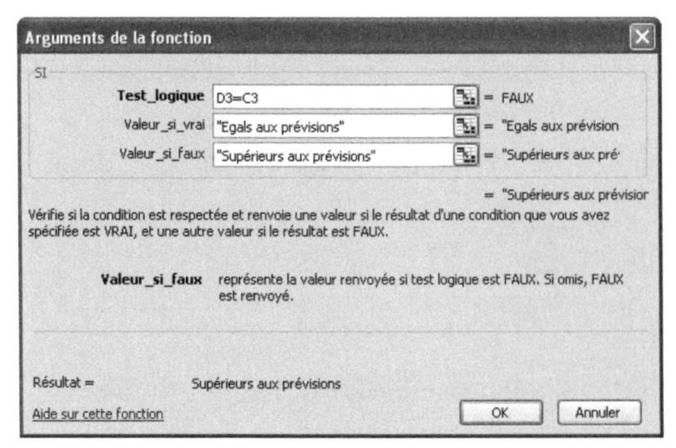

Figure 9-8 Arguments de la fonction SI imbriquée.

8 Cliquez le bouton **OK** pour mettre à jour la fonction.

9 Éventuellement, recopiez la formule dans les autres cellules du tableau.

La cellule peut maintenant afficher trois résultats différents au lieu de deux, avec une seule fonction SI (figure 9-9).

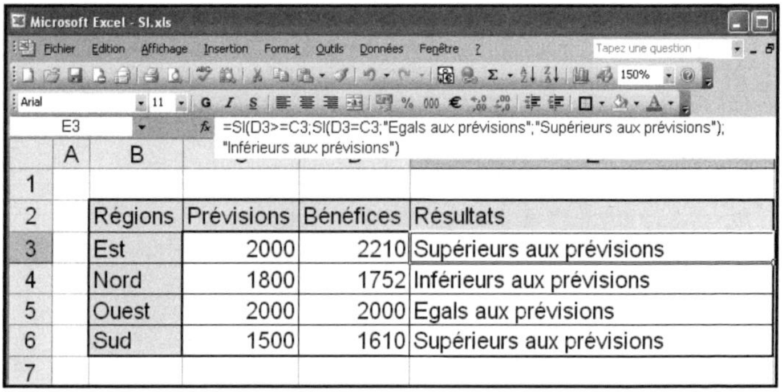

Microsoft Excel - SI.xls

E3 =SI(D3>=C3;SI(D3=C3;"Egals aux prévisions";"Supérieurs aux prévisions");"Inférieurs aux prévisions")

	A	B	C	D	E
1					
2		Régions	Prévisions	Bénéfices	Résultats
3		Est	2000	2210	Supérieurs aux prévisions
4		Nord	1800	1752	Inférieurs aux prévisions
5		Ouest	2000	2000	Egals aux prévisions
6		Sud	1500	1610	Supérieurs aux prévisions
7					

Figure 9-9 Fonctions SI imbriquées.

Utiliser la fonction NB.SI

Pour vous simplifier la vie, Excel propose la fonction NB.SI qui compte le nombre de cellules d'une plage répondant à un critère.

Dans l'exemple de la figure 9-10, nous allons compter le nombre de dates correspondant à notre recherche pour les années 2004 et 2005 en se fondant sur la liste en C3:C9 :

1 Cliquez la cellule qui doit contenir la formule (C11 dans notre exemple).

2 Cliquez le bouton *fx*.

3 Sélectionnez **Statistiques** dans la liste **Ou sélectionnez une catégorie**.

4 Cliquez **NB.SI** dans la liste **Sélectionnez une fonction**.

5 Cliquez le bouton **OK** pour saisir les arguments.

6 Tapez dans la zone **Plage** la plage de cellules à compter.

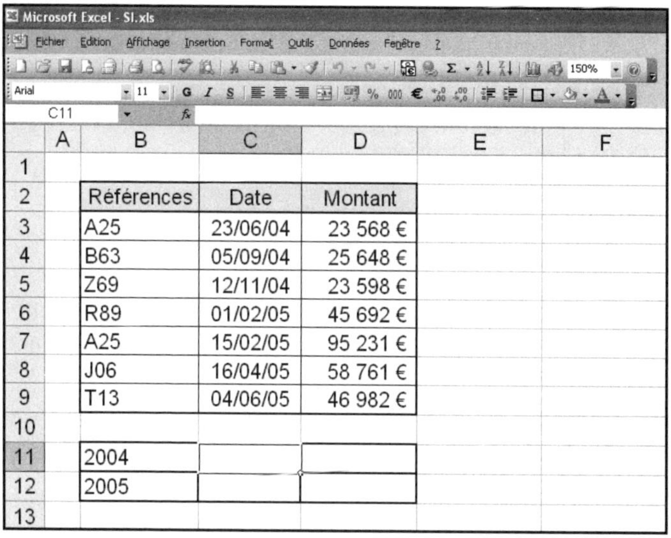

Microsoft Excel - SI.xls

	A	B	C	D	E	F
1						
2		Références	Date	Montant		
3		A25	23/06/04	23 568 €		
4		B63	05/09/04	25 648 €		
5		Z69	12/11/04	23 598 €		
6		R89	01/02/05	45 692 €		
7		A25	15/02/05	95 231 €		
8		J06	16/04/05	58 761 €		
9		T13	04/06/05	46 982 €		
10						
11		2004				
12		2005				
13						

Figure 9-10 Utilisation de la fonction NB.SI.

Note Pour utiliser les plages présentes dans la feuille de calcul, cliquez le bouton , sélectionnez les cellules correspondantes, puis cliquez le bouton .

7 Tapez dans la zone **Critère** le critère qui limite le nombre de cellules à compter (figure 9-11).

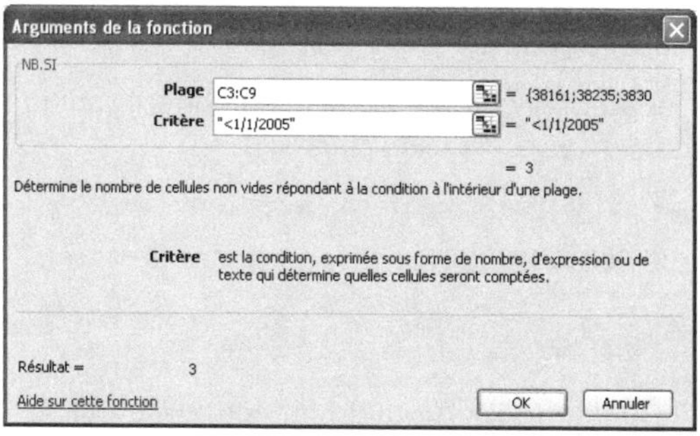

Arguments de la fonction

NB.SI

Plage C3:C9 = {38161;38235;3830

Critère "<1/1/2005" = "<1/1/2005"

= 3

Détermine le nombre de cellules non vides répondant à la condition à l'intérieur d'une plage.

Critère est la condition, exprimée sous forme de nombre, d'expression ou de texte qui détermine quelles cellules seront comptées.

Résultat = 3

Aide sur cette fonction OK Annuler

Figure 9-11 Arguments d'une fonction NB.SI.

8 Cliquez le bouton **OK** pour ajouter la fonction.

La barre de formule contient à présent la formule suivante :

```
=NB.SI(C3:C9;"<1/1/2005")
```

Dans l'exemple, la fonction NB.SI compte le nombre de dates précédant le 1er janvier 2005.

Utiliser SOMME.SI

Pour vous simplifier la tâche, Excel propose la fonction SOMME.SI qui additionne le contenu des cellules d'une plage répondant à un critère.

Dans l'exemple de la figure 9-12, nous additionnons les montants correspondant à certains critères pour les années 2004 et 2005 en se fondant sur la liste en C3:C9 :

1. Cliquez la cellule qui doit contenir la formule (D11 dans notre exemple).
2. Tapez =SOMME.SI().
3. Cliquez le bouton fx pour saisir les arguments.
4. Tapez dans la zone **Plage** la plage de cellules à utiliser pour le critère.
5. Tapez dans la zone **Critère** le critère de sélection des cellules.
6. Tapez dans la zone **Somme_plage** la plage à additionner.

> ***Note*** Si vous ne précisez pas la plage à additionner, l'addition est effectuée avec la plage du critère.

7. Cliquez le bouton **OK** pour valider la fonction.

La barre de formule contient à présent la formule suivante :

```
=SOMME.SI(C3:C9;"<1/1/2005";D3:D9)
```

Dans l'exemple, la fonction additionne les montants dont les dates sont antérieures au 1er janvier 2005.

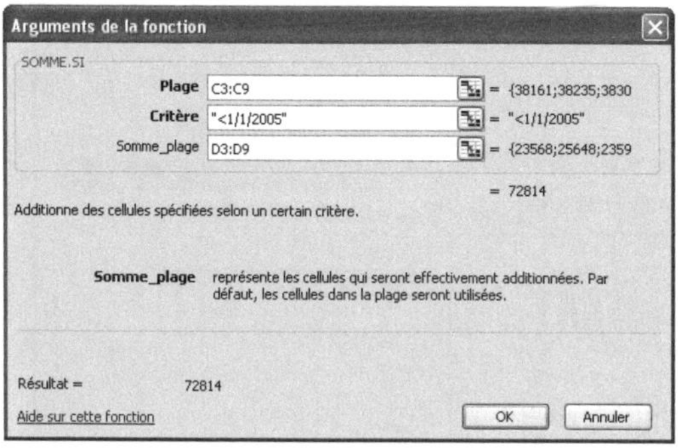

Arguments de la fonction
SOMME.SI
Plage C3:C9 = {38161;38235;3830
Critère "<1/1/2005" = "<1/1/2005"
Somme_plage D3:D9 = {23568;25648;2359
= 72814
Additionne des cellules spécifiées selon un certain critère.
Somme_plage représente les cellules qui seront effectivement additionnées. Par défaut, les cellules dans la plage seront utilisées.
Résultat = 72814
Aide sur cette fonction
OK Annuler

Figure 9-12 Arguments d'une fonction SOMME.SI.

Définir une somme conditionnelle

Une somme conditionnelle permet d'additionner des valeurs en fonction de critères. Excel propose un assistant pour calculer cette somme.

1 Ouvrez le menu **Outils → Somme conditionnelle**.Pour l'exemple, nous utilisons le tableau de la figure 9-10, plus haut. L'objectif est d'obtenir la somme des montants (plage D3:D9) correspondant à une référence précise (plage B3:B9) :

Note Si cette commande n'est pas disponible, cochez **Assistant Somme conditionnelle** dans le menu **Outils → Macros complémentaires**, puis suivez les instructions à l'écran.

2 Sélectionnez directement dans la feuille la plage qui contient les données, y compris les en-têtes de colonnes.

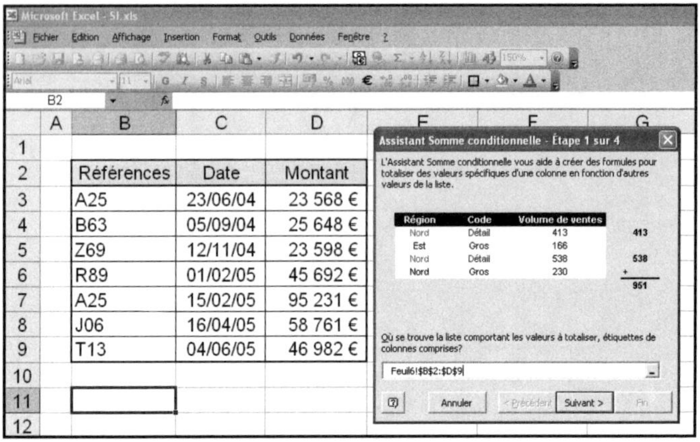

	A	B	C	D
1				
2		Références	Date	Montant
3		A25	23/06/04	23 568 €
4		B63	05/09/04	25 648 €
5		Z69	12/11/04	23 598 €
6		R89	01/02/05	45 692 €
7		A25	15/02/05	95 231 €
8		J06	16/04/05	58 761 €
9		T13	04/06/05	46 982 €
10				
11				
12				

3 Cliquez le bouton **Suivant**.

Dans notre exemple, nous allons totaliser tous les montants correspondant à la référence A25. Cette dernière valeur pourra être modifiée ultérieurement.

4 Dans la liste **Colonne à totaliser**, sélectionnez la colonne qui contient les valeurs à additionner (la colonne Montant dans notre exemple).

5 Dans la liste **Colonne**, sélectionnez la colonne qui contient le critère (la colonne Référence dans notre exemple).

6 Dans la liste **Est**, sélectionnez l'opérateur de comparaison (égale dans notre exemple).

7 Dans la liste **Cette valeur**, sélectionnez la valeur de comparaison (A25 dans notre exemple).

8 Cliquez le bouton **Ajouter la condition**.

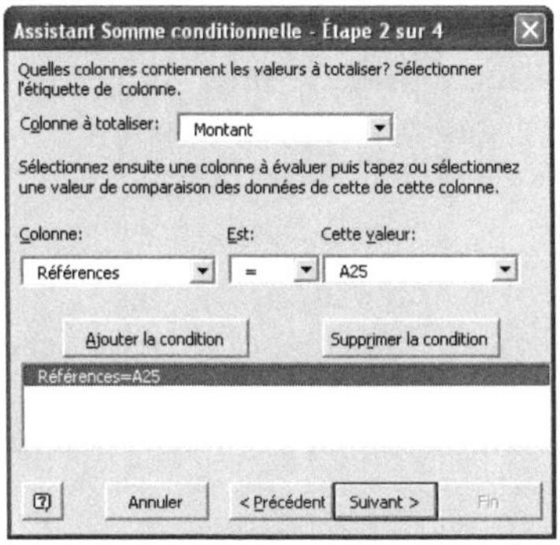

9 Répétez les étapes **6** à **9** pour ajouter d'autres conditions.

10 Cliquez le bouton **Suivant**.

Pour pouvoir modifier la référence « A25 », il faut copier dans la feuille de calcul la formule et la condition.

11 Cochez l'option **Copier la formule...** pour ajouter la formule et les valeurs de comparaison choisies à l'étape **7**.

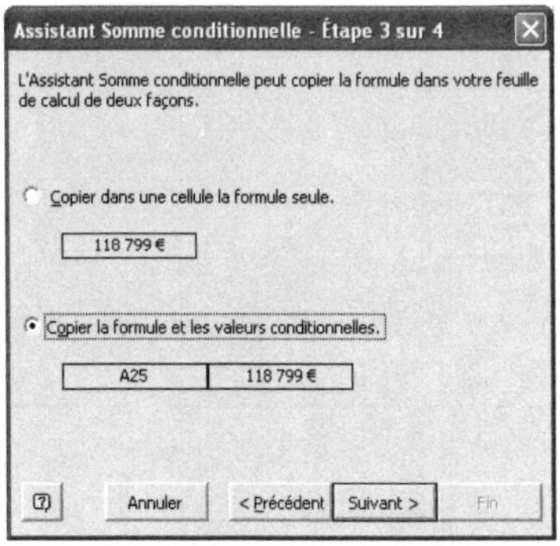

12 Cliquez le bouton **Suivant**.

Si vous n'avez pas demandé d'ajouter les valeurs de comparaisons à l'étape **11**, passez directement à l'étape **15**.

13 Cliquez la zone **Tapez ou sélectionnez...**, puis cliquez la cellule qui doit recevoir les valeurs de comparaison. Dans notre exemple, c'est la cellule B11 qui recevra la référence A25.

14 Cliquez le bouton **Suivant**.

15 Cliquez la zone **Tapez ou sélectionnez...**, puis cliquez la cellule qui doit recevoir la formule. Dans notre exemple, le résultat sera placé dans la cellule C11 à côté de la référence.

16 Cliquez le bouton **Fin**.

La cellule affiche la somme des valeurs correspondant aux critères. Il est possible de remplacer la référence « A25 » de la cellule B11 par une autre référence et ainsi de mettre à jour automatiquement la formule en C11.

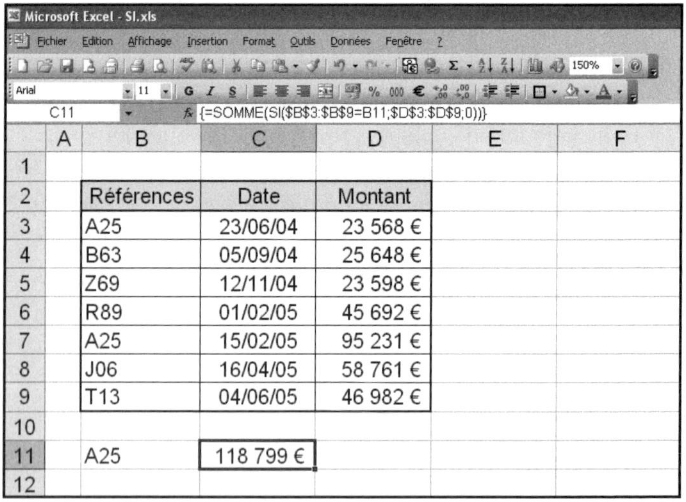

Microsoft Excel - SI.xls

Fichier Edition Affichage Insertion Format Outils Données Fenêtre ?

C11 {=SOMME(SI($B$3:$B$9=B11;$D$3:$D$9;0))}

	A	B	C	D	E	F
1						
2		Références	Date	Montant		
3		A25	23/06/04	23 568 €		
4		B63	05/09/04	25 648 €		
5		Z69	12/11/04	23 598 €		
6		R89	01/02/05	45 692 €		
7		A25	15/02/05	95 231 €		
8		J06	16/04/05	58 761 €		
9		T13	04/06/05	46 982 €		
10						
11		A25	118 799 €			
12						

Chapitre 10

Fonctions de recherche et de référence

Lassé des recherches fastidieuses dans les tableaux de plusieurs milliers de cellules ? Excel vous propose des fonctions et des assistants pour mener à bien ces opérations. Ce chapitre examine ces éléments et fournit aussi deux exemples complets pour les deux principales fonctions de recherche.

Dans ce chapitre

Fonctions de référence

Les fonctions de référence retournent les coordonnées d'une donnée, soit sous forme de nombres ou de texte, soit sous forme de références à une cellule.

ADRESSE

Cette fonction crée une adresse de cellule sous forme de texte, à partir d'un numéro de ligne (premier argument) et d'un numéro de colonne (deuxième argument). La fonction propose aussi trois arguments facultatifs. Le troisième argument précise le type de référence à retourner (tableau 10-1). Si le quatrième argument contient VRAI (ou est omis), la fonction affiche les références au format A1 ; s'il contient FAUX, c'est le format L1C1 qui est retenu. Le cinquième argument précise le chemin à ajouter à la référence (noms de feuille et de classeur).

Valeur	Type de référence
1 (ou omis)	Références absolues
2	Ligne absolue, colonne relative
3	Ligne relative, colonne absolue
4	Références relatives

Tableau 10-1 Valeurs du troisième argument de la fonction ADRESSE.

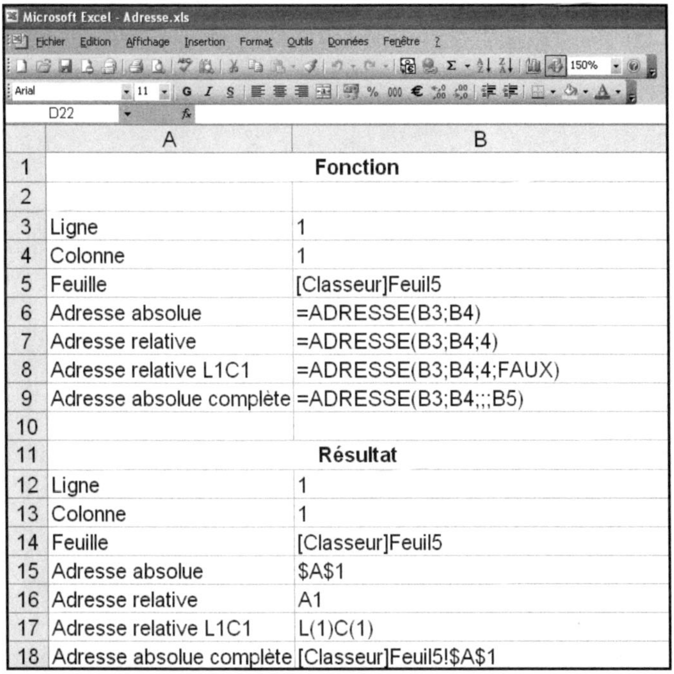

	A	B
1	Fonction	
2		
3	Ligne	1
4	Colonne	1
5	Feuille	[Classeur]Feuil5
6	Adresse absolue	=ADRESSE(B3;B4)
7	Adresse relative	=ADRESSE(B3;B4;4)
8	Adresse relative L1C1	=ADRESSE(B3;B4;4;FAUX)
9	Adresse absolue complète	=ADRESSE(B3;B4;;;B5)
10		
11	Résultat	
12	Ligne	1
13	Colonne	1
14	Feuille	[Classeur]Feuil5
15	Adresse absolue	$A$1
16	Adresse relative	A1
17	Adresse relative L1C1	L(1)C(1)
18	Adresse absolue complète	[Classeur]Feuil5!$A$1

Dans l'exemple, on affiche l'adresse A1 en utilisant les divers arguments de la fonction ADRESSE.

DECALER

La fonction DECALER retourne les références d'une plage par rapport à une autre plage (premier argument). Les deuxième et troisième arguments indiquent le décalage en nombre de lignes et de colonnes.

Microsoft Excel - DECALER.xls

Fichier Edition Affichage Insertion Format Outils Données Fenêtre ?

E18

	A	B	C
1	Rouge	Vert	Bleu
2	Jaune	Marron	Violet
3	Rose	Noir	Blanc
4			
5	**Fonction**		
6	=DECALER(A1;1;1)	=DECALER(B1;1;1)	
7	=DECALER(A2;1;1)	=DECALER(B2;1;1)	
8			
9	**Résultat**		
10	Marron	Violet	
11	Noir	Blanc	
12			

Dans la formule en A6 de l'exemple précédent, A1 est la référence de base. La fonction effectue un décalage d'une ligne et d'une colonne, ce qui correspond à la référence B2. La fonction retourne donc la valeur « Marron ».

Microsoft Excel - DECALER.xls

Fichier Edition Affichage Insertion Format Outils Données Fenêtre ?

A5 =SOMME(DECALER(A1:C3;0;3;2;2))

	A	B	C	D	E	F
1	1	2	3	4	5	
2	6	7	8	9	10	
3	11	12	13	14	15	
4						
5	28					
6						

Si vous ne voulez pas que la plage retournée soit de la même taille que celle de référence, indiquez sa hauteur et sa largeur (quatrième et cinquième arguments facultatifs).

La formule de ce second exemple revient à effectuer la somme de la plage D1:E5 (plage A1:C3, avec un décalage de trois colonnes, et seulement deux lignes sur deux colonnes).

EQUIV

La fonction EQUIV retourne la position d'une valeur (premier argument) à l'intérieur d'un tableau (second argument). L'ordre de tri de ce dernier a son importance, comme le montrent les trois exemples ci-après.

Syntaxe : EQUIV(valeur;tableau;type). L'argument facultatif type indique le type de résultat à obtenir.

Type	Valeur retournée
1 ou omis	Retourne la valeur la plus élevée, inférieure ou égale à celle de l'argument valeur. Les valeurs du tableau doivent être triées dans l'ordre croissant. Si ce n'est pas le cas, la fonction retourne l'erreur #N/A.
0	Retourne la première valeur exactement équivalente à celle de l'argument valeur. Il n'est pas nécessaire de trier le tableau dans l'ordre croissant ou l'ordre décroissant. Si la valeur n'existe pas, la fonction retourne l'erreur #NA.
−1	Retourne la plus petite valeur, supérieure ou égale à celle de l'argument valeur. Les données du tableau doivent être triées dans l'ordre décroissant. Si ce n'est pas le cas, la fonction retourne l'erreur #N/A.

Microsoft Excel - EQUIV.xls

A6 =EQUIV("Rouge";A1:A4)

	A	B	C	D	E
1	Bleu				
2	Jaune				
3	Rouge				
4	Vert				
5					
6	3				
7					

La fonction de l'exemple précédent retourne 3 car la couleur « Rouge » se trouve dans la quatrième ligne du tableau A1:A4. Notez que le tableau est trié dans l'ordre alphabétique.

Microsoft Excel - EQUIV.xls

A7 =EQUIV(200;A1:A5;1)

	A	B	C	D	E
1	125				
2	152				
3	250				
4	458				
5	563				
6					
7	2				
8					

La fonction de ce deuxième exemple retourne 2 (deuxième ligne du tableau A1:A5), car la valeur 152 est la valeur inférieure (argument type = 1) la plus proche de 200. Notez que le tableau est trié dans l'ordre croissant.

Microsoft Excel - EQUIV.xls

A7 =EQUIV(200;A1:A5;-1)

	A	B	C	D	E
1	789				
2	563				
3	458				
4	250				
5	152				
6					
7	4				
8					

La fonction de ce troisième exemple retourne 4 (quatrième ligne du tableau A1:A5), car la valeur 250 est la valeur supérieure (argument type = -1) la plus proche de 200. Notez que le tableau est trié dans l'ordre décroissant.

INDEX

Cette fonction retourne, pour une plage de cellules (premier argument), la référence de la cellule située à l'intersection

d'une ligne (deuxième argument) et d'une colonne (troisième argument).

Microsoft Excel - INDEX.xls

B6 =INDEX(A1:C4;3;2)

	A	B	C	D	E
1	1	Rouge	12		
2	2	Vert	54		
3	3	Bleu	63		
4	4	Jaune	48		
5					
6		Bleu			
7					

Ce premier exemple retourne « Bleu » car c'est la valeur indiquée dans la troisième ligne de la deuxième colonne de la plage de cellules A1:C4.

Si le premier argument correspond à plusieurs plages (entourez-les de parenthèses et séparez-les par des points-virgules), un quatrième argument facultatif permet de choisir cette plage.

Microsoft Excel - INDEX.xls

A6 =INDEX((A1:B4;D1:E4);3;1;2)

	A	B	C	D	E	F
1	Rouge	12		Blanc	4	
2	Vert	54		Noir	15	
3	Bleu	63		Gris	87	
4	Jaune	48		Rose	93	
5						
6	Gris					
7						

Dans ce second exemple, on fait référence à la seconde plage. La fonction retourne donc « Gris », valeur de la troisième ligne et de la première colonne de la plage D1:E4.

INDIRECT

Indirect retourne la référence spécifiée par une chaînc de caractères. Cette chaîne peut être contenue dans une autre cellule. Cette fonction permet de modifier une référence de cellule dans une formule sans modifier la formule elle-même.

Microsoft Excel - INDIRECT.xls

A5 =INDIRECT(A2)

	A	B	C	D	E
1	B1	Rouge			
2	B2	Vert			
3	B3	Jaune			
4					
5	Vert				
6					

Ce premier exemple recherche la référence dans la cellule A2. Étant donné que cette dernière contient la valeur B2, la fonction retourne la donnée « Vert ».

La référence peut aussi être composée d'un texte et du contenu d'une autre cellule.

Microsoft Excel - INDIRECT.xls

A5 =INDIRECT("B" & A2)

	A	B	C	D	E
1	1	Rouge			
2	2	Vert			
3	3	Jaune			
4					
5	Vert				
6					

Ce second exemple associe la lettre « B » et le numéro qui se trouve dans la cellule A2 pour former la référence B2.

LIEN_HYPERTEXTE

Cette fonction crée un raccourci pour ouvrir un document stocké sur un serveur Intranet ou Internet.

Microsoft Excel - Lien_Hypertexte.xls

C4 =LIEN_HYPERTEXTE("http://mon.serveur.fr/canape/"&B4&".jpg")

	A	B	C	D
1	Canapés			
2	Réf Produit	Couleur	Photo	
3				
4	1	Rouge	http://mon.serveur.fr/canape/Rouge.jpg	
5	2	Vert	http://mon.serveur.fr/canape/Vert.jpg	
6	3	Bleu	http://mon.serveur.fr/canape/Bleu.jpg	
7				

Cet exemple ajoute des liens vers des photos de produits.

Si le lien ne vous semble pas très convivial, ajoutez dans le second argument facultatif le texte qui doit apparaître dans la cellule, comme le montre ce second exemple.

Microsoft Excel - Lien_Hypertexte.xls

C4 =LIEN_HYPERTEXTE("http://mon.serveur.fr/canape/"&B4&".jpg";"Photo canapé "&B4)

	A	B	C	D
1	Canapés			
2	Réf Produit	Couleur	Photo	
3				
4	1	Rouge	Photo canapé Rouge	
5	2	Vert	Photo canapé Vert	
6	3	Bleu	Photo canapé Bleu	
7				

Conseil Pour sélectionner une cellule qui contient un lien, cliquez une cellule adjacente puis utilisez les touches de direction.

Fonctions de recherche

Les fonctions de recherche permettent de trouver des données à l'intérieur d'un tableau, soit à partir d'une position (ligne et colonne), soit à partir d'une autre donnée.

CHOISIR

Cette fonction retourne une des valeurs en arguments (du deuxième au trentième argument) à partir du numéro d'index fourni (premier argument).

Microsoft Excel - Choisir.xls

	A	B
1		**Fonction**
2	1	=CHOISIR(A2;"Rouge";"Vert";"Bleu";"Jaune";"Violet")
3	2	=CHOISIR(A3;"Rouge";"Vert";"Bleu";"Jaune";"Violet")
4	3	=CHOISIR(A4;"Rouge";"Vert";"Bleu";"Jaune";"Violet")
5		
6		**Résultat**
7	1	Rouge
8	2	Vert
9	3	Bleu
10		

Dans cet exemple on affiche les trois premières valeurs proposées par la fonction (arguments 2, 3 et 4).

RECHERCHE

Cette fonction recherche une valeur (premier argument) dans une plage en ligne ou en colonne (deuxième argument) et retourne la valeur qui se trouve sur la même ligne ou la même colonne d'une autre plage (troisième argument).

Note Les données du deuxième argument doivent être triées dans l'ordre croissant.

Microsoft Excel - Recherche.xls

B10 =RECHERCHE(A10;C3:C7;A3:A7)

	A	B	C	D
1				
2	Articles	Stock	Prix	
3	D20	30	450 €	
4	Z25	25	1 200 €	
5	C45	5	4 500 €	
6	T13	3	7 500 €	
7	R89	1	12 000 €	
8				
9	Prix	Article		
10	4 500 €	C45		
11				

Dans l'exemple précédent, on recherche une référence d'article (A3:A7), en donnant son prix (A10). La liste des prix se trouve dans la plage C3:C7.

Si la fonction ne trouve pas la valeur, elle retourne la plus grande valeur inférieure à celle recherchée, comme le montre l'exemple ci-après.

Microsoft Excel - Recherche.xls

B10 =RECHERCHE(A10;C3:C7;A3:A7)

	A	B	C	D
1				
2	Articles	Stock	Prix	
3	D20	30	450 €	
4	Z25	25	1 200 €	
5	C45	5	4 500 €	
6	T13	3	7 500 €	
7	R89	1	12 000 €	
8				
9	Prix	Article		
10	2 000 €	Z25		
11				

RECHERCHEH

La fonction RECHERCHEH permet d'extraire une donnée d'un tableau. La valeur à rechercher doit se trouver dans la première ligne du tableau (recherche horizontale).

Dans notre exemple, on recherche les dates de vacances d'une personne simplement en précisant son nom.

Microsoft Excel - Recherche.xls

	A	B	C	D	E
1					
2	Date vacances	Clément	Kévin	Julie	
3	Début	15/06/2005	25/08/2005	08/08/2005	
4	Fin	07/08/2005	25/09/2005	24/08/2005	
5					
6	Nom	Début	Fin		
7	Kévin				
8					

1 Tapez = **RechercheH()** dans la cellule qui doit recevoir la formule (B7 dans l'exemple).

2 Cliquez le bouton fx pour définir les arguments.

3 Dans la zone **Valeur_cherchée**, tapez la donnée à rechercher ou la référence de la cellule qui contient cette donnée.

4 Dans la zone **Tableau**, tapez les références de la plage de cellules qui contient les données.

Note Pour sélectionner une cellule ou une plage de cellules dans la feuille de calcul, cliquez , cliquez la cellule ou sélectionnez la plage, puis cliquez .

5 Dans la zone **No_index_lig**, tapez le numéro de la ligne qui contient la donnée à extraire (2 dans l'exemple, pour extraire la date de début des vacances).

6 Tapez **Faux** dans la zone **Valeur_proche** pour extraire la donnée exacte, et non une valeur approchante (tapez **Vrai** pour extraire une valeur approchante).

Arguments de la fonction

RECHERCHEH

Valeur_cherchée	A7	= "Kévin"
Tableau	A2:D4	= {"Date vacances"."C
No_index_lig	2	= 2
Valeur_proche	Faux	= FAUX

= 38589

Cherche une valeur dans la première ligne d'une matrice de valeurs ou d'un tableau et renvoie la valeur de la même colonne à partir d'une ligne spécifiée.

Valeur_proche est une valeur logique: pour trouver la valeur la plus proche dans la ligne du haut (tri par ordre croissant) = VRAI ou omis; pour trouver une valeur exactement identique = FAUX.

Résultat = 25/08/2005

Aide sur cette fonction — OK — Annuler

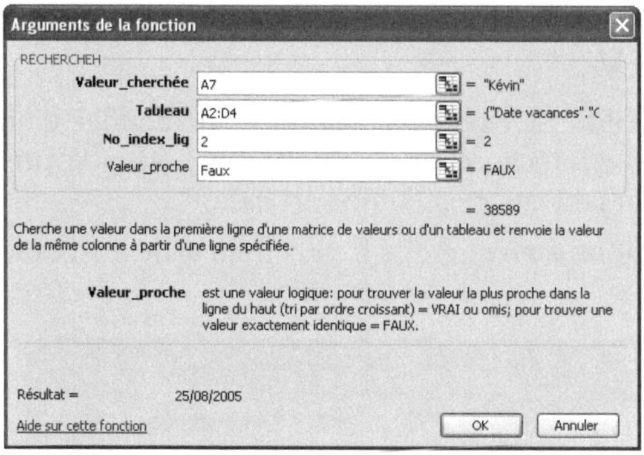

7 Cliquez le bouton **OK** pour valider les arguments de la fonction.

La cellule sélectionnée à l'étape **1** affiche le résultat de la recherche.

Microsoft Excel - Recherche.xls

Fichier Edition Affichage Insertion Format Outils Données Fenêtre ?

B7 =RECHERCHEH(A7;A2:D4;2;FAUX)

	A	B	C	D	E
1					
2	Date vacances	Clément	Kévin	Julie	
3	Début	15/06/2005	25/08/2005	08/08/2005	
4	Fin	07/08/2005	25/09/2005	24/08/2005	
5					
6	Nom	Début	Fin		
7	Kévin	25/08/2005	25/09/2005		
8					

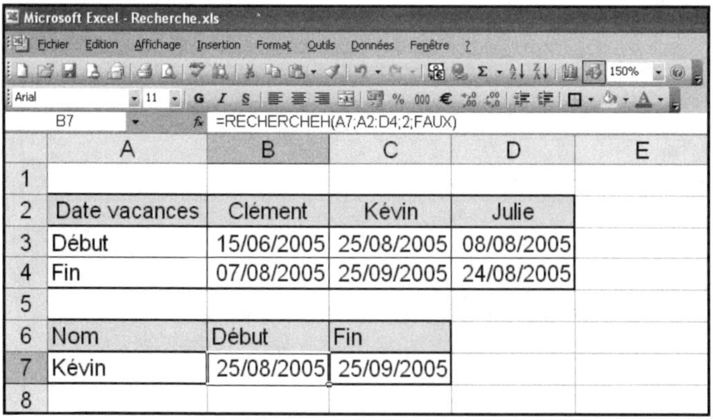

8 Tapez une autre donnée à rechercher.

La cellule contenant la formule affiche le nouveau résultat de la recherche.

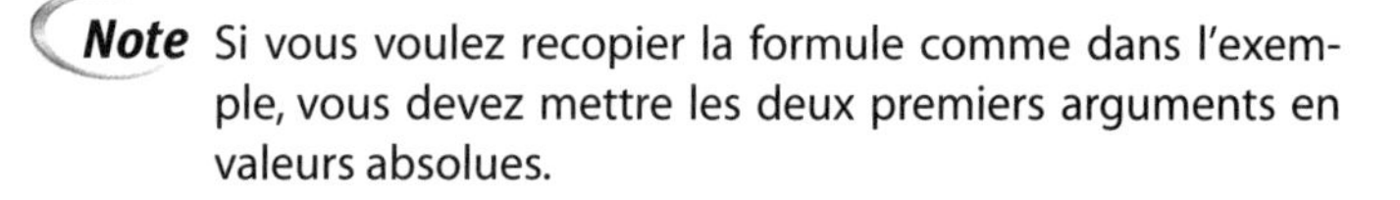

Note Si vous voulez recopier la formule comme dans l'exemple, vous devez mettre les deux premiers arguments en valeurs absolues.

RECHERCHEV

La fonction RECHERCHEV permet d'extraire une donnée d'un tableau. La valeur à rechercher doit se trouver dans la première colonne du tableau (recherche verticale).

Dans notre exemple, on recherche le prix d'un article en donnant sa référence.

Microsoft Excel - Recherche.xls

	A	B	C	D
1				
2	Articles	Stock	Prix	
3	A25	2	12 564,00 €	
4	B63	4	9 862,00 €	
5	C45	5	4 578,00 €	
6	Z25	25	1 235,00 €	
7				
8	Article	Prix		
9	B63			
10				

1 Tapez = **RechercheV()** dans la cellule qui doit recevoir la formule (B9 dans l'exemple).

2 Cliquez le bouton fx pour définir les arguments.

3 Dans la zone **Valeur_cherchée**, tapez la donnée à rechercher ou la référence de la cellule qui contient cette donnée.

4 Dans la zone **Table_matrice**, tapez les références de la plage de cellules qui contient les données.

Note Pour sélectionner une cellule ou une plage de cellules dans la feuille de calcul, cliquez , cliquez la cellule ou sélectionnez la plage, puis cliquez .

5 Dans la zone **No_index_col**, tapez le numéro de la colonne qui contient la donnée à extraire (3 dans l'exemple, pour extraire le prix de l'article).

6 Tapez **Faux** dans la zone **Valeur_proche** pour extraire la donnée exacte, et non une valeur approchante (tapez **Vrai** pour extraire une valeur approchante).

Arguments de la fonction

RECHERCHEV

Valeur_cherchée	A9	= "B63"
Table_matrice	A3:C6	= {"A25".2.12564;"B6
No_index_col	3	= 3
Valeur_proche	Faux	= FAUX

= 9862

Cherche une valeur dans la première colonne à gauche d'un tableau, puis renvoie une valeur dans la même ligne à partir d'une colonne spécifiée. Par défaut, le tableau doit être trié par ordre croissant.

Valeur_proche est une valeur logique: pour trouver la valeur la plus proche dans la première colonne (triée par ordre croissant) = VRAI ou omis; pour trouver la correspondance exacte = FAUX.

Résultat = 9 862,00 €

Aide sur cette fonction — OK — Annuler

7 Cliquez le bouton **OK** pour valider les arguments de la fonction.

La cellule sélectionnée à l'étape **1** affiche le résultat de la recherche.

Microsoft Excel - Recherche.xls

Fichier Edition Affichage Insertion Format Outils Données Fenêtre ?

B9 =RECHERCHEV(A9;A3:C6;3;FAUX)

	A	B	C	D
1				
2	Articles	Stock	Prix	
3	A25	2	12 564,00 €	
4	B63	4	9 862,00 €	
5	C45	5	4 578,00 €	
6	Z25	25	1 235,00 €	
7				
8	Article	Prix		
9	B63	9 862,00 €		
10				

8 Tapez une autre donnée à rechercher.

La cellule contenant la formule affiche le nouveau résultat de la recherche.

Construire une fonction de recherche avec un assistant

L'assistant de recherche élabore pour vous une formule qui permet de retrouver rapide une donnée dans un tableau en indiquant une valeur de colonne et de ligne.

Notre exemple va rechercher des distances kilométriques simplement en donnant une ville de départ et une ville d'arrivée (référez-vous à l'écran ci-après pour les renseignements demandés par l'assistant).

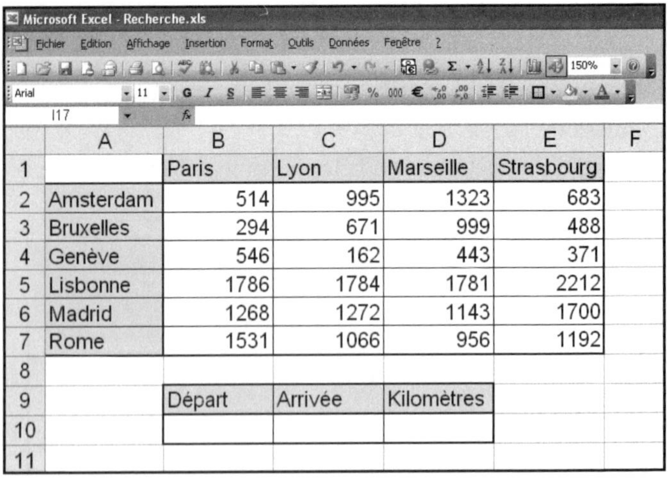

Microsoft Excel - Recherche.xls

	A	B	C	D	E	F
1		Paris	Lyon	Marseille	Strasbourg	
2	Amsterdam	514	995	1323	683	
3	Bruxelles	294	671	999	488	
4	Genève	546	162	443	371	
5	Lisbonne	1786	1784	1781	2212	
6	Madrid	1268	1272	1143	1700	
7	Rome	1531	1066	956	1192	
8						
9		Départ	Arrivée	Kilomètres		
10						
11						

1 Cliquez le menu **Outils → Recherche**.

Note Si cette commande n'est pas disponible, cochez **Assistant Recherche** dans le menu **Outils → Macros complémentaires** et suivez les instructions à l'écran.

2 Sélectionnez le tableau qui contient les données, y compris les en-têtes de lignes et de colonnes (A1:E7 dans notre exemple).

3 Cliquez le bouton **Suivant**.

4 Dans la liste **Quelle colonne...**, sélectionnez la colonne qui contient la donnée recherchée.

Note Si vous voulez faire varier les valeurs, les choix dans cette boîte n'ont pas d'importance. C'est le cas dans notre exemple.

5 Dans la liste **Quelle ligne...**, sélectionnez la ligne qui contient la donnée recherchée.

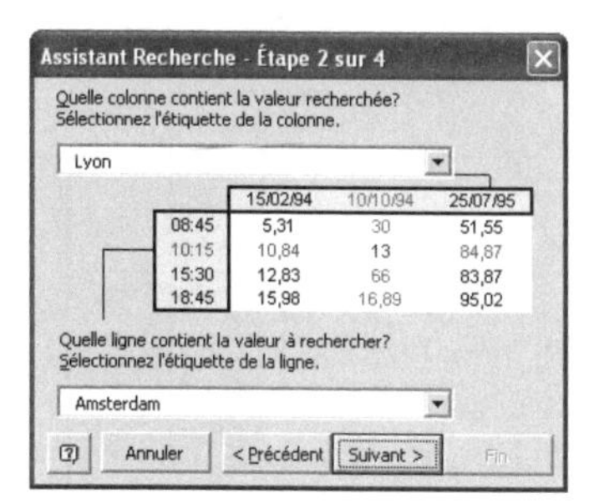

6 Cliquez le bouton **Suivant**.

7 Cochez l'option **Copier la formule...** afin d'ajouter la formule et les valeurs de recherche choisies aux étapes **4** et **5**.

Note Si vous cochez l'option **Copier dans une cellule...**, la formule ne variera pas et se contentera des valeurs choisies aux étapes **4** et **5**.

8 Cliquez le bouton **Suivant**.

Si vous n'avez pas demandé à ajouter les valeurs de recherche à l'étape **7**, passez directement à l'étape **13**.

9 Cliquez la zone **Tapez ou sélectionnez...**, puis cliquez la cellule qui doit recevoir la première valeur de recherche (B10 dans l'exemple).

10 Cliquez le bouton **Suivant**.

11 Cliquez la zone **Tapez ou sélectionnez...**, puis cliquez la cellule qui doit recevoir la seconde valeur de recherche (C10 dans l'exemple).

12 Cliquez le bouton **Suivant**.

13 Cliquez la zone **Tapez ou sélectionnez...**, puis cliquez la cellule qui doit recevoir la formule (D10 dans l'exemple).

14 Cliquez le bouton **Fin**.

La cellule contenant la fonction INDEX affiche le résultat de la recherche (cellule D10).

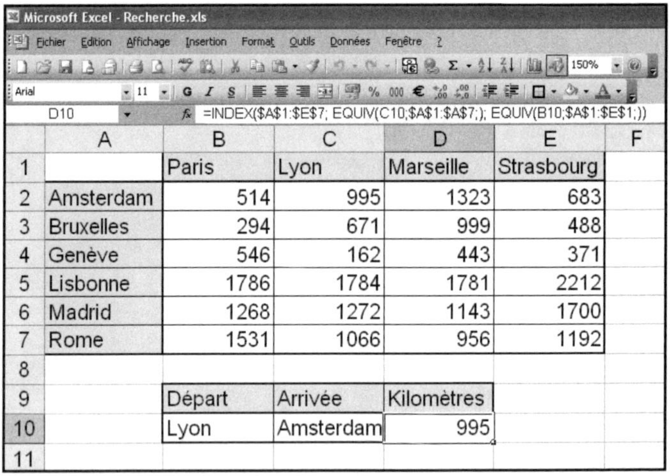

Microsoft Excel - Recherche.xls

Fichier Edition Affichage Insertion Format Outils Données Fenêtre ?

D10 =INDEX($A$1:$E$7; EQUIV(C10;$A$1:$A$7;); EQUIV(B10;$A$1:$E$1;))

	A	B	C	D	E	F
1		Paris	Lyon	Marseille	Strasbourg	
2	Amsterdam	514	995	1323	683	
3	Bruxelles	294	671	999	488	
4	Genève	546	162	443	371	
5	Lisbonne	1786	1784	1781	2212	
6	Madrid	1268	1272	1143	1700	
7	Rome	1531	1066	956	1192	
8						
9		Départ	Arrivée	Kilomètres		
10		Lyon	Amsterdam	995		
11						

15 Modifiez les valeurs de recherche des deux autres cellules pour afficher d'autres résultats (B10 et C10 dans l'exemple).

Chapitre 11

Fonctions logiques et d'information

En complément de toutes les fonctions exposées dans les chapitres précédents, Excel propose des solutions pour connaître le contenu des cellules de vos feuilles de calcul (valeur, format, position, taille, *etc.*). Ce chapitre explique aussi l'utilisation des fonctions logiques.

Fonctions d'information

Les fonctions d'information permettent de connaître le contenu d'une cellule (valeur, format, adresse, *etc.*) ou d'obtenir des renseignements sur Excel et votre ordinateur.

CELLULE

Cette fonction retourne des informations sur la mise en forme, la position ou le contenu d'une cellule.

Syntaxe : CELLULE(type;référence).

L'argument type utilise les valeurs du tableau 11-1.

Type	Informations retournées
adresse	La référence de la cellule sous forme de texte.
col	Le numéro de colonne de la cellule.
contenu	La valeur affichée par la cellule (et non la formule qu'elle contient).
couleur	Retourne 1 si les valeurs négatives sont affichées en couleur, et 0 dans les autres cas.
format	Un texte correspondant au format numérique utilisé. Consultez le tableau ci-après pour connaître les valeurs correspondantes.
largeur	La largeur de la colonne, arrondie à sa valeur entière.
ligne	Le numéro de ligne de la cellule.
nomfichier	Le nom et le chemin d'accès du classeur en cours. Retourne un texte vide si le classeur n'est pas encore enregistré.
parentheses	Retourne 1 si les valeurs positives ou toutes les valeurs sont affichées entre parenthèses, et 0 dans les autres cas. Note : Il n'y a pas de « è » dans le mot parenthèse.

Type	Informations retournées
prefixe	Retourne une apostrophe (') si la cellule contient un texte aligné à gauche, un guillemet anglais (") si la cellule contient du texte aligné à droite, le signe ^ si la cellule contient du texte centré, une barre oblique inverse (\) si la cellule contient du texte justifié, et une zone vide si ce n'est pas un texte. Note : Il n'y a pas de « é » dans le mot préfixe.
protege	Retourne 1 si la cellule est verrouillée, et 0 si elle ne l'est pas. Note : Il n'y a pas de « é » dans le mot protégé.
type	Retourne un « i » minuscule si la cellule est vide, un « l » majuscule si elle contient un texte, et un « v » dans les autres cas.

Tableau 11-1 Valeurs de l'argument Type de la fonction Cellule.

Si la référence est une plage de cellules, la fonction retourne les informations de la cellule supérieure gauche. Si l'argument référence est omis, c'est la cellule actuellement sélectionnée qui est prise en compte.

Si l'argument type est Format, la fonction retourne une des valeurs suivantes :

Format de la cellule	Valeur retournée
Standard	S
0	F0
# ##0	P0
0.00	F2
# ##0,00	P2
# ##0 F;-# ##0 F	C0
# ##0 F;[Rouge]-# ##0 F	M0-
# ##0,00 F;# ##0,00 F	M2

Format de la cellule	Valeur retournée
# ##0,00 F;[Rouge]-# ##0,00 F	M2-
0%	%0
0.00%	%2
0,00E+00	S2
#" "?/? ou #" "??/??	S
m/j/aa, m/j/aa h:mm ou mm/jj/aa	D4
j-mmm-aa ou jj-mmm-aa	D1
j-mmm ou jj-mmm	D2
mmm-aa	D3
mm/jj	D5
h:mm AM/PM	H2
h:mm:ss AM/PM	H1
h:mm	H4
h:mm:ss	H3

Ce premier exemple affiche les six premières solutions de l'argument type de la fonction CELLULE. Étant donné que la feuille est en mode d'affichage « Formule », ne tenez pas compte de l'alignement dans les colonnes A et C.

	A	B	C
1	**Exemple**	**Fonction**	**Résultat**
2	12345	=CELLULE("adresse";A2)	$A$2
3		=CELLULE("adresse";B3)	$B$3
4		=CELLULE("col";A4)	1
5		=CELLULE("col";B5)	2
6	-12314	=CELLULE("couleur";A6)	1
7	-12314	=CELLULE("couleur";A7)	0
8	0,1	=CELLULE("format";A8)	%0
9	37622	=CELLULE("format";A9)	D1
10		=CELLULE("largeur";A10)	6
11		=CELLULE("largeur";B11)	13
12		=CELLULE("ligne";A12)	12
13		=CELLULE("ligne";A13)	13
14			

Ce second exemple affiche les cinq dernières solutions de l'argument type de la fonction CELLULE. Ne tenez pas compte de l'alignement dans les colonnes A et C.

	A	B	C
17	**Exemple**	**Fonction**	**Résultat**
18		=CELLULE("nomfichier";A18)	C:\Mes documents\[CELLULE.xls]Feuil1
19		=CELLULE("nomfichier")	C:\Mes documents\[CELLULE.xls]Feuil2
20	123,45	=CELLULE("parentheses";A20)	1
21	123	=CELLULE("parentheses";A21)	0
22	Texte	=CELLULE("prefixe";A22)	^
23	Texte	=CELLULE("prefixe";A23)	"
24	123,45	=CELLULE("protege";A24)	1
25	123,45	=CELLULE("protege";A25)	0
26	123	=CELLULE("type";A26)	v
27		=CELLULE("type";A27)	i
28			

COLONNE

Cette fonction retourne le numéro de colonne de la référence en argument.

Si l'argument est une plage, la fonction retourne la colonne de la cellule en haut à gauche. Si l'argument est omis, la colonne dans laquelle se trouve la fonction est retournée.

Microsoft Excel - Colonne.xls

A7 =COLONNE(B1:C5)

	A	B	C	D	E
1	Articles	Stock	Prix		
2	A25	2	12 564,00 €		
3	B63	4	9 862,00 €		
4	C45	5	4 578,00 €		
5	Z25	25	1 235,00 €		
6					
7	2				
8					

Dans cet exemple, la fonction retourne 2 car la plage B1:C5 débute dans la deuxième colonne de la feuille de calcul.

COLONNES

Cette fonction retourne le nombre de colonnes d'une plage de cellules.

Microsoft Excel - Colonnes.xls

A7 =COLONNES(A1:C5)

	A	B	C	D	E
1	Articles	Stock	Prix		
2	A25	2	12 564,00 €		
3	B63	4	9 862,00 €		
4	C45	5	4 578,00 €		
5	Z25	25	1 235,00 €		
6					
7	3				
8					

Dans l'exemple, la fonction retourne 3 car la plage A1:C5 contient trois colonnes.

ESTERR et ESTERREUR

Cette fonction retourne VRAI si l'argument fait référence à une cellule contenant une erreur. Contrairement à la fonction ESTERREUR, la fonction ESTERR ne tient pas compte de l'erreur #N/A (consultez la fin du chapitre 2 pour connaître les différentes erreurs dans Excel).

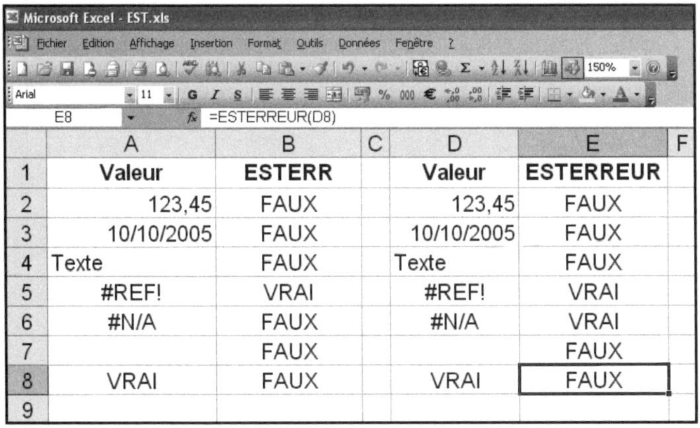

Microsoft Excel - EST.xls

E8 =ESTERREUR(D8)

	A	B	C	D	E	F
1	Valeur	ESTERR		Valeur	ESTERREUR	
2	123,45	FAUX		123,45	FAUX	
3	10/10/2005	FAUX		10/10/2005	FAUX	
4	Texte	FAUX		Texte	FAUX	
5	#REF!	VRAI		#REF!	VRAI	
6	#N/A	FAUX		#N/A	VRAI	
7		FAUX			FAUX	
8	VRAI	FAUX		VRAI	FAUX	
9						

Dans cet exemple, la colonne B affiche les valeurs de la fonction ESTERR pour les valeurs de la colonne A, et la colonne E affiche les valeurs de la fonction ESTERREUR pour les valeurs de la colonne D.

ESTLOGIQUE

Cette fonction retourne VRAI si l'argument est une valeur logique.

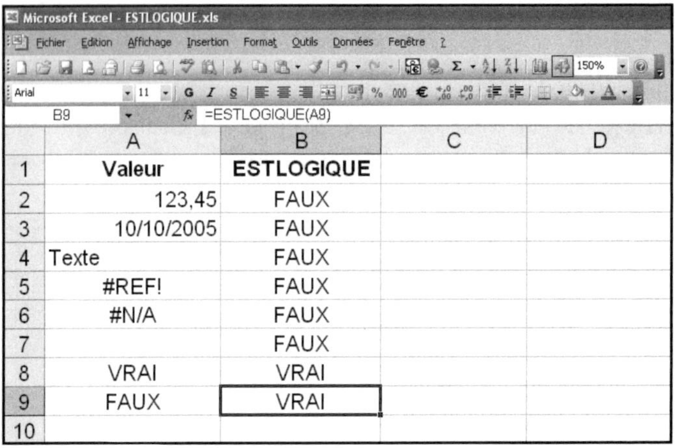

Microsoft Excel - ESTLOGIQUE.xls

Fichier Edition Affichage Insertion Format Outils Données Fenêtre ?

Arial 11 G I S % 000 € 150%

B9 =ESTLOGIQUE(A8)

	A	B	C	D
1	Valeur	ESTLOGIQUE		
2	123,45	FAUX		
3	10/10/2005	FAUX		
4	Texte	FAUX		
5	#REF!	FAUX		
6	#N/A	FAUX		
7		FAUX		
8	VRAI	VRAI		
9	FAUX	VRAI		
10				

Dans l'exemple, la colonne B affiche les valeurs de la fonction ESTLOGIQUE pour les valeurs de la colonne A.

ESTNA

La fonction ESTNA retourne VRAI si l'argument fait référence à une cellule contenant une erreur #N/A.

Note Consultez la fin du chapitre 2 au sujet de l'erreur #N/A. Voyez aussi les fonctions ESTERR et ESTERREUR plus haut dans ce chapitre.

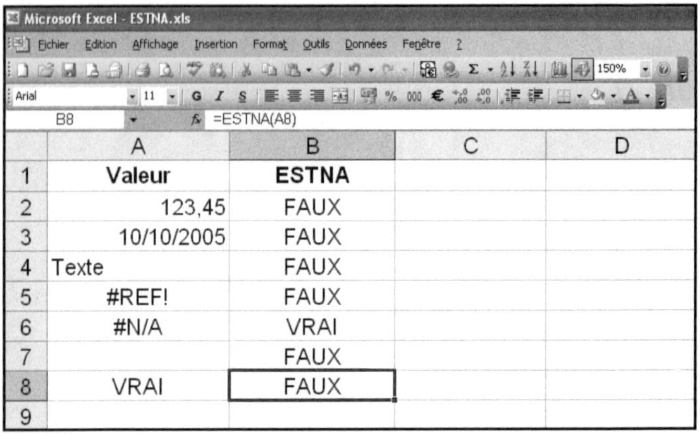

Microsoft Excel - ESTNA.xls

Fichier Edition Affichage Insertion Format Outils Données Fenêtre ?

Arial 11 G I S % 000 € 150%

B8 =ESTNA(A8)

	A	B	C	D
1	Valeur	ESTNA		
2	123,45	FAUX		
3	10/10/2005	FAUX		
4	Texte	FAUX		
5	#REF!	FAUX		
6	#N/A	VRAI		
7		FAUX		
8	VRAI	FAUX		
9				

Dans l'exemple, la colonne B affiche les valeurs de la fonction ESTNA pour les valeurs de la colonne A.

ESTNONTEXTE

Cette fonction retourne VRAI si l'argument n'est pas un texte.

Note Voyez aussi la fonction ESTTEXTE.

Microsoft Excel - ESTNONTEXTE.xls

B8 =ESTNONTEXTE(A8)

	A	B	C	D
1	**Valeur**	**ESTNONTEXTE**		
2	123,45	VRAI		
3	10/10/2005	VRAI		
4	Texte	FAUX		
5	#REF!	VRAI		
6	#N/A	VRAI		
7		VRAI		
8	VRAI	VRAI		
9				

Dans cet exemple, la colonne B affiche les valeurs de la fonction ESTNONTEXTE pour les valeurs de la colonne A.

ESTNUM

La fonction ESTNUM retourne VRAI si l'argument est numérique.

Note Les dates sont considérées comme des valeurs numériques.

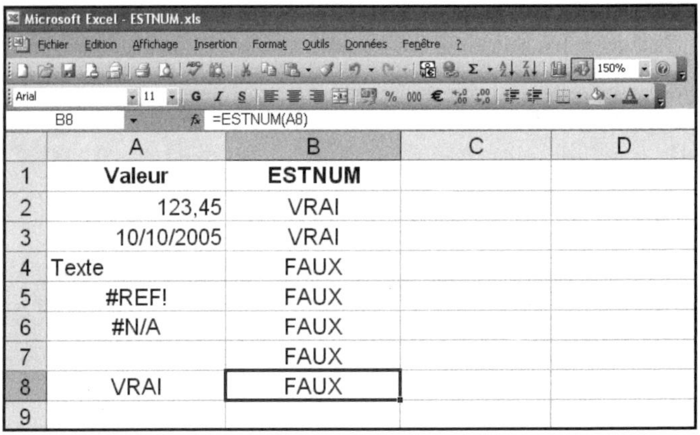

Microsoft Excel - ESTNUM.xls

Fichier Edition Affichage Insertion Format Outils Données Fenêtre ?

150%

Arial 11 G I S % 000 €

B8 =ESTNUM(A8)

	A	B	C	D
1	**Valeur**	**ESTNUM**		
2	123,45	VRAI		
3	10/10/2005	VRAI		
4	Texte	FAUX		
5	#REF!	FAUX		
6	#N/A	FAUX		
7		FAUX		
8	VRAI	FAUX		
9				

Dans cet exemple, la colonne B affiche les valeurs de la fonction ESTNUM pour les valeurs de la colonne A.

ESTREF

Cette fonction retourne VRAI si l'argument se fonde sur une référence.

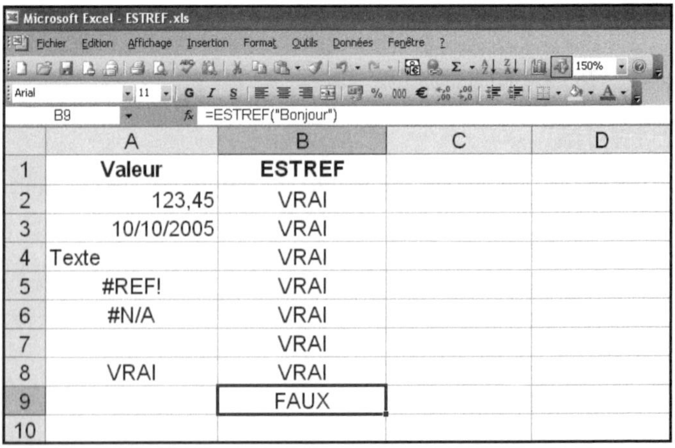

Microsoft Excel - ESTREF.xls

Fichier Edition Affichage Insertion Format Outils Données Fenêtre ?

150%

Arial 11 G I S % 000 €

B9 =ESTREF("Bonjour")

	A	B	C	D
1	**Valeur**	**ESTREF**		
2	123,45	VRAI		
3	10/10/2005	VRAI		
4	Texte	VRAI		
5	#REF!	VRAI		
6	#N/A	VRAI		
7		VRAI		
8	VRAI	VRAI		
9		FAUX		
10				

Dans l'exemple, les fonctions dans les cellules B2 à B8 font référence aux cellules A2 à A8. L'argument de la fonction en B9 est un simple texte et ne fait pas référence à une autre cellule.

ESTTEXTE

Cette fonction retourne VRAI si l'argument est un texte.

Note Voyez aussi la fonction ESTNONTEXTE.

Microsoft Excel - ESTTEXTE.xls

B8 =ESTTEXTE(A8)

	A	B	C	D
1	Valeur	ESTTEXTE		
2	123,45	FAUX		
3	10/10/2005	FAUX		
4	Texte	VRAI		
5	#REF!	FAUX		
6	#N/A	FAUX		
7		FAUX		
8	VRAI	FAUX		
9				

Dans cet exemple, la colonne B affiche les valeurs de la fonction ESTTEXTE pour les valeurs de la colonne A.

ESTVIDE

Cette fonction retourne VRAI si l'argument fait référence à une cellule vide.

Microsoft Excel - ESTVIDE.xls

B8 =ESTTEXTE(A8)

	A	B	C	D
1	Valeur	ESTTEXTE		
2	123,45	FAUX		
3	10/10/2005	FAUX		
4	Texte	VRAI		
5	#REF!	FAUX		
6	#N/A	FAUX		
7		FAUX		
8	VRAI	FAUX		
9				

Dans cet exemple, la colonne B affiche les valeurs de la fonction ESTVIDE pour les valeurs de la colonne A.

INFORMATIONS

Cette fonction retourne des informations sur la version d'Excel, le système d'exploitation en cours, *etc*. Consultez l'aide pour connaître les arguments de cette fonction.

Note Dans les versions 2000 et 2002 d'Excel, utilisez la fonction INFO.

Microsoft Excel - Informations.xls

B4 =INFORMATIONS("recalcul")

	A	B	C	D
1	OS	Windows (32-bit) NT 5.01		
2	Excel	11.0		
3	Mémoire	3429764		
4	Calcul	Automatique		
5				

Cet exemple affiche le système d'exploitation, la version d'Excel, la mémoire disponible et l'option active de calcul des classeurs.

LIGNE

Cette fonction retourne le numéro de ligne de la référence en argument. Si l'argument est une plage, la fonction retourne la ligne de la cellule en haut à gauche. Si l'argument est omis, la ligne dans laquelle se trouve la fonction est retournée.

Microsoft Excel - Ligne.xls

A7 =LIGNE(B2:C5)

	A	B	C	D	E
1	Articles	Stock	Prix		
2	A25	2	12 564,00 €		
3	B63	4	9 862,00 €		
4	C45	5	4 578,00 €		
5	Z25	25	1 235,00 €		
6					
7	2				
8					

Dans cet exemple, la fonction retourne 2 car la plage B2:C5 débute sur la deuxième ligne de la feuille de calcul.

LIGNES

Cette fonction retourne le nombre de lignes d'une plage de cellules.

Microsoft Excel - Lignes.xls

A7 =LIGNES(A2:C5)

	A	B	C	D	E
1	Articles	Stock	Prix		
2	A25	2	12 564,00 €		
3	B63	4	9 862,00 €		
4	C45	5	4 578,00 €		
5	Z25	25	1 235,00 €		
6					
7	4				
8					

Dans l'exemple, la fonction retourne 4 car la plage A2:C5 contient trois lignes.

TYPE

La fonction TYPE retourne un numéro correspondant au type de l'argument (1 = numérique, 2 = texte, 4 = valeur logique, 8 = formule, 16 = valeur d'erreur et 64 = matrice).

Microsoft Excel - Type.xls

Fichier Edition Affichage Insertion Format Outils Données Fenêtre ?

150%

Arial 11 G I S % 000 €

A3 =TYPE(A1)

	A	B	C	D	E
1	Excel 2003		Numérique	1	
2			Texte	2	
3	2		Logique	4	
4			Formule	8	
5			Erreur	16	
6			Matrice	32	
7					

Dans l'exemple, la fonction retourne 2 car la cellule A1 contient un texte.

TYPE.ERREUR

Cette fonction retourne un numéro correspondant au type d'erreur de l'argument (1= #NUL!, 2 = #DIV/0!, 3 = #VALEUR!, 4 = #REF!, 5 = #NOM?, 6= #NOMBRE!, 7 = #N/A et #N/A = l'argument n'est pas une erreur).

Microsoft Excel - Type.Erreur.xls

Fichier Edition Affichage Insertion Format Outils Données Fenêtre ?

150%

Arial 11 G I S % 000 €

A3 =TYPE.ERREUR(A1)

	A	B	C	D	E
1	#REF!		#NUL!	1	
2			#DIV/0!	2	
3	4		#VALEUR!	3	
4			#REF!	4	
5			#NOM?	5	
6			#NOMBRE!	6	
7			#N/A	7	
8			pas une erreur	#N/A	
9					

Dans l'exemple, la fonction retourne 4 car la cellule A1 contient l'erreur #REF!.

Fonctions logiques

Les fonctions logiques permettent de manipuler des valeurs de types VRAI ou FAUX. Ces valeurs apparaissent, par exemple, pour des formules utilisant des opérateurs de comparaison (chapitre 1) :

```
= A1>A2
```

Dans cet exemple, la formule affiche VRAI si A1 est supérieur à A2, et FAUX si ce n'est pas le cas.

ET

La fonction ET retourne la valeur VRAI si tous les arguments sont vrais. Elle retourne FAUX si au moins un argument est faux.

Microsoft Excel - ET.xls

A4 =ET(A1<A2;B1<B2)

	A	B	C	D	E
1	1	3			
2	2	4			
3					
4	VRAI				
5					

Dans l'exemple, la fonction retourne VRAI car A1 est inférieur à A2, et B1 est inférieur à B2.

NON

La fonction NON inverse la valeur logique de l'argument (FAUX devient VRAI et VRAI devient FAUX).

Microsoft Excel - NON.xls

A4 =NON(A1=A2)

	A	B	C	D	E
1	1				
2	2				
3					
4	VRAI				
5					

Dans l'exemple, la fonction retourne VRAI car A1 n'est pas égal à A2.

OU

La fonction OU retourne VRAI si au moins un argument est vrai. Elle retourne FAUX si tous les arguments sont faux.

Microsoft Excel - OU.xls

A4 =OU(A1<A2;B1>B2)

	A	B	C	D	E
1	1	3			
2	2	4			
3					
4	VRAI				
5					

Dans l'exemple, la fonction retourne VRAI car A1 est inférieur à A2, et ce même si B1 n'est pas supérieur à B2.

Chapitre 12

Bien utiliser le solveur

Un problème qui vous semble insoluble ? Des valeurs à trouver impossibles à calculer de tête ? Vous n'avez pas trouvé dans les chapitres précédents la fonction adaptée à vos calculs ? Le solveur est là pour résoudre la plupart des cas difficiles. De plus, en enregistrant des scénarios, vous pouvez conserver les différents résultats obtenus en faisant varier les valeurs de vos tableaux.

Dans ce chapitre

Trouver une valeur cible

Avec l'outil Valeur cible, Excel peut trouver une valeur précise dans une cellule en modifiant le contenu d'une cellule dont elle dépend.

Dans l'exemple de la figure 12-1, nous voulons définir la durée d'un emprunt avec comme base des mensualités de 800 .

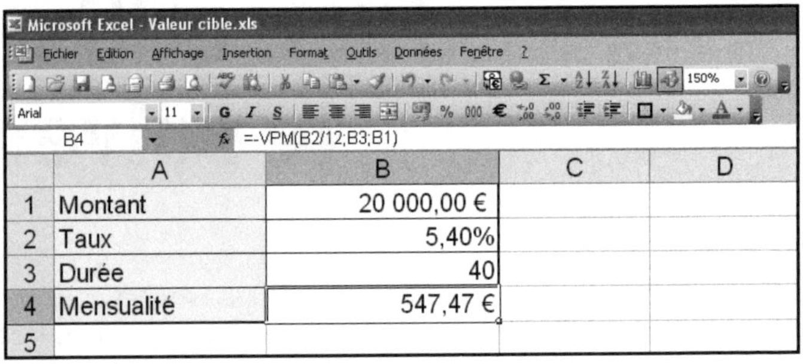

Microsoft Excel - Valeur cible.xls

B4 =-VPM(B2/12;B3;B1)

	A	B	C	D
1	Montant	20 000,00 €		
2	Taux	5,40%		
3	Durée	40		
4	Mensualité	547,47 €		
5				

Figure 12-1 Exemple de formule à résoudre.

Note La formule en B4 utilise la fonction VPM. Consultez le chapitre 7 pour l'emploi de cette fonction.

1 Cliquez le menu **Outils → Valeur cible**.

2 Cliquez la zone **Cellule à définir**, puis cliquez la cellule correspondante dans la feuille (B4 dans notre exemple, pour modifier les mensualités).

3 Cliquez la zone **Valeur à atteindre**, puis tapez cette valeur (800 dans notre exemple, pour des mensualités de 800 €).

4 Cliquez la zone **Cellule à modifier**, puis cliquez la cellule correspondante dans la feuille (B3 dans notre exemple, pour modifier la durée de l'emprunt).

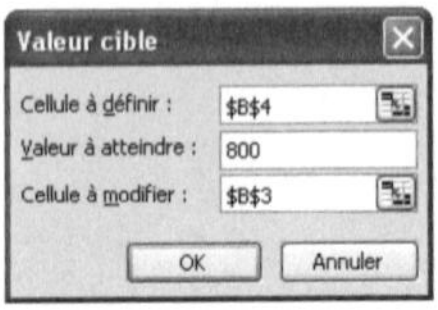

Valeur cible

Cellule à définir : $B$4
Valeur à atteindre : 800
Cellule à modifier : $B$3
OK Annuler

Figure 12-2 Paramètres de la recherche de la valeur cible.

5 Cliquez le bouton **OK**.

La boîte de la figure 12-3 affiche la valeur cible que vous avez tapée à l'étape **3** et la valeur qu'Excel a pu atteindre (Valeur actuelle).

État de la recherche

Recherche sur la cellule B4
a trouvé une solution.

Valeur cible : 800
Valeur actuelle : 800,00 €

OK | Annuler | Pas à pas | Pause

Figure 12-3 Solution trouvée par Excel.

6 Cliquez le bouton **OK** pour adopter la solution proposée par Excel. Cliquez le bouton **Annuler** pour conserver l'ancienne valeur.

La cellule choisie à l'étape **4** a été modifiée et la cellule choisie à l'étape **2** contient maintenant la valeur cible.

Microsoft Excel - Valeur cible.xls

B4 | =-VPM(B2/12;B3;B1)

	A	B	C	D
1	Montant	20 000,00 €		
2	Taux	5,40%		
3	Durée	26,6		
4	Mensualité	800,00 €		
5				

Figure 12-4 Exemple modifié après l'utilisation de la valeur cible.

Utiliser le solveur

Le solveur fonctionne sur le même principe que la valeur cible mais il permet en plus de faire varier jusqu'à deux cents cellules et d'ajouter jusqu'à cent contraintes.

Dans l'exemple de la figure 12-5, on veut créer un ballotin de chocolats d'un kilo. Le solveur devra faire varier la quantité de chaque sorte de chocolat (C4:C8) pour obtenir un prix total de 6 euros (D10).

Microsoft Excel - Solveur.xls

D10 =SOMME(D4:D9)

	A	B	C	D	E
1	Ballotin de Chocolats				
2					
3		Prix au kilo	Quantité	Prix	
4	Praline	5,4	0,100	0,5	
5	Gianduja	7,3	0,100	0,7	
6	Truffon	5,95	0,200	1,2	
7	Escargot	5,1	0,500	2,6	
8	Caramel	5,3	0,100	0,5	
9					
10		Total	1,000	5,54	
11					

Figure 12-5 Exemple de tableau à résoudre.

1 Cliquez le menu **Outils → Solveur**.

Note Si cette commande n'est pas disponible, cochez **Complément Solveur** dans le menu **Outils → Macros complémentaires**, puis suivez les instructions à l'écran.

Excel ouvre la boîte des paramètres du solveur.

2 Cliquez la zone **Cellule cible**, puis cliquez la cellule correspondante dans la feuille (D11 dans l'exemple, pour définir le prix total).

Attention ! La cellule à définir par le solveur doit contenir obligatoirement une formule, donc dépendre d'autres cellules. Utilisez les boutons et si la boîte vous gêne.

3 Cochez l'option correspondant au type de valeur à trouver (valeurs maximale, minimale ou fixe).

4 Tapez la valeur dans la zone **Égale à** (6 dans l'exemple, pour limiter le prix du ballotin à 6 €).

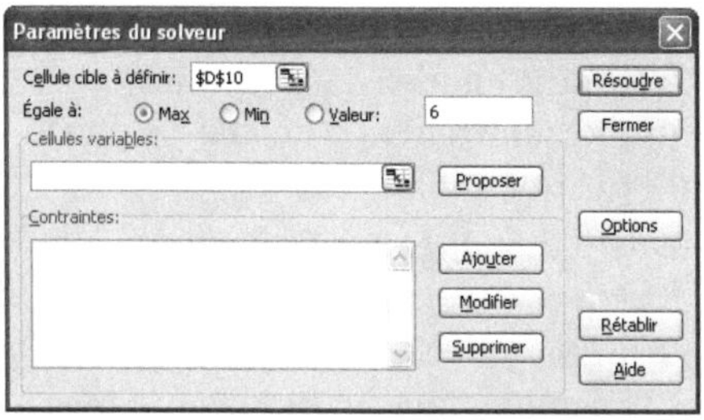

Figure 12-6 Paramètres de la cellule à définir.

Définir les cellules variables

Comme pour la valeur cible, vous devez définir les cellules que le solveur doit modifier pour trouver une solution :

1 Cliquez la zone **Cellules variables**, puis sélectionnez la cellule ou la plage de cellules qui doit varier (la plage C4:C8 dans l'exemple, pour modifier les quantités de chaque sorte de chocolat).

2 Pour définir d'autres cellules variables, tapez **;** (point-virgule), puis répétez l'étape **1**.

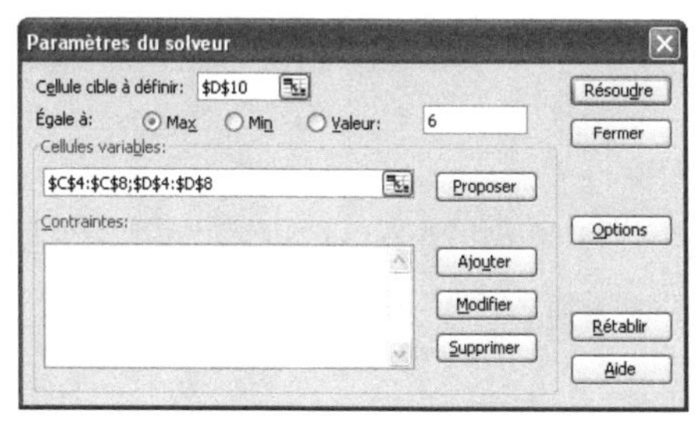

Figure 12-7 Liste des cellules à modifier.

Définir les contraintes

Les contraintes permettent de limiter les variations excessives de certains paramètres. Dans notre exemple, si les pralines valent 6 € le kilo, le solveur risque de proposer 1 kg de pralines et aucun autre chocolat. Il faut donc préciser des quantités minimales et/ou maximales pour chaque produit :

1 Cliquez le bouton **Ajouter**.

2 Cliquez la zone **Cellule**, puis cliquez dans la feuille la cellule qui doit subir une contrainte (la cellule C4 dans l'exemple, pour limiter la quantité de pralines).

3 Sélectionnez dans la liste du milieu l'opérateur de limitation.

4 Cliquez la zone **Contrainte**, puis tapez la limite de la contrainte (0,3 dans l'exemple pour limiter les pralines à 300 g).

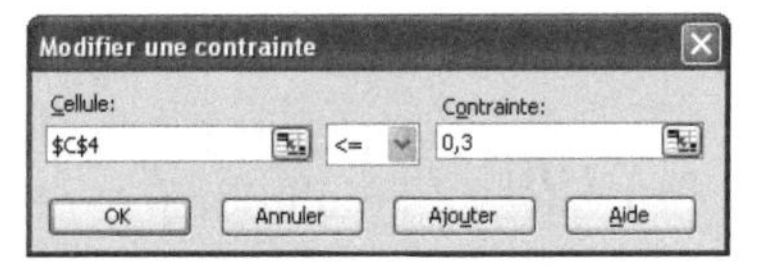

Figure 12-8 Ajout d'une contrainte.

5 Cliquez le bouton **Ajouter**.

6 Répétez les étapes **2** à **4** pour ajouter d'autres contraintes.

Dans l'exemple, nous ajoutons une contrainte sur la cellule C10 pour obtenir exactement 1 kg.

Note Vous pouvez ajouter plusieurs contraintes pour la même cellule.

7 Cliquez le bouton **OK**.

La liste **Contraintes** affiche les contraintes choisies (figure 12-9).

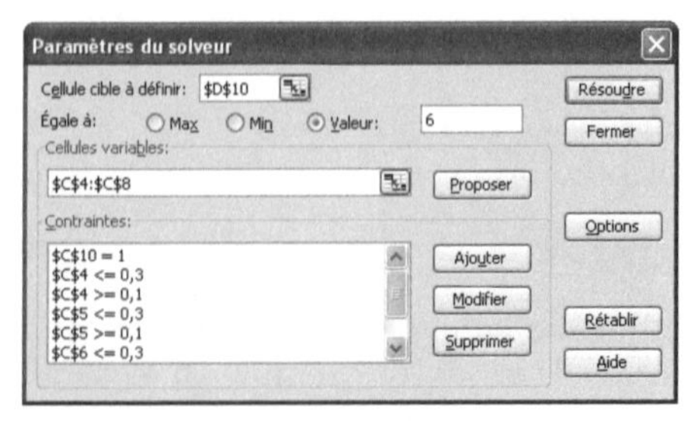

Figure 12-9 Liste des contraintes.

Modifier une contrainte

1 Cliquez la contrainte à modifier dans la liste **Contraintes**.

2 Cliquez le bouton **Modifier**.

3 Modifiez les trois paramètres de la contrainte.

4 Cliquez le bouton **OK**.

Supprimer une contrainte

1 Cliquez la contrainte à supprimer dans la liste **Contraintes**.

2 Cliquez le bouton **Supprimer**.

Trouver une solution au problème posé

Une fois tous les paramètres saisis, vous pouvez résoudre le problème :

1 Cliquez le bouton **Résoudre**.

La feuille de calcul affiche la solution trouvée par le solveur (figure 12-10).

La boîte **Résultat du solveur** propose de conserver ou de rejeter cette solution.

2 Cochez la case de votre choix (**Garder** ou **Rétablir**).

3 Cliquez le bouton **OK**.

Si vous avez coché **Garder la solution**, la cellule cible est mise à jour en fonction des cellules variables et des contraintes.

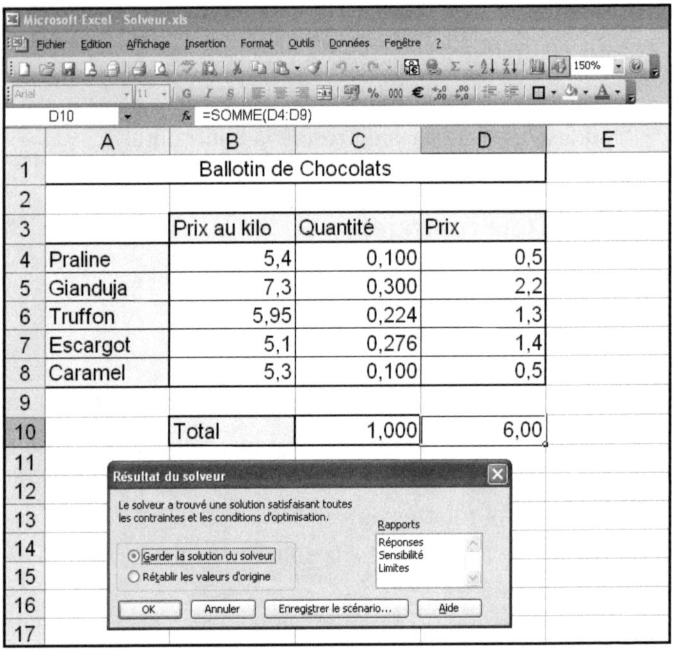

Microsoft Excel - Solveur.xls

Fichier Edition Affichage Insertion Format Outils Données Fenêtre ?

Arial 11 G I S % 000 € 150%

D10 fx =SOMME(D4:D9)

	A	B	C	D	E
1	Ballotin de Chocolats				
2					
3		Prix au kilo	Quantité	Prix	
4	Praline	5,4	0,100	0,5	
5	Gianduja	7,3	0,300	2,2	
6	Truffon	5,95	0,224	1,3	
7	Escargot	5,1	0,276	1,4	
8	Caramel	5,3	0,100	0,5	
9					
10		Total	1,000	6,00	
11					
12					
13					
14					
15					
16					
17					

Résultat du solveur

Le solveur a trouvé une solution satisfaisant toutes les contraintes et les conditions d'optimisation.

Garder la solution du solveur

Rétablir les valeurs d'origine

Rapports

Réponses

Sensibilité

Limites

OK Annuler Enregistrer le scénario... Aide

Figure 12-10 Résolution du problème.

Le solveur ne trouve pas de solution

Si le solveur ne trouve pas de solution, vous devez modifier les contraintes :

1 Cliquez le bouton **Annuler**.

2 Cliquez le menu **Outils → Solveur** pour modifier ou supprimer des contraintes. Le solveur conserve les dernières valeurs.

Astuce Si le solveur ne trouve toujours pas de solution acceptable, cliquez **Options** dans la boîte **Paramètres du solveur**, puis modifiez les options de calcul proposées.

Afficher le rapport du solveur

Vous pouvez demander un rapport complet sur la solution trouvée par le solveur :

1 Cliquez le ou les types de rapports dans la liste **Rapports**. Les valeurs sélectionnées sont affichées en surbrillance (figure 12-11).

Conseil Au moins la première fois, sélectionnez tous les rapports pour les consulter et voir s'ils peuvent vous apporter quelque chose.

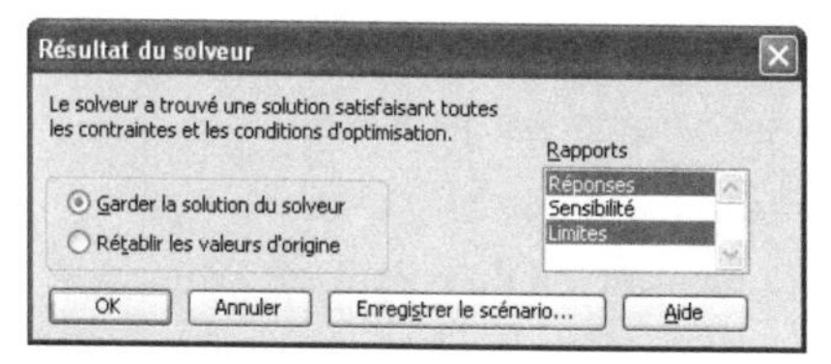

Figure 12-11 Choix des rapports du solveur.

2 Cliquez le bouton **OK**.

Le solveur ajoute une nouvelle feuille pour chaque rapport choisi.

3 Cliquez **Rapport des réponses 1**.

Vous retrouvez dans cette feuille les valeurs initiales et finales ainsi que toutes les contraintes choisies. Le terme **Lié** indique que le solveur a utilisé la contrainte.

Microsoft Excel - Solveur.xls

Fichier Edition Affichage Insertion Format Outils Données Fenêtre ?

A1 Microsoft Excel 11.0 Rapport des réponses

Microsoft Excel 11.0 Rapport des réponses
Feuille: [Solveur.xls]Solveur
Date du rapport: 19/12/2004 20:13:13

Cellule cible (Valeur)

Cellule	Nom	Valeur initiale	Valeur finale
$D$10	Total Prix	5,54	6,00

Cellules variables

Cellule	Nom	Valeur initiale	Valeur finale
$C$4	Praline Quantité	0,100	0,100
$C$5	Gianduja Quantité	0,100	0,300
$C$6	Truffon Quantité	0,200	0,224
$C$7	Escargot Quantité	0,500	0,276
$C$8	Caramel Quantité	0,100	0,100

Contraintes

Cellule	Nom	Valeur	Formule	État	Marge
$C$10	Total Quantité	1,000	$C$10=1	Non lié	0
$C$5	Gianduja Quantité	0,300	$C$5>=0.1	Non lié	0,200
$C$4	Praline Quantité	0,100	$C$4>=0.1	Lié	0,000
$C$5	Gianduja Quantité	0,300	$C$5<=0.3	Lié	0
$C$6	Truffon Quantité	0,224	$C$6>=0.1	Non lié	0,124
$C$8	Caramel Quantité	0,100	$C$8>=0.1	Lié	0,000
$C$6	Truffon Quantité	0,224	$C$6<=0.3	Non lié	0,076470588
$C$4	Praline Quantité	0,100	$C$4<=0.3	Non lié	0,2

Figure 12-12 Rapport des réponses générées par le solveur.

4 Cliquez **Rapport de la sensibilité 1**.

Cette feuille affiche les paramètres de recherche du solveur.

5 Cliquez **Rapport des limites 1**.

Cette feuille affiche la liste des valeurs cibles en fonction des limites supérieures et inférieures définies pour les cellules variables.

Définir un scénario

Si vous faites plusieurs essais avec des valeurs différentes en utilisant le solveur, vous pouvez conserver chaque résultat en tant que scénario possible :

1 Dans la boîte Résultat du solveur (figure 12-11), cliquez le bouton **Enregistrer le scénario**.

2 Tapez le nom du scénario dans la boîte de la figure 12-13.

Enregistrer le scénario
Nom du scénario:
Ballotin à 6 €
OK Annuler Aide

Figure 12-13 Enregistrement d'un scénario.

3 Cliquez le bouton **OK**.

4 Créez d'autres solutions avec le solveur, puis effectuez à nouveau les étapes **1** à **3**.

Gérer les scénarios

Si vous avez créé plusieurs scénarios, vous pouvez passer de l'un à l'autre, mais aussi les modifier ou en ajouter de nouveaux :

1 Cliquez le menu **Outils → Gestionnaire de scénarios**.

La liste **Scénarios** affiche ceux déjà enregistrés.

Gestionnaire de scénarios
Scénarios :
Ballotin à 5,8 €
Ballotin à 6 €
Afficher
Fermer
Ajouter...
Supprimer
Modifier...
Fusionner...
Synthèse...
Cellules variables :
$C$4:$C$8
Commentaire :
Créé par Jean-François le 12/19/2004

Figure 12-14 Liste des scénarios.

Ajouter un scénario

Les scénarios ne sont pas liés au solveur mais aux cellules variables. Vous pouvez donc en ajouter de nouveaux indépendamment du solveur :

1 Cliquez le bouton **Ajouter** (figure 12-14).

2 Dans la zone **Nom du scénario**, tapez celui du nouveau scénario (figure 12-15).

3 Éventuellement, modifiez la plage dans la zone **Cellules variables**.

4 Éventuellement, tapez un texte décrivant le scénario dans la zone **Commentaire**.

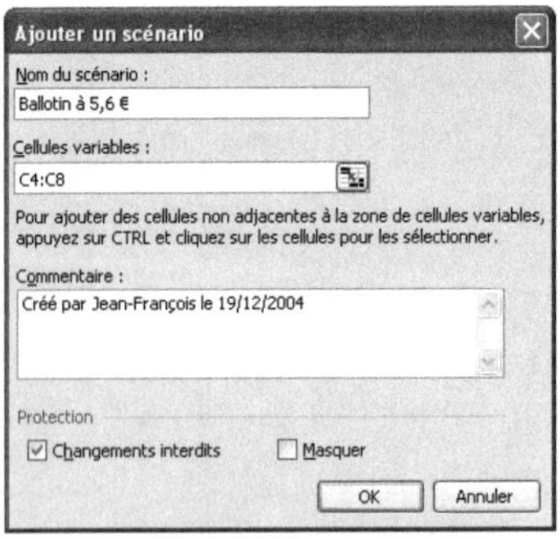

Figure 12-15 Ajout d'un scénario.

5 Cliquez le bouton **OK**.

Le scénario propose les valeurs actuellement affichées dans la feuille de calcul.

6 Tapez les nouvelles valeurs des cellules variables dans les zones proposées (figure 12-16).

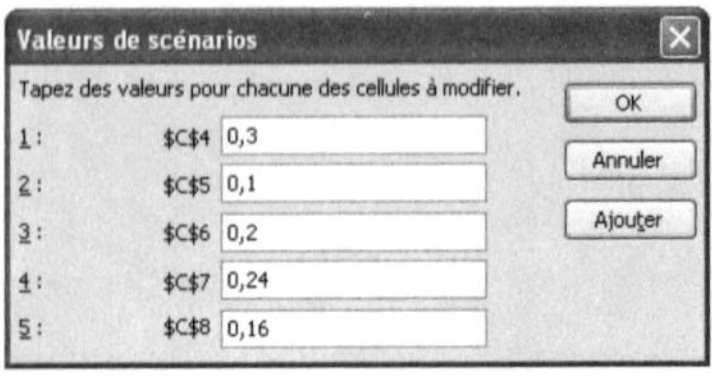

Figure 12-16 Paramètres du nouveau scénario.

7 Cliquez le bouton **OK**.

8 Dans la boîte Gestionnaire de scénarios (figure 12-14), cliquez le bouton **Afficher** pour voir le nouveau scénario dans la feuille de calcul.

La feuille tient compte des valeurs du scénario définies à l'étape **6**.

Note Vous pouvez à tout moment cliquer le bouton **Modifier** pour modifier les valeurs du scénario sélectionné.

Changer de scénario

Vous pouvez facilement passer d'un scénario à un autre pour choisir celui qui résout le mieux le problème posé :

1 Cliquez le scénario dans la liste **Scénarios** (figure 12-14).

2 Cliquez le bouton **Afficher**.

La feuille de calcul contient les valeurs du scénario choisi.

3 Cliquez un autre scénario dans la liste **Scénarios** (figure 12-14).

4 Cliquez le bouton **Afficher**.

La feuille de calcul contient les valeurs de l'autre scénario.

Note Vous pouvez à tout moment cliquer le bouton **Supprimer** pour effacer le scénario sélectionné.

Générer un rapport mono-utilisateur

Si vous êtes le seul utilisateur à modifier la feuille qui contient les scénarios, vous pouvez générer un rapport en mode Plan :

1 Dans la boîte **Gestionnaire de scénarios** (figure 12-14), cliquez le bouton **Synthèse**.

Note Cliquez le menu **Outils → Gestionnaire de scénarios** pour afficher cette boîte.

2 Cochez l'option **Synthèse de scénarios**.

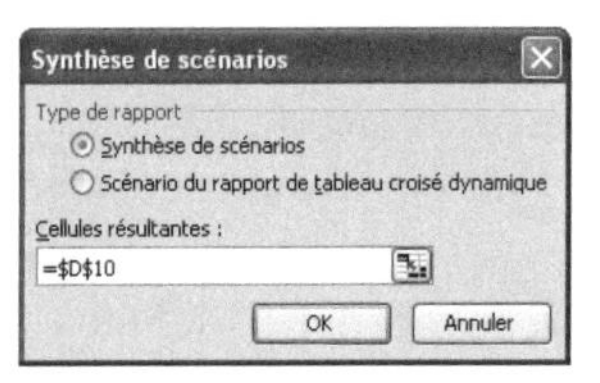

Figure 12-17 Création d'une synthèse de scénarios.

3 Cliquez le bouton **OK**.

Une nouvelle feuille regroupe tous les scénarios définis (figure 12-18).

Microsoft Excel - Solveur.xls

Synthèse de scénarios	Valeurs actuelles :	Ballotin à 5,8 €	Ballotin à 6 €	Ballotin à 5,6 €
Cellules variables :				
$C$4	0,300	0,200	0,100	0,300
$C$5	0,100	0,200	0,300	0,100
$C$6	0,200	0,300	0,230	0,200
$C$7	0,240	0,150	0,270	0,240
$C$8	0,160	0,150	0,100	0,160
Cellules résultantes :				
$D$10	5,61	5,89	6,01	5,61

La colonne Valeurs actuelles affiche les valeurs des cellules variables au moment de la création du rapport de synthèse. Les cellules variables de chaque scénario se situent dans les colonnes grisées.

Figure 12-18 Synthèse de scénarios.

Générer un rapport multi-utilisateur

Si plusieurs utilisateurs modifient la feuille qui contient les scénarios, vous pouvez générer un rapport sous forme de tableau croisé dynamique pour connaître l'auteur de chaque scénario :

1 Dans la boîte **Gestionnaire de scénarios** (figure 12-14), cliquez le bouton **Synthèse**.

Note Cliquez le menu **Outils → Gestionnaire de scénarios** pour afficher cette boîte.

2 Cochez l'option **Scénario du rapport de tableau croisé dynamique** (figure 12-17).

3 Cliquez le bouton **OK**.

Une nouvelle feuille regroupe tous les scénarios définis dans un tableau croisé dynamique.

Microsoft Excel - Solveur.xls

Fichier Edition Affichage Insertion Format Outils Données Fenêtre ?

	A	B	C	D	E
1	$C$4:$C$8 par	(Tous)			
2					
3	$D$10				
4	$C$4:$C$8	Total			
5	Ballotin à 5,6 €	5,612			
6	Ballotin à 5,8 €	5,885			
7	Ballotin à 6 €	6,0055			
8					

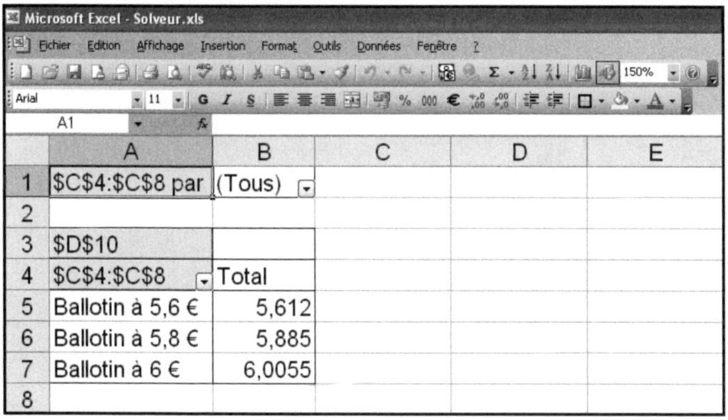

Figure 12-19 Synthèse de scénarios dans un tableau croisé dynamique.

Partie III

Macros et Visual Basic

Chapitre 13

Créer et utiliser des macros

Pour éviter de répéter inutilement les mêmes opérations, Excel propose d'enregistrer vos actions dans des macros. Bien qu'écrites dans le langage Visual Basic, leur création et leur utilisation ne nécessitent pas de connaissances particulières.

Ce chapitre vous fait découvrir la création et l'utilisation des macros. Il propose aussi des solutions pour les appeler facilement à partir de menus ou de boutons.

Dans ce chapitre

Qu'est-ce qu'une macro ?

Une macro est une suite d'actions enregistrées et conservées par un programme. Ces actions sont réalisées par l'utilisateur à l'aide des commandes des menus, des boutons des barres d'outils et des touches du clavier.

Les macros permettent d'exploiter pleinement les feuilles Excel (feuilles de calcul, boîtes de dialogue et graphiques). Elles libèrent l'utilisateur des tâches répétitives. Elles facilitent la saisie pour les personnes qui utilisent des feuilles prêtes à l'emploi mais qui n'en connaissent pas la construction. On peut, dans ce but, supprimer tous les éléments devenus inutiles (barres de menus, barres d'outils) et ne conserver que les feuilles de calcul. Les actions indispensables sont alors accessibles *via* des boutons de commandes à l'intérieur des feuilles.

Les macros enregistrées sont écrites dans le langage de programmation Visual Basic pour Applications (VBA).

Qu'est-ce qu'un module ?

Les modules contiennent les macros enregistrées et les procédures tapées par l'utilisateur dans le langage VBA. Elles se présentent comme les documents d'un traitement de texte. On y accède avec l'application Visual Basic (VB) pour les modifier.

Procédures

Les procédures sont des programmes écrits en langage VBA. Elles correspondent aux macros enregistrées. Elles débutent par le mot réservé **Sub** suivi du nom de la procédure (Macro1, par exemple). Elles ne retournent aucune valeur quand on les appelle. À partir de l'interface d'Excel, on y accède *via* le menu **Outils → Macro**, ou à l'aide d'un bouton déposé sur une feuille de calcul.

Fonctions

Les fonctions sont également des programmes écrits en VBA. Elles sont utilisées à l'intérieur des formules des cellules des feuilles de calcul. Elles débutent par le mot réservé **Function** suivi du nom. Elles retournent une valeur quand on les appelle. C'est la caractéristique essentielle qui les distingue des procédures Sub.

Créer une macro enregistrée

Pour comprendre la création et le fonctionnement d'une macro, il suffit d'en enregistrer une.

L'exemple que nous vous proposons ici ajoute simplement un texte avec une mise en forme. Il permet de vérifier le fonctionnement de l'enregistreur :

1 Cliquez la cellule **A1** pour la sélectionner.

   L'action de l'étape **1** évite que la macro n'enregistre la sélection de la cellule. La macro sera alors réutilisable dans la cellule sélectionnée lors de son exécution, et non uniquement dans la cellule A1.

2 Cliquez le menu **Outils → Macro → Nouvelle macro**.

3 Tapez un nom dans la zone **Nom de la macro** ou laissez le nom Macro1 proposé par défaut.

   La zone **Touche de raccourci** permet de choisir une combinaison de touches pour accéder ultérieurement à la macro.

   La liste **Enregistrer la macro dans** permet de choisir la destination de la macro : le classeur actuel, un nouveau classeur ou un classeur séparé spécialement créé pour vos macros.

   La zone **Description** propose un texte qui apparaît comme commentaire dans la macro. Par défaut, il contient la date de création et le nom de l'utilisateur. Vous pouvez y saisir un autre texte ou compléter celui existant.

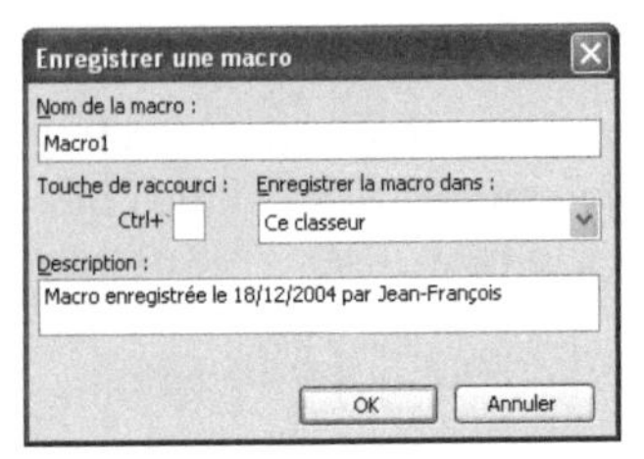

Figure 13-1 Boîte d'enregistrement d'une macro.

4 Cliquez le bouton **OK** pour débuter l'enregistrement de la macro.

Excel affiche une barre d'outils contenant un bouton pour arrêter l'enregistrement et un bouton pour définir les références relatives.

Figure 13-2 Barre d'outils Arrêter l'enregistrement.

Excel enregistre toutes vos actions, même si vous vous contentez de déplacer une barre d'outils. Pour obtenir une macro identique à l'exemple, limitez-vous aux actions qui suivent.

5 Tapez **Poche Micro**, ou un autre texte, et validez avec **Ctrl+Entrée**.

La combinaison de touches **Ctrl+Entrée** permet de valider la saisie sans sélectionner une autre cellule. Si vous appuyez simplement sur **Entrée**, Excel sélectionne la cellule en dessous (ou celle définie dans l'onglet Modifications de la boîte Options) et enregistre cette action dans la macro.

6 Cliquez les boutons G et I dans la barre d'outils Mise en forme.

7 Cliquez le menu **Format → Cellule**, puis cliquez l'onglet **Bordure**.

8 Cliquez le bouton **Contour** pour entourer la cellule, puis cliquez le bouton **OK** pour valider.

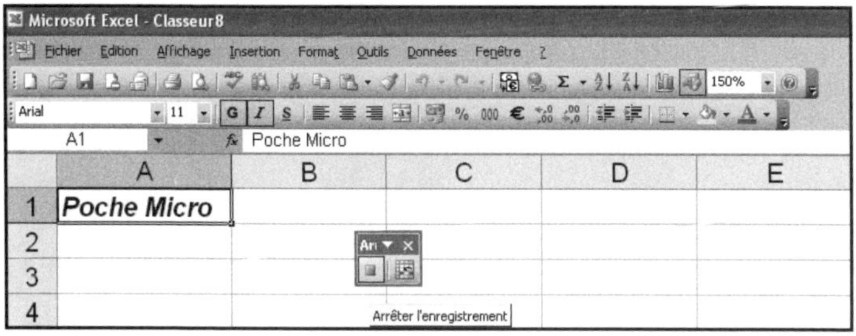

Figure 13-3 Feuille de calcul après l'enregistrement de la macro.

9 Cliquez le bouton dans la barre d'outils Arrêter l'enregistrement (figure 13-2).

La nouvelle macro est maintenant enregistrée.

Modifier une macro

La macro a été enregistrée dans un module modifiable avec VB. Pour voir la manière dont Excel a remplacé vos actions par du code, consultez ce dernier dans l'éditeur de Visual Basic :

1 Cliquez le menu **Outils → Macro → Macros**.

2 Cliquez Macro1 (ou le nom que vous lui avez donné) dans la liste des macros disponibles.

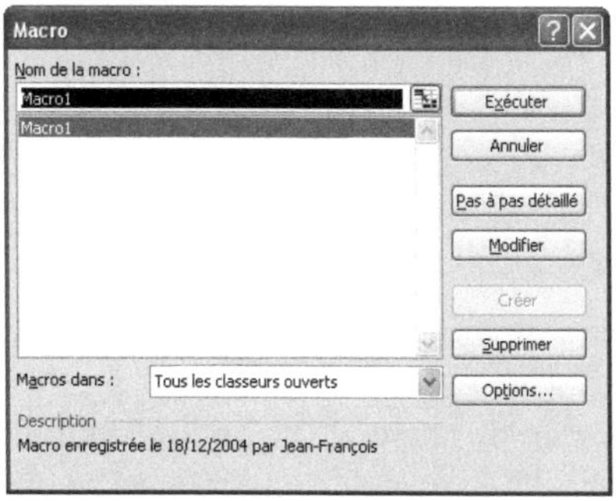

Figure 13-4 Boîte des macros disponibles.

3 Cliquez le bouton **Modifier**.

Comme vous pouvez le constater à la figure 13-5, une macro est une suite d'instructions et de fonctions VBA. Tant que l'on reste du côté « Excel », il n'est pas nécessaire de connaître ce code.

Le code de la macro correspond à toutes les actions que vous avez effectuées. Par exemple, les trois premières lignes indiquent que l'on place le texte « Poche Micro », en gras et en italique, dans la cellule active.

Note Depuis la version 97 d'Excel, pour des raisons de compatibilité, tous les mots clés de Visual Basic sont en anglais. Si vous ouvrez un classeur au format Excel 5, le code, s'il est en français, est immédiatement traduit.

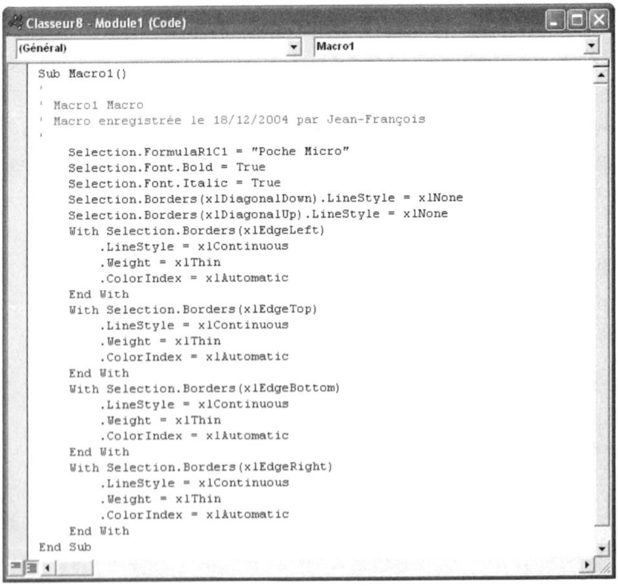

```
Sub Macro1()
'
' Macro1 Macro
' Macro enregistrée le 18/12/2004 par Jean-François
'
    Selection.FormulaR1C1 = "Poche Micro"
    Selection.Font.Bold = True
    Selection.Font.Italic = True
    Selection.Borders(xlDiagonalDown).LineStyle = xlNone
    Selection.Borders(xlDiagonalUp).LineStyle = xlNone
    With Selection.Borders(xlEdgeLeft)
        .LineStyle = xlContinuous
        .Weight = xlThin
        .ColorIndex = xlAutomatic
    End With
    With Selection.Borders(xlEdgeTop)
        .LineStyle = xlContinuous
        .Weight = xlThin
        .ColorIndex = xlAutomatic
    End With
    With Selection.Borders(xlEdgeBottom)
        .LineStyle = xlContinuous
        .Weight = xlThin
        .ColorIndex = xlAutomatic
    End With
    With Selection.Borders(xlEdgeRight)
        .LineStyle = xlContinuous
        .Weight = xlThin
        .ColorIndex = xlAutomatic
    End With
End Sub
```

Figure 13-5 Code d'une macro enregistrée.

Le code se présente sous forme de texte. Il est donc possible de le modifier directement. Par exemple, le texte « Poche Micro » peut être remplacé par un autre.

Pour enregistrer le code après modification, cliquez le bouton . Pour revenir à Excel sans fermer VB, cliquez le bouton de ce dernier dans la barre des tâches. Pour fermer VB et revenir à Excel, cliquez le bouton ☒.

Aide en ligne

Il est très difficile de se souvenir de toutes les syntaxes utilisées par VB. Pour programmer des procédures, l'Aide en ligne est indispensable :

1 Pressez les touches **Alt+F11** pour afficher la fenêtre Visual Basic, même si vous l'avez fermée précédemment.

2 Double-cliquez un mot clé, par exemple Weight dans la procédure Macro1.

3 Appuyez sur **F1** pour afficher l'Aide en ligne.

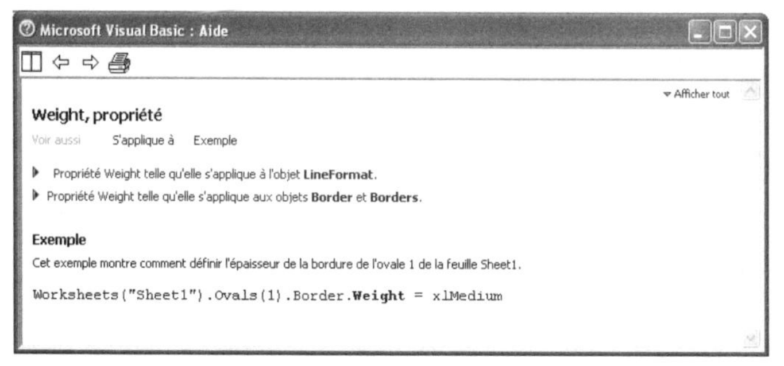

Figure 13-6 Aide en ligne.

L'Aide en ligne donne la liste des paramètres applicables à l'épaisseur des contours d'une plage de cellules.

Certains mots clés ont un sens différent en fonction du contexte. Dans VBA, par exemple, l'instruction Function déclare une procédure, alors que dans Excel elle correspond au calcul appliqué à un champ dynamique dans un tableau croisé. Il est donc possible dans ce cas que la boîte de la figure 13-7 s'affiche.

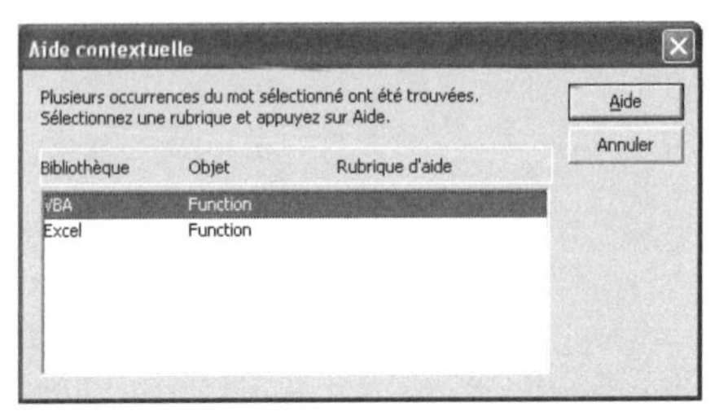

Figure 13-7 Choix d'une rubrique de l'Aide en ligne.

Exécuter une macro

Maintenant que la macro est enregistrée, vous pouvez l'utiliser pour répéter toutes les actions qu'elle contient :

1 Éventuellement, pressez les touches **Alt+F11** pour revenir à Excel.

2 Cliquez n'importe quelle cellule de la feuille, à l'exception de la cellule A1 utilisée pour créer la macro.

3 Cliquez le menu **Outils → Macro → Macros**.

4 Sélectionnez Macro1 dans la liste des macros disponibles.

5 Cliquez le bouton **Exécuter**.

Excel applique à la cellule sélectionnée toutes les actions enregistrées dans Macro1 (cellule C1 dans l'exemple de la figure 13-8).

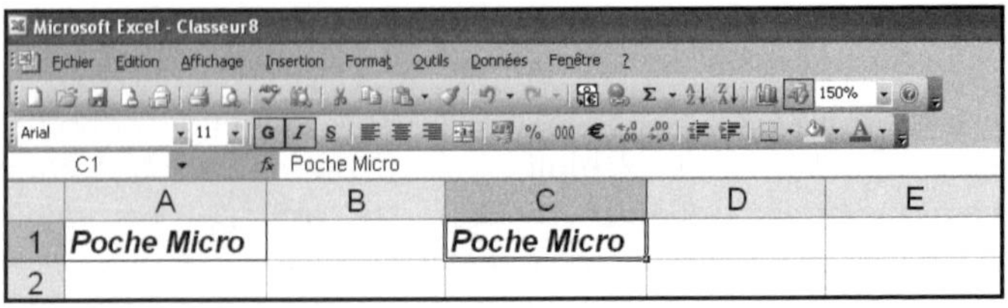

Figure 13-8 Feuille de calcul après l'exécution de la macro enregistrée.

Accéder facilement à une macro

Il existe des voies plus rapides que le menu **Outils → Macro** pour exécuter une macro. Voici succinctement quelques exemples qui vous simplifieront la vie.

Macro à partir d'une commande d'un menu

Il est très simple d'ajouter des commandes dans les menus d'Excel, par exemple les menus Format ou Outils.

Ajouter une commande personnalisée

1 Cliquez le menu **Affichage → Barres d'outils → Personnaliser**.

2 Cliquez l'onglet **Commandes** dans la boîte **Personnaliser**.

3 Cliquez **Macros** dans la liste **Catégories**.

Pour ajouter des commandes dans une barre, il suffit de les faire glisser vers la barre de menus ou d'outils de votre choix.

Pour ajouter une nouvelle commande :

1 Cliquez le menu dans lequel vous voulez ajouter la commande, par exemple le menu Format.

   Étant donné que la boîte Personnaliser est ouverte, le menu reste déroulé.

2 Cliquez **Élément de menu personnalisé** dans la liste **Commandes** et faites glisser son icône vers la fin du menu (figure 13-9).

   Une barre horizontale indique le point d'insertion. La commande est ajoutée dès que vous relâchez le bouton de la souris.

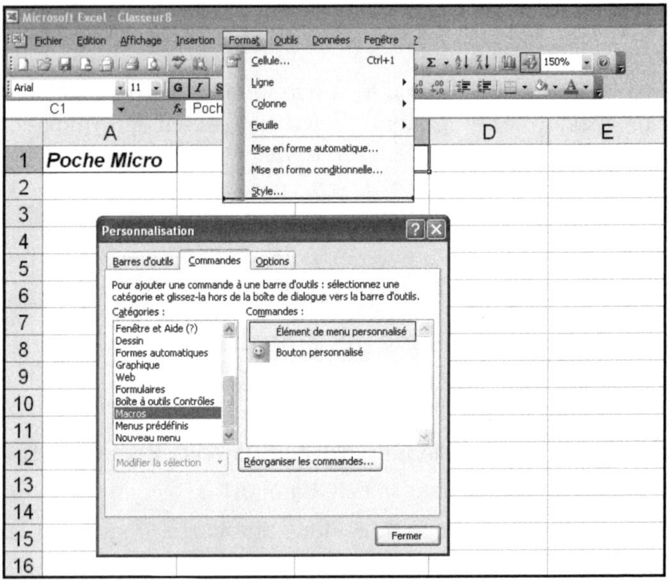

Figure 13-9 Ajout d'une commande personnalisée dans un menu.

Vous devez maintenant définir le nom et la macro correspondant à la nouvelle commande du menu.

3 Cliquez avec le bouton droit la commande **Élément de menu personnalisé**.

4 Tapez le nom de la commande dans la zone **Nom** du menu contextuel. Pour définir la lettre soulignée, faites précéder cette dernière par le symbole « & », par exemple « &Gras et italique » si la commande doit apparaître sous le nom **Gras et Italique**.

5 Cliquez **Affecter une macro** dans le menu contextuel.

6 Double-cliquez le nom de la macro, par exemple Macro1, dans la liste des macros disponibles.

7 Cliquez **Fermer** dans la boîte Personnaliser.

8 Cliquez une cellule vide dans la feuille de calcul.

9 Cliquez le menu et la commande créés précédemment (Gras et Italique, par exemple).

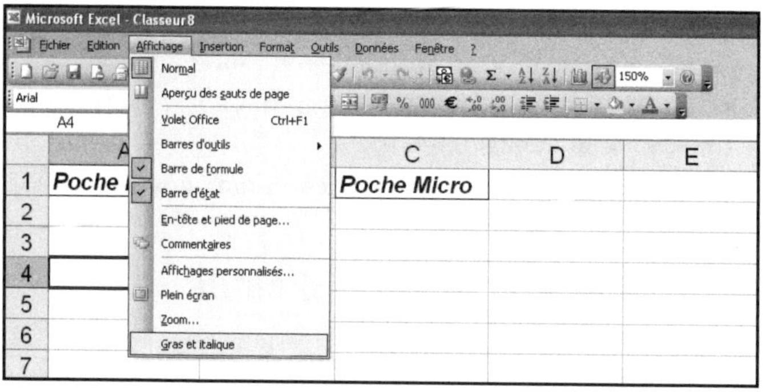

Figure 13-10 Commande personnalisée pour exécuter une macro.

Excel exécute la macro correspondante.

Supprimer une commande personnalisée

Si vous n'avez plus besoin d'une commande, supprimez-la du menu :

1 Cliquez le menu **Affichage → Barres d'outils → Personnaliser**.

2 Cliquez l'onglet **Barres d'outils**.

3 Cliquez le nom **Barres de menus Feuille de calcul** dans la liste **Barres d'outils**. N'ôtez pas la coche.

4 Cliquez le bouton **Réinitialiser**.

5 Cliquez le bouton **OK** pour confirmer.

6 Cliquez le bouton **Fermer** dans la boîte **Personnalisation**.

Créer un nouveau menu

Si vous avez beaucoup de commandes, il est préférable de créer votre propre menu :

1 Cliquez le menu **Affichage → Barres d'outils → Personnaliser**.

2 Cliquez l'onglet **Commandes**.

3 Cliquez **Nouveau menu** dans la liste **Catégories**.

4 Faites glisser **Nouveau menu** de la liste **Commandes** vers la barre de menus, entre les menus de votre choix (**Fenêtres** et **?**, par exemple).

Une barre verticale indique le point d'insertion.

5 Cliquez avec le bouton droit le menu **Nouveau menu**.

6 Tapez le nom du menu (par exemple Mes &Macros) dans la zone **Nom** du menu contextuel.

Vous pouvez maintenant ajouter des commandes vers vos macros comme vu précédemment.

Macro à partir d'une barre d'outils

Comme pour les barres de menus, les macros peuvent être attachées à des boutons de barres d'outils.

Ajouter un bouton à une barre d'outils

La procédure est sensiblement la même que pour les commandes des menus :

1 Cliquez avec le bouton droit sur une barre d'outils.

2 Cliquez sur **Personnaliser** dans le menu contextuel.

3 Cliquez **Macros** dans la liste **Catégories**.

Note Vous pouvez affecter une macro à tous les boutons y compris ceux qui possèdent une fonction prédéfinie.

4 Faites glisser **Bouton personnalisé** vers n'importe quelle barre d'outils.

5 Cliquez avec le bouton droit le nouveau bouton créé à l'étape **4**.

6 Cliquez **Affecter une macro** dans le menu contextuel.

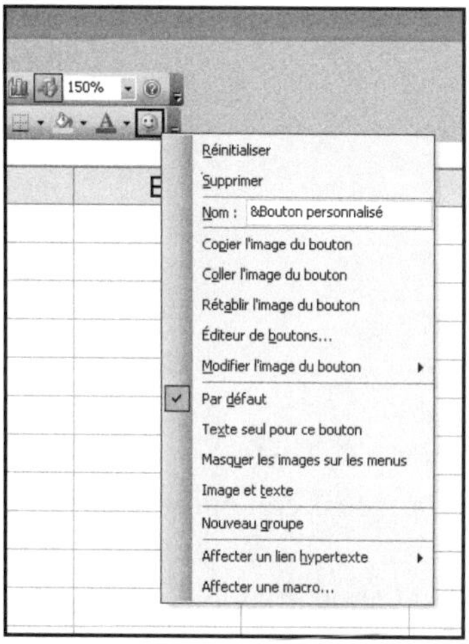

Figure 13-11 Bouton personnalisé pour exécuter une macro.

7 Double-cliquez le nom de votre macro (par exemple Macro1) dans la liste des macros disponibles.

8 Cliquez le bouton **OK** pour valider votre choix.

Note Pour supprimer un bouton d'une barre d'outils, ouvrez la boîte Personnalisation, puis faites glisser le bouton à supprimer vers la feuille de calcul.

Modifier l'apparence d'un bouton personnalisé

À leur création, tous les boutons ont la même apparence. Vous pouvez choisir une autre icône parmi une liste prédéfinie, ou dessiner vous-même cette icône :

1 Éventuellement, ouvrez la boîte Personnalisation.

2 Cliquez avec le bouton droit le bouton à modifier.

3 Cliquez **Modifier l'image du bouton** dans le menu contextuel (figure 13-11).

4 Cliquez un des boutons proposés (figure 13-12).

Figure 13-12 Listes des icônes prédéfinies pour les boutons personnalisés.

Vous pouvez aussi utiliser vos talents d'artiste :

1 Cliquez **Éditeur de boutons** dans le menu contextuel (figure 13-11).

- La zone **Couleurs** permet de choisir la couleur pour dessiner.
- Le bouton **Sélecteur de couleurs** ouvre une boîte pour choisir d'autres couleurs.
- En cliquant dans la zone **Image**, vous remplacez les couleurs ou les carrés blancs barrés par la couleur choisie.
- En cliquant sur un carré de la même couleur que celle choisie, vous remplacez son contenu par un carré blanc barré.
- Quand la nouvelle couleur vous convient, faites glisser la souris en maintenant le bouton enfoncé de manière à modifier la couleur d'une surface, quelle que soit la couleur des carrés qui la composent.
- Les flèches de la zone **Déplacer** décalent l'image d'une colonne ou d'une ligne sans couleur (carré blanc barré).

2 Modifiez l'apparence du bouton avec la souris dans la zone **Image**, en choisissant les couleurs dans la zone **Couleurs**.

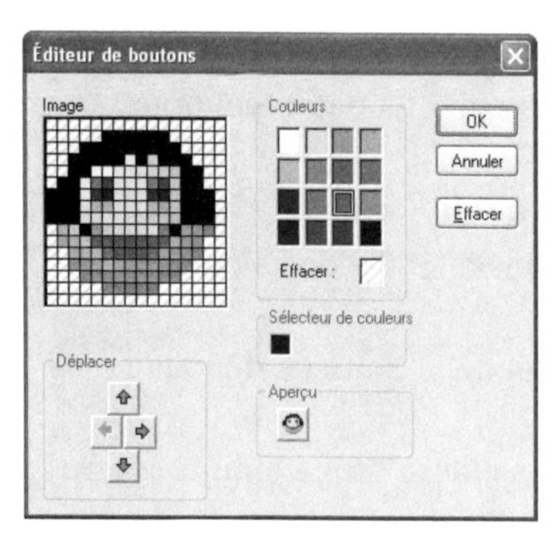

Figure 13-13 Éditeur de boutons.

3 Cliquez le bouton **OK** pour appliquer la nouvelle apparence.

4 Cliquez le bouton **Fermer** dans la boîte Personnalisation.

Créer une barre d'outils personnalisée

Si vous avez beaucoup de macros, il est préférable de les regrouper dans une barre d'outils personnalisée :

1 Éventuellement, ouvrez la boîte Personnalisation.

2 Cliquez l'onglet **Barres d'outils**.

3 Cliquez le bouton **Nouvelle** pour créer une nouvelle barre d'outils.

4 Tapez son nom, par exemple **Ma barre**, puis pressez la touche **Entrée** dans la zone **Nom de la barre d'outils**.

Une barre d'outils vide apparaît.

5 Ajoutez des boutons pour vos macros comme vu précédemment.

Figure 13-14 Barre d'outils personnalisés.

Macro à partir d'un bouton de commande

En plus des boutons dans les barres d'outils, Excel permet d'accéder aux macros par le biais de boutons de commande dans les feuilles de calcul :

1 Cliquez avec le bouton droit sur une barre d'outils.

2 Cliquez **Formulaires** dans le menu contextuel pour afficher cette barre d'outils.

3 Cliquez ▭ dans la barre d'outils Formulaire (figure 13-15).

4 Cliquez et faites glisser dans la feuille de calcul pour ajouter un bouton.

Excel crée un bouton et affiche la boîte de dialogue Affecter une macro.

5 Double-cliquez le nom de la macro (par exemple Macro1) dans la liste Nom de la macro.

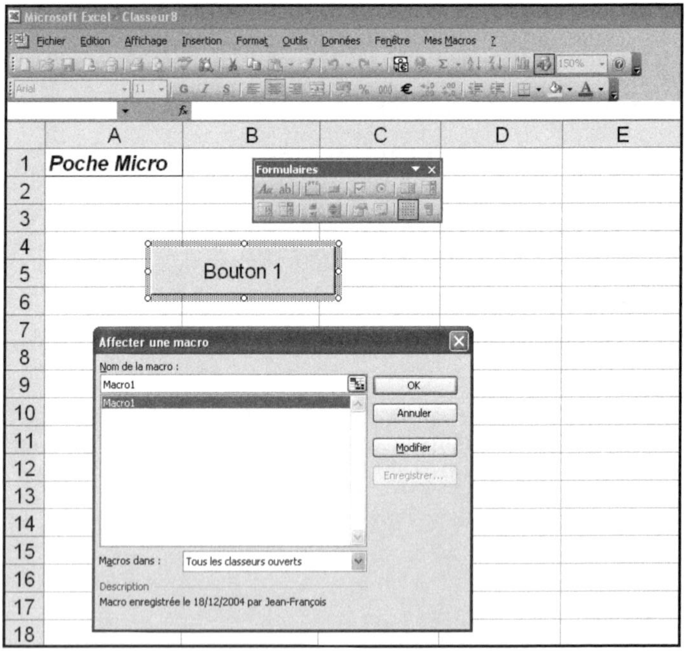

Figure 13-15 Ajout d'un bouton dans une feuille de calcul.

6 Sélectionnez le texte par défaut du bouton (par exemple Bouton 1), puis tapez son nom.

Pour utiliser le bouton, cliquez une cellule de la feuille de calcul pour le désélectionner. Vous pouvez ensuite le cliquer, quand il n'est plus en mode Modification, pour exécuter la macro. Quand le bouton est opérationnel, le curseur de la souris devient 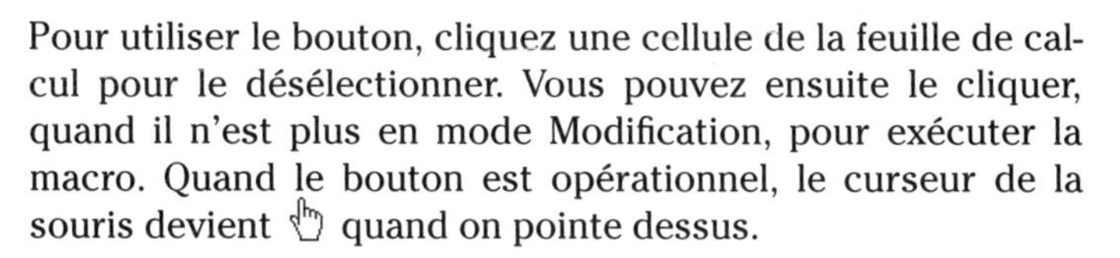 quand on pointe dessus.

	A	B	C	D
1	***Poche Micro***			
2				
3		Poche Micro		
4				
5				

Figure 13-16 Bouton pour exécuter une macro.

Si vous avez besoin de modifier le bouton, par exemple pour le déplacer ou le redimensionner, cliquez-le avec le bouton droit. La bordure hachurée permet de le déplacer, et les huit carrés qui l'entourent de modifier sa taille.

Chapitre 14

Objets, propriétés et méthodes

Visual Basic est un langage orienté objets. Pour cet outil de développement, tous les éléments d'Excel sont des objets (classeurs, feuilles, plages de cellules, *etc.*). Ce chapitre vous présente les éléments de base à connaître pour accéder aux objets d'Excel, les modifier ou y appliquer des actions. Vous trouverez aussi des conseils pour saisir et exécuter vos premières procédures.

Dans ce chapitre

Objets et collections d'objets

Il existe une hiérarchie entre les objets. Par exemple, l'objet Application contient des classeurs, qui eux-mêmes contiennent des feuilles de calcul, qui à leur tour contiennent des plages de cellules.

Chaque groupe d'objets de même type est appelé une « collection ». Chaque objet dans une collection porte un numéro ou un nom. On accède aux objets par ce numéro ou ce nom. Par exemple, la première feuille d'un classeur est accessible par **Sheets(1)** ou **Sheets("Feuil1")**.

Objet et collection d'objets portent le même nom, seul le « s » final permet de les distinguer (un objet Sheet, une collection Sheets).

Pour comprendre l'organisation et la syntaxe utilisées par VB, il suffit dans un premier temps d'enregistrer une macro en accédant à un maximum d'objets.

Suivez pas à pas les étapes ci-après pour créer la même macro que dans les exemples :

1 Créez ou ouvrez deux classeurs contenant chacun au minimum deux feuilles.

2 Cliquez le menu **Fenêtre → 2** pour sélectionner le second classeur.

3 Cliquez le menu **Outils → Macro → Nouvelle macro**.

4 Tapez le nom de la macro, par exemple Objets, puis cliquez le bouton **OK**.

5 Cliquez le menu **Fenêtre → 1** pour sélectionner le premier classeur.

6 Cliquez l'onglet **Feuil2**.

7 Cliquez la cellule **A1** pour la sélectionner.

8 Cliquez le bouton ▪ dans la barre d'outils Arrêter l'enregistrement.

Vérifions maintenant le résultat de la macro :

1 Cliquez le menu **Outils → Macro → Macros**.

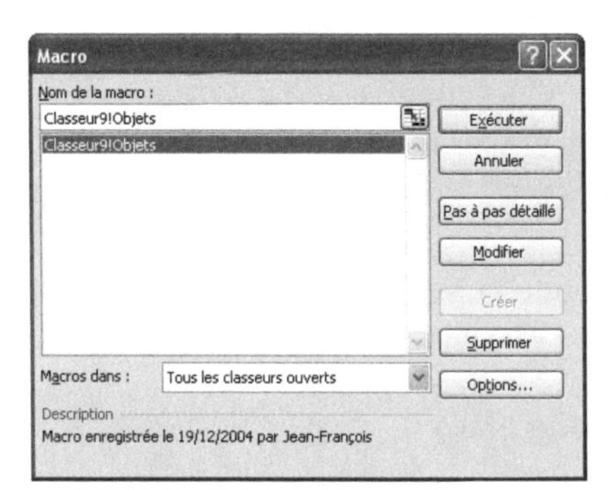

Figure 14-1 Liste des macros.

2 Cliquez le nom de la macro (Objets dans l'exemple) dans la liste **Nom de la macro**, puis cliquez le bouton **Modifier** (figure 14-1).

Note Étant donné que nous avons deux classeurs ouverts, le nom de la macro est précédé du nom du classeur qui la contient. Pour limiter la liste **Nom de la macro**, sélectionnez au préalable le classeur dans la liste **Macros dans**.

La fenêtre de Visual Basic s'ouvre sur le code de la macro enregistrée précédemment (figure 14-2).

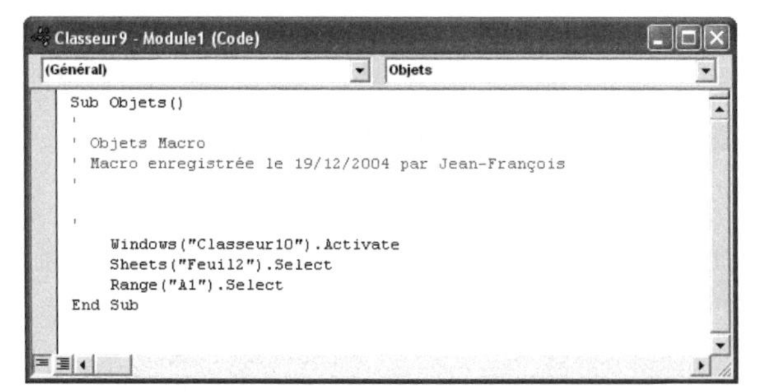

Figure 14-2 Macro enregistrée.

Chaque ligne de code correspond aux actions effectuées pendant l'enregistrement.

```
Windows("Classeur10").Activate
```

Cette ligne active la fenêtre qui contient le premier classeur à l'intérieur de la collection des fenêtres. Il est fort probable que votre classeur porte un autre nom.

```
Sheets("Feuil2").Select
```

La deuxième ligne sélectionne la feuille « Feuil2 » à l'intérieur de la collection des feuilles disponibles.

```
Range("A1").Select
```

La dernière ligne sélectionne la plage de cellules A1. Pour VB, une cellule n'est pas un objet. C'est l'objet Range qui désigne les cellules d'une feuille de calcul, même si cette plage fait référence à une cellule unique.

Comme le montre cet exemple, il est plus simple d'utiliser l'enregistreur de macros que de saisir manuellement le code correspondant. Étant donné qu'il existe des centaines d'objets différents, il est parfois plus rapide d'enregistrer une macro en manipulant un objet particulier que de rechercher son mode d'utilisation dans l'Aide en ligne.

Sachez cependant que l'enregistreur de macros a ses limites, et qu'il est bien souvent nécessaire de modifier le code généré automatiquement.

Organisation des modules

La fenêtre Projet, placée par défaut à gauche de la fenêtre principale de Visual Basic, affiche la liste des classeurs ouverts (figure 14-3).

Note Certains classeurs sont ouverts automatiquement par Excel. C'est le cas, par exemple, du classeur EuroTool qui gère les nouvelles fonctions pour l'euro. Ces classeurs sont masqués dans Excel, et ne sont pas modifiables dans VB.

Chaque classeur (projet) propose une arborescence avec ses feuilles de calcul (objets) et ses codes en VB (modules). Pour

voir le code d'un module, double-cliquez son nom dans l'arborescence du classeur (Module1, par exemple).

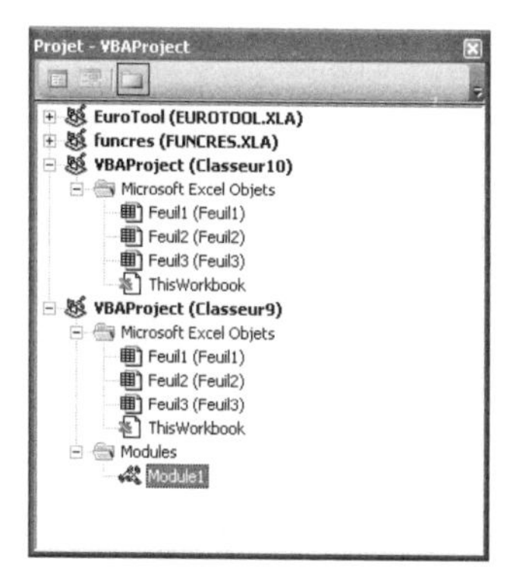

Figure 14-3 Explorateur de projet.

Les macros sont visibles une à une en cliquant le bouton en bas à gauche de la fenêtre de module (figure 14-2). La liste en haut à droite permet de choisir le nom d'une macro.

Il est aussi possible de les afficher les unes à la suite des autres en cliquant le bouton (figure 14-4).

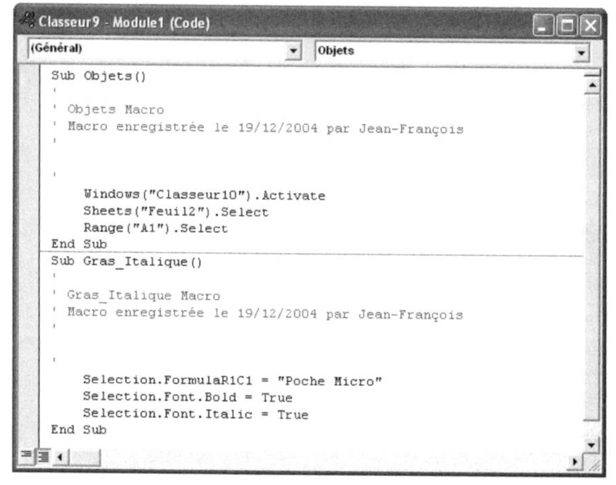

Figure 14-4 Fenêtre de module.

Types d'objets

Objet Application

L'objet Application représente l'ensemble de l'application, c'est-à-dire Excel. Cet objet permet d'accéder aux objets actifs ActiveWorkbook (classeur actif), ActiveSheet (feuille active), ActiveCell (cellule active), *etc.*

Il donne aussi accès aux fonctions Excel qui ne sont pas disponibles dans VB. Par exemple, la fonction PI n'existe pas dans VB alors qu'elle est proposée dans Excel. L'objet Application permet donc d'y accéder :

```
Range("A1") = Application.pi
```

Cet exemple place dans la cellule A1 la valeur de PI.

Bien souvent, l'objet Application est implicite. Il est donc inutile de le préciser. Par exemple, Application.ActiveSheet équivaut à ActiveSheet.

Objet Workbook

L'objet Workbook représente un classeur ouvert dans l'application. La collection Workbooks permet d'accéder à tous les classeurs ouverts. Étant donné qu'un classeur peut être ouvert dans plusieurs fenêtres différentes, les classeurs sont aussi accessibles *via* la collection d'objets Windows.

Objet Sheet

La collection d'objets Sheets représente toutes les feuilles d'un classeur quel que soit leur type. On peut aussi accéder aux feuilles graphiques *via* la collection d'objets Charts et aux macros Excel 4 *via* la collection Excel4MacroSheets.

Objet Range

L'objet Range désigne une cellule, une sélection de cellules, une sélection multiple, une ligne, une colonne, un groupe de lignes ou un groupe de colonnes. Cet objet permet d'accéder au contenu des cellules et à leur mise en forme.

Autres objets

Tous les autres éléments d'Excel non cités sont aussi des objets. C'est le cas des contrôles (boutons de commande, listes déroulantes, *etc.*), des objets dessinés (lignes, cercles, *etc.*) et des objets incorporés (objets OLE, graphiques, *etc.*).

Accéder aux objets

On accède aux objets Excel avec VB en donnant leur nom à l'intérieur d'une collection, ou les références des cellules pour l'objet Range.

Par exemple, le code suivant permet de sélectionner la première feuille d'un classeur :

```
Sheets("Feuil1").Select
```

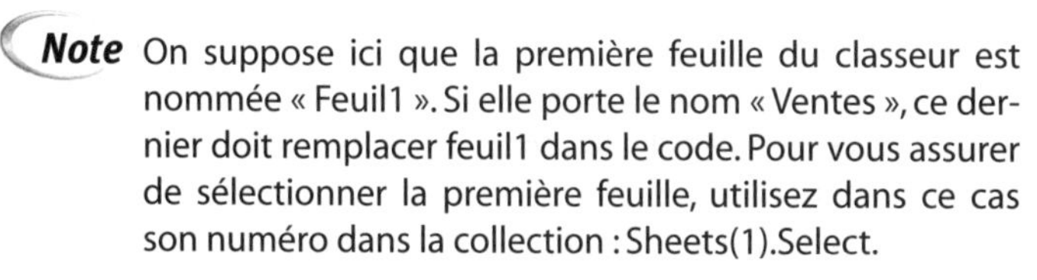

Note On suppose ici que la première feuille du classeur est nommée « Feuil1 ». Si elle porte le nom « Ventes », ce dernier doit remplacer feuil1 dans le code. Pour vous assurer de sélectionner la première feuille, utilisez dans ce cas son numéro dans la collection : Sheets(1).Select.

La sélection d'une feuille permet d'appliquer des modifications aux cellules de cette feuille. Sans la sélection, les modifications s'appliqueraient aux cellules de la feuille active.

Si la feuille active n'est pas une feuille de calcul (un graphique, par exemple), VB génère alors une erreur d'exécution quand on tente de modifier des cellules.

L'exemple suivant permet de sélectionner une plage de cellules :

```
Range("A1:B3").Select
```

La sélection d'une plage permet de modifier en même temps toutes les cellules de cette plage.

Tous les objets se sélectionnent de la même manière.

Propriétés et méthodes

Pour comprendre les propriétés et les méthodes, comparons-les avec un objet de la vie courante : une voiture.

Cette voiture possède des propriétés précises, comme sa couleur ou la taille de son moteur. Pour modifier sa couleur en langage VB, il suffirait d'écrire :

```
Voiture.Couleur = Bleu
```

Ici, l'objet est représenté par Voiture, et la propriété à modifier par Couleur. Jaune est la nouvelle valeur de la propriété Couleur.

Nous pouvons aussi appliquer à notre voiture des méthodes comme « débrayer » ou « passer une vitesse ». Pour débrayer en langage VB, il suffirait d'écrire :

```
Voiture.Débrayer
```

Une méthode est donc une action que l'on applique à un objet. Dans notre exemple, on applique la méthode Débrayer à l'objet Voiture.

Certaines méthodes nécessitent des paramètres. Pour passer la deuxième vitesse en langage VB, il suffirait d'écrire :

```
Voiture.PasserVitesse(2)
```

Propriétés des objets

Les propriétés définissent les caractéristiques des objets. Chaque objet possède une ou plusieurs propriétés, parfois aucune.

Pour connaître les propriétés d'un objet, vous devez consulter l'Aide en ligne.

Modifier les propriétés des objets

Le contenu d'une cellule est déterminé par la propriété Formula. Le code suivant modifie cette propriété pour une plage de cellules :

```
Range("A1:B3").formula = "Poche Micro"
```

Étant donné que notre plage désigne plusieurs cellules, toutes les cellules contiendront le même texte. Notez qu'il n'est pas nécessaire de sélectionner la plage au préalable, car ses références apparaissent dans la collection Range. Par contre, puisqu'on ne sélectionne pas la feuille, c'est la plage A1:B3 de la feuille active qui est modifiée.

Si on sélectionne une plage de cellules, il n'est pas nécessaire de la préciser à chaque nouvelle ligne de code VB. On peut alors utiliser la propriété Selection de l'objet Application. Cette propriété retourne les références de l'objet sélectionné, comme la plage A1:B3 dans l'exemple qui suit :

```
Range("A1:B3").Select
Selection.RowHeight = 40
Selection.ColumnWidth = 15
```

La propriété RowHeight définit la hauteur des lignes, en points. La propriété ColumnWidth définit la largeur des colonnes, en nombre de caractères (style Normal).

Méthodes des objets

Les méthodes appliquent des actions aux objets. Chaque objet possède une ou plusieurs méthodes, parfois aucune. Comme pour les propriétés, utilisez l'Aide en ligne pour connaître les méthodes applicables à un objet.

Appliquer des méthodes aux objets

Pour appliquer une méthode sans argument, il suffit d'ajouter le nom de la méthode au nom de l'objet, en séparant les deux par un point. L'exemple suivant demande un aperçu avant impression de la plage de cellules actuellement sélectionnée :

```
Selection.PrintPreview
```

Arguments et arguments nommés

Pour définir les arguments des méthodes, il existe deux solutions. Prenons comme exemple la méthode AutoFormat qui applique un format automatique à une plage de cellules (menu **Format → Mise en forme automatique** dans Excel).

Première solution

La méthode AutoFormat de l'objet Range possède sept arguments. Le premier définit le type de format automatique. C'est un argument obligatoire. Les six autres indiquent si la mise en forme doit être appliquée (nombre, police, alignement, *etc.*, comme dans la boîte de dialogue Mise en forme automatique). Ces arguments sont facultatifs. Si on veut préciser seulement le septième argument, il faut encadrer de virgules tous les arguments non définis jusqu'à l'argument final. La syntaxe serait alors :

```
 Range("A1:B3").AutoFormat
xlRangeAutoFormatColor2, , , , , , False
```

Seconde solution

Chaque argument possède un nom. On les appelle des arguments nommés. L'ordre dans lequel ils apparaissent n'a plus d'importance. On les sépare de la valeur de l'argument par les signes deux-points et égale. Les parenthèses sont supprimées. Les arguments sont séparés par des points-virgules :

```
 Range("A1:B3").AutoFormat
Format:=xlRangeAutoFormatColor2, Width:=False
```

Saisir une nouvelle procédure

Nous avons utilisé jusqu'à présent l'enregistreur de macros. Mais vous pouvez créer de toutes pièces votre propre procédure dans VB. Suivez ces quelques étapes (elles seront développées dans le chapitre 15) :

1 Dans la fenêtre Projet, double-cliquez, dans l'arborescence, le nom du module qui correspond au classeur devant contenir la procédure.

2 Si le classeur ne propose pas de module, cliquez le nom du classeur dans l'arborescence de la fenêtre Projet, par exemple VBAProject (Classeur1), puis cliquez le menu **Insertion → Module**.

3 Dans la fenêtre de module (figure 14-5), tapez sub, puis le nom de la procédure (MacroTest dans l'exemple). Ce nom apparaîtra dans la boîte de dialogue Macro d'Excel (menu **Outils → Macro → Macros**). Validez la ligne avec la touche **Entrée**.

Note Il n'est pas nécessaire de saisir les parenthèses après le nom de la procédure. VB se charge de les ajouter. Tapez les mots clés en minuscules. Dès validation avec **Entrée**, VB ajoute des majuscules aux mots clés reconnus. Cela permet de vérifier immédiatement la syntaxe. Dans notre exemple, le mot clé **sub** devient automatiquement **Sub**. VB ajoute aussi automatiquement l'instruction End Sub à la fin de la procédure.

4 Saisissez le code de la procédure comme dans un traitement de texte.

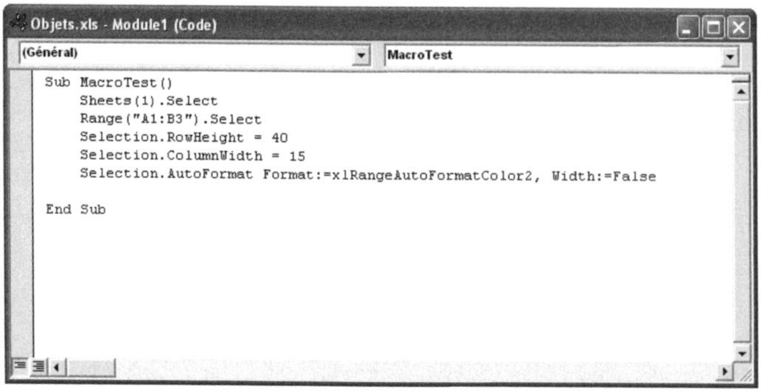

Objets.xls - Module1 (Code)

(Général) MacroTest

```
Sub MacroTest()
    Sheets(1).Select
    Range("A1:B3").Select
    Selection.RowHeight = 40
    Selection.ColumnWidth = 15
    Selection.AutoFormat Format:=xlRangeAutoFormatColor2, Width:=False

End Sub
```

Figure 14-5 Saisie d'une nouvelle procédure dans la fenêtre de module.

Les modules sont enregistrés en même temps que les classeurs. Vous pouvez à tout moment sauvegarder vos procédures en cliquant le bouton dans la barre d'outils.

Exécuter une procédure à partir d'un module

Sans revenir à Excel, vous pouvez exécuter directement une procédure pour la tester. Voici trois solutions possibles :

1 Cliquez n'importe quelle ligne de la procédure pour y placer le curseur.

2 Cliquez le menu Exécution → Exécuter Sub/UserForm.

ou

Appuyez sur la touche F5.

ou encore

Cliquez le bouton dans la barre d'outils.

La procédure est exécutée. Si vous voulez voir le résultat dans la feuille de calcul, appuyez sur **Alt+F11** pour afficher Excel.

Chapitre 15

Le langage Visual Basic

Pour accéder à la programmation, Excel utilise Visual Basic. Ce langage est commun à tous les produits de Microsoft Office (Word, Access, PowerPoint, *etc.*). Ce chapitre vous fait découvrir les bases essentielles de ce langage : variables, tableaux, instructions de décision et de boucle. Il se termine par la gestion des erreurs qui peuvent apparaître dans les procédures.

Dans ce chapitre

- Modules et procédures
- Variables et tableaux
- Instructions de décision
- Instructions de boucle
- Gestion des erreurs

Feuilles de module

Les feuilles de module contiennent uniquement du code. Elles servent à écrire des programmes réutilisables dans plusieurs classeurs. En exportant ces programmes, vous pourrez aussi les utiliser dans les applications qui exploitent le langage VB (Visual Basic, Access, Word, *etc.*).

Pour gérer Excel et Visual Basic, vous pouvez utiliser la barre d'outils prévue à cet effet :

1 Dans Excel, cliquez avec le bouton droit sur n'importe quelle barre d'outils.

2 Cliquez **Visual Basic** dans le menu contextuel.

Figure 15-1 Barre d'outils Visual Basic.

Cette barre permet d'exécuter une macro, d'enregistrer une macro, de définir les options de sécurité, *etc.*

3 Cliquez dans la barre d'outils Visual Basic pour ouvrir l'éditeur de VB.

4 Cliquez le menu **Insertion → Module** pour ajouter un nouveau module à votre classeur.

Une nouvelle feuille de module est prête à recevoir le code VB.

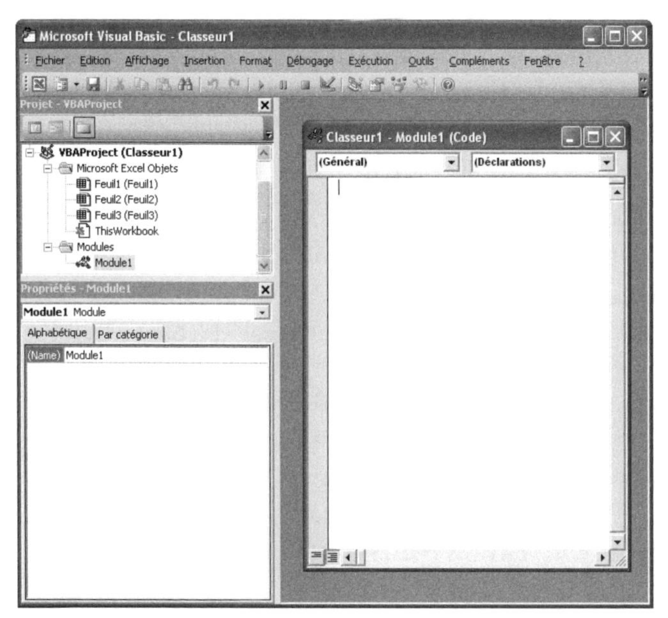

Figure 15-2 Éditeur Visual Basic.

Procédures

Le code VB est regroupé dans des blocs appelés « procédures ». Chaque procédure porte un nom qui la distingue. Ce nom est constitué de caractères alphanumériques et du signe souligné (les espaces sont interdits). Ce nom doit commencer par une lettre et ne doit pas dépasser 255 caractères.

Déclaration

Étant donné qu'une procédure peut en appeler une autre, leur déclaration peut être précédée des mots clés suivants :

- **Public** : la procédure est accessible par toutes les procédures du projet. Pris par défaut, ce mot clé peut être omis.

- **Private** : la procédure est accessible uniquement par les procédures du même module (une procédure peut en appeler une autre). Des procédures portant le même nom peuvent se trouver dans des modules différents.

Ajouter une procédure

Dès que vous avez besoin d'écrire du code, vous devez créer une nouvelle procédure dans la feuille de module :

1 Cliquez dans la fenêtre du module (figure 15-3).

2 Tapez **sub SaisieMessage**, puis pressez la touche **Entrée** pour valider.

VB ajoute l'instruction de fin de procédure End Sub et met en bleu les mots clés qu'il a reconnus.

Nous utiliserons cette procédure comme exemple dans les pages qui suivent.

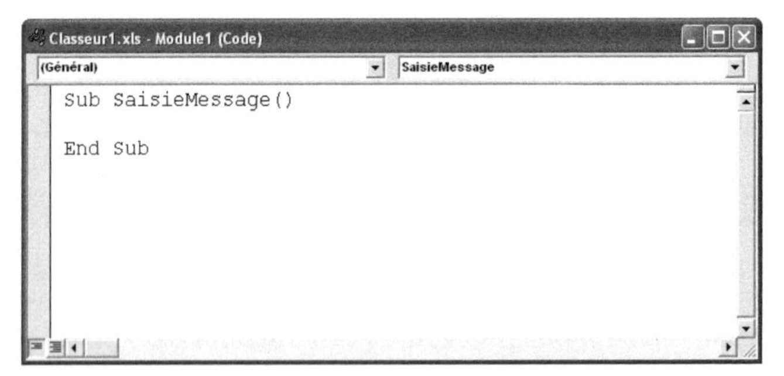

Figure 15-3 Nouvelle procédure dans une feuille de module.

Vous pouvez accéder directement à une procédure en la sélectionnant dans la liste en haut à droite de la feuille du module.

Remarques

L'apostrophe permet d'ajouter des remarques dans le code. Les lignes de remarques sont ignorées à l'exécution. Pour qu'une procédure soit compréhensible plusieurs mois après

sa conception, il est indispensable d'ajouter des commentaires. Ne négligez pas les remarques.

Dans notre exemple nous ajoutons la remarque suivante :

```
'Saisie du nom de l'utilisateur
```

Les lignes de commentaires sont affichées en vert, ce qui permet de les distinguer rapidement du reste du code.

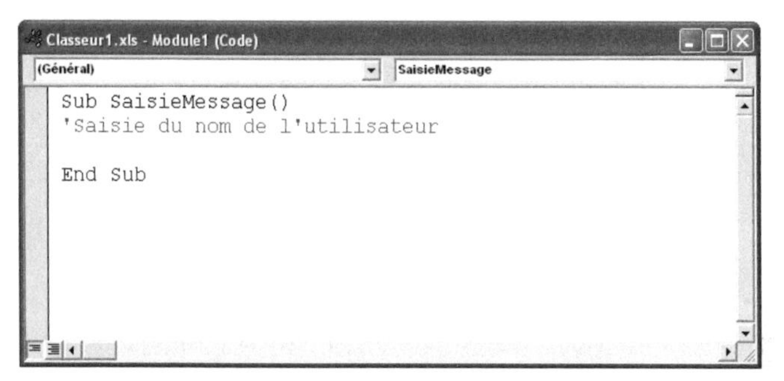

Figure 15-4 Ajout d'une remarque dans une procédure

Variables

Les variables permettent de stocker des valeurs intermédiaires. Ce sont des zones dans la mémoire de l'ordinateur qui peuvent contenir des valeurs (nombres, textes, dates, *etc.*) et que l'on appelle à partir d'un nom. C'est vous qui définissez leur nom et leur contenu.

Les variables contiennent les types de données du tableau 15-1 :

Type	Type de valeur
Byte	Entier de 0 à 255
Boolean	True ou False (vrai ou faux)
Integer	Entier de –32 768 à 32 767
Long	Entier de –2 147 483 648 à 2 147 483 647
Single	Valeur à virgule flottante en simple précision

Type	Type de valeur
Double	Valeur à virgule flottante en double précision
Currency	Monétaire de –922 337 203 685 477,580 8 à 922 337 203 685 477,580 7
Date	Du 1er janvier 100 au 31 décembre 9999
Object	Référence à des objets
String	Chaînes de 0 à 2 milliards de caractères
Variant	Tout type de valeur numérique ou chaîne de caractères

Tableau 15-1 Types de données des variables.

Si l'on utilise une variable sans la déclarer, elle prend le type Variant. Avec ce type particulier, c'est VB qui détermine le type en fonction du contenu.

Les noms des variables suivent les mêmes règles que les noms des procédures.

Déclaration des variables

Les variables se déclarent avec la syntaxe suivante :

```
Dim nom_de_la_variable As type
```

Voici quelques syntaxes de déclaration :

```
Dim variable1 As Integer
Dim variable2 As String
```

Voici quelques syntaxes d'affectation de valeurs à des variables :

```
variable1 = 54321
variable2 = "Une chaîne de caractères"
variable3 = #14/11/2005#
```

Pour ce dernier exemple, la variable n'a pas été déclarée. Elle est de type Variant. Les signes « dièse » indiquent une valeur de types date ou heure.

Pour notre exemple, nous ajoutons la déclaration suivante :

```
dim Réponse as string
```

Note Notez que nous n'ajoutons pas de majuscules dans les mots clés pour vérifier que VB les reconnaît. Toutes les lignes doivent être validées avec la touche **Entrée**.

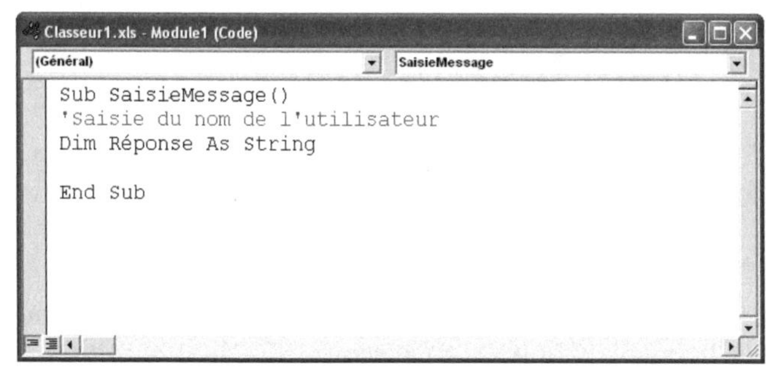

Figure 15-5 Déclaration d'une variable dans une procédure

Tableaux

Les tableaux sont des variables contenant plusieurs valeurs. On accède à chaque élément d'un tableau en précisant son numéro d'index. Les tableaux peuvent avoir plusieurs dimensions. Il faut préciser autant de numéros d'index qu'il y a de dimensions. Les tableaux doivent être déclarés.

Voici quelques syntaxes de déclaration de tableaux :

```
Dim tableau1(9) As Date
Dim tableau2(99,49) As String
```

Voici quelques syntaxes d'affectation de valeurs à des tableaux :

```
tableau1(1) = #15/02/05#
tableau1(2) = #16/02/05#
tableau2(1;1) = "Laurel"
tableau2(1;2) = "Hardy"
```

Le « tableau1 » a une seule dimension de dix éléments (de 0 à 9). La première valeur du tableau contient la date du 15/2/2005 et la seconde celle du 16/2/2005.

Le « tableau2 » a deux dimensions, la première de cent et la seconde de cinquante, soit 5 000 éléments au total. VB réserve de la place pour les tableaux. Déclarez uniquement la taille nécessaire pour ne pas encombrer la mémoire.

Fonction ou instruction ?

Les fonctions et les instructions VB exécutent des actions. Les fonctions retournent des valeurs alors que les instructions exécutent simplement des actions. On peut les comparer aux déclarations Function et Sub des procédures.

On peut facilement comprendre la différence entre une fonction et une instruction en analysant la fonction InputBox et l'instruction MsgBox.

InputBox et MsgBox

La fonction **InputBox** demande une valeur à l'utilisateur *via* une boîte de dialogue. Étant donné qu'il s'agit d'une fonction, il faut préciser le nom de la variable qui doit recevoir la donnée saisie.

Quand on utilise une fonction dans une cellule d'une feuille de calcul, la cellule affiche le résultat de cette fonction. Dans VB, le résultat est conservé par une variable.

Pour notre exemple, demandons le nom de l'utilisateur :

```
Réponse = inputbox("Tapez votre nom","Votre
nom")
```

Le signe égale indique une affectation. On affecte au contenu de la variable **Réponse** le résultat saisi par l'utilisateur avec la fonction **InputBox**.

Les deux arguments de la fonction sont des textes affichés dans la boîte et dans la barre de titre, comme l'indique la syntaxe dans l'info-bulle dès que vous tapez la première parenthèse (figure 15-6).

Les arguments en gras sont obligatoires. Ceux entre crochets sont facultatifs. Les mots clés **As String** indiquent que la fonction retourne une chaîne de caractères.

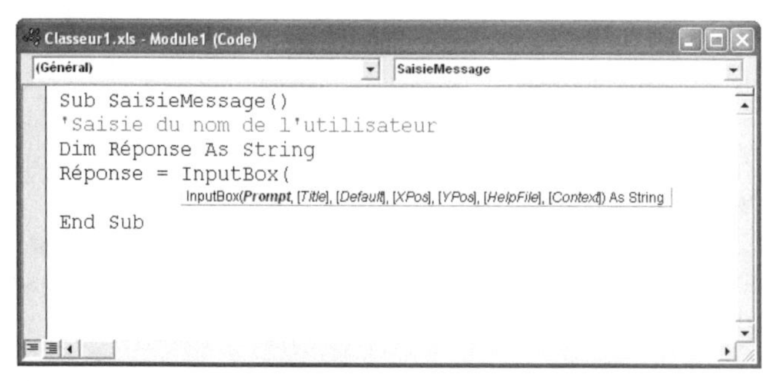

Figure 15-6 Saisie d'une valeur avec la fonction InputBox.

L'instruction **MsgBox** fait apparaître un message dans une boîte de dialogue. Étant donné qu'il s'agit d'une instruction, **MsgBox** se contente d'afficher un message et ne demande pas de valeur en retour.

Dans notre exemple, nous allons afficher le nom de l'utilisateur, contenu dans la variable Réponse, ainsi que la date actuelle :

```
msgbox Réponse & ", nous sommes le " & Date
```

Comme dans les formules d'Excel, le symbole **&** permet d'additionner des chaînes de caractères. La fonction **Date** retourne la date actuelle fournie par l'ordinateur.

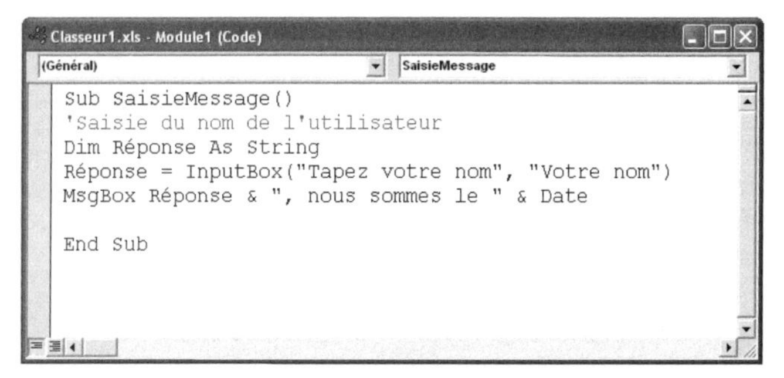

Figure 15-7 Affichage d'un message avec l'instruction MsgBox.

Pour tester la procédure, il suffit d'y placer le curseur puis d'appuyer sur la touche **F5**.

La fonction **InputBox** ouvre une boîte de dialogue pour demander une valeur et l'affecter à la variable Réponse (figure 15-8).

Figure 15-8 Boîte affichée par la fonction InputBox.

Lorsque la boîte est validée avec **Entrée** ou le bouton **OK**, l'instruction **MsgBox** affiche une autre boîte avec le contenu de la variable Réponse et la date du jour (figure 15-9).

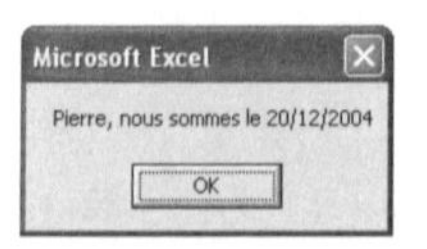

Figure 15-9 Message affiché par l'instruction MsgBox.

La fonction **InputBox** et l'instruction **MsgBox** sont très utiles dans les procédures, car elles permettent de faire intervenir l'utilisateur et de retourner des messages.

Instructions de décision

Avec les instructions de décision, vous pouvez choisir l'orientation et le résultat de vos procédures en fonction de tests, ce qui est impossible avec une macro enregistrée si elle n'est pas modifiée.

If Then Else

L'instruction de décision **If** permet de faire des choix à l'intérieur d'une procédure. Elle utilise la syntaxe suivante :

```
If condition Then instructions Else
instructions
```

Elle peut aussi s'écrire sur plusieurs lignes :

```
If condition Then
        instructions
    ElseIf condition Then
        instructions
    Else
        instructions
End If
```

Les instructions **Else** et **ElseIf** sont facultatives. On peut ajouter autant d'instructions **ElseIf** que nécessaire. La syntaxe sur plusieurs lignes est toujours plus claire ; il est donc préférable de l'utiliser.

Note L'instruction **If** est comparable à la fonction SI utilisée dans les formules des feuilles de calcul Excel.

L'exemple qui suit recherche l'emplacement d'un dossier en fonction d'une date saisie par l'utilisateur (figure 15-10).

Pour plus de clarté, les lignes sont décalées avec la touche **Tab** à l'intérieur de l'instruction **If...End If**. Ces tabulation n'ont aucune incidence sur le déroulement du programme.

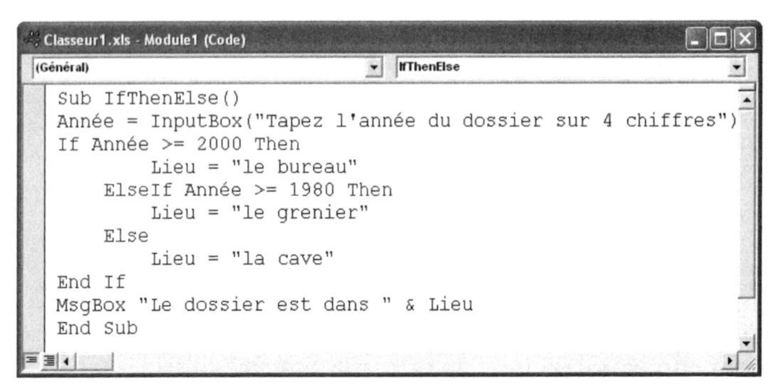

Figure 15-10 Exemple d'instruction If.

Après la saisie avec la fonction **InputBox**, le premier test **If** détermine si la réponse est supérieure ou égale à 2000. Si c'est le cas, la procédure place le texte « le bureau » dans la variable Lieu.

Si ce n'est pas le cas, l'instruction **ElseIf** qui suit teste si la réponse est supérieure ou égale à 1980. Si oui, la procédure place le texte « le grenier » dans la variable Lieu.

Si les deux cas précédents n'ont pas été validés, l'instruction **Else** qui suit place le texte « la cave » dans la variable Lieu.

L'instruction **MsgBox** affiche le contenu de la variable Lieu.

Select Case

L'instruction de décision **Select** permet de faire des choix à l'intérieur d'une procédure. Elle simplifie l'instruction **If** quand on utilise plusieurs **ElseIf**. La syntaxe est la suivante :

```
Select Case expression numérique ou chaîne
    Case liste d'expressions
        instructions
    Case Else
        instructions
End Select
```

On peut ajouter autant d'instructions **Case** que nécessaire. Les arguments **Liste d'expressions** sont des valeurs à comparer avec l'expression du **Select Case**. Plusieurs expressions

sont séparées par une virgule, et les plages d'expressions par le mot clé **To**. L'instruction **Case Else** est facultative.

L'exemple qui suit affiche un message en fonction de l'heure actuelle.

Classeur1.xls - Module1 (Code)

(Général) | SelectCase

```
Sub SelectCase()
Select Case Hour(Time)
    Case 0 To 6
        Message = "Bonne nuit..."
    Case 7
        Message = "Bonjour..."
    Case 8 To 11
        Message = "Bonne matinée..."
    Case 12, 13
        Message = "Bon appétit..."
    Case 14 To 19
        Message = "Bon après-midi..."
    Case Else
        Message = "Bonne soirée..."
End Select
MsgBox Message
End Sub
```

Figure 15-11 Exemple d'instruction Select Case.

La fonction **Time** retourne l'heure actuelle (heures, minutes et secondes), et la fonction **Hour** retourne uniquement les heures. Ces deux fonctions assemblées retournent donc une valeur entre 0 et 23. C'est cette valeur qui est testée par l'instruction **Select Case** de l'exemple. Les instructions **Case** testent les valeurs suivantes :

- **Case** 0 **To** 6 : on teste la plage de 0 à 6 h.
- **Case** 7 : on teste uniquement s'il est 7 h.
- **Case** 12, 13 : on teste s'il est 12 h ou 13 h.
- **Case** 14 **To** 19 : on teste la plage de 14 à 19 h.
- **Case Else** : pour tous les autres cas.

Dès qu'une condition est remplie, on affecte un texte particulier à la variable Message. Cette dernière est affichée avec l'instruction MsgBox.

Instructions de boucle

Les instructions de boucle répètent plusieurs fois un même groupe d'instructions.

For Next

L'instruction **For...Next** exécute une ou plusieurs instructions un nombre de fois précis. Elle s'utilise avec la syntaxe suivante :

```
For compteur = début To fin Step incrément
    instructions
Next compteur
```

La variable Compteur va passer de la valeur de début à la valeur de fin en augmentant à chaque boucle de la valeur de l'incrément. Début, fin et incrément sont des variables ou des valeurs numériques. Si **Step** n'est pas précisé, incrément prend par défaut la valeur 1.

On peut imbriquer plusieurs boucles, comme l'illustre l'exemple des tables de multiplication (figure 15-12).

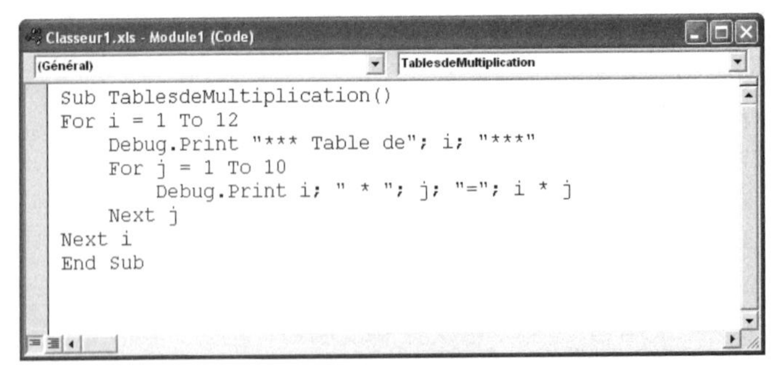

Figure 15-12 Exemple d'instruction For Next.

La première boucle avec la variable i correspond aux dix tables de multiplication. La seconde boucle avec la variable j correspond aux dix valeurs de chaque table.

La méthode Print appliquée à l'objet Debug affiche des données dans une fenêtre particulière de VB (voir paragraphe

Fenêtre Exécution). Pour afficher cette dernière, pressez les touches **Ctrl+G**.

La fenêtre apparaît soit ancrée en bas de l'écran, soit en tant que fenêtre indépendante (figure 15-13).

Note Pour déplacer cette fenêtre, faites glisser sa barre de titre.

```
Exécution
*** Table de 1 ***
 1  *  1 = 1
 1  *  2 = 2
 1  *  3 = 3
 1  *  4 = 4
 1  *  5 = 5
 1  *  6 = 6
 1  *  7 = 7
 1  *  8 = 8
 1  *  9 = 9
 1  *  10 = 10
*** Table de 2 ***
 2  *  1 = 2
 2  *  2 = 4
 2  *  3 = 6
 2  *  4 = 8
 2  *  5 = 10
 2  *  6 = 12
 2  *  7 = 14
 2  *  8 = 16
 2  *  9 = 18
 2  *  10 = 20
*** Table de 3 ***
```

Figure 15-13 Fenêtre d'exécution de Visual Basic.

Do Loop

L'instruction Do...Loop est un mélange d'instructions de décision et d'instructions de boucle. La boucle est exécutée indéfiniment jusqu'au moment où la condition devient vraie (mot clé **Until**) ou tant que la condition reste vraie (mot clé **While**). Voici sa syntaxe :

```
Do Until | While condition
    instructions
Loop
```

Si vous avez choisi **Until** et que la condition soit déjà vraie, la boucle n'est jamais exécutée.

De même, si la condition est fausse au départ, la boucle n'est jamais exécutée avec **While**.

Pour que la boucle soit exécutée au moins une fois, il faut placer **Until** ou **While** après l'instruction **Loop**.

La procédure qui suit demande une date quelconque. Tant que cette date ne correspond pas à un dimanche, on demande une nouvelle date (figure 15-14).

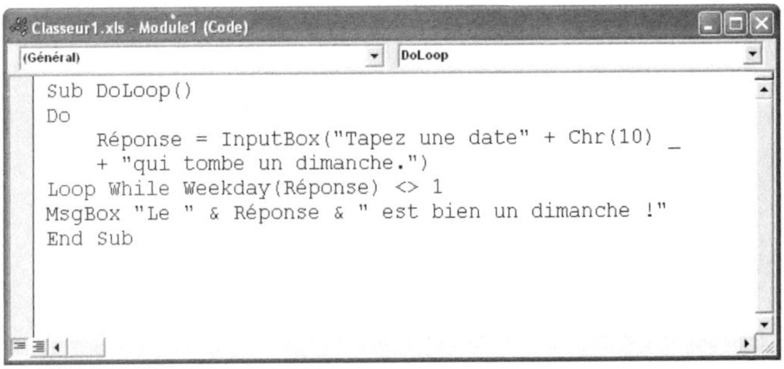

```
Classeur1.xls - Module1 (Code)
(Général)                    DoLoop
Sub DoLoop()
Do
    Réponse = InputBox("Tapez une date" + Chr(10) _
    + "qui tombe un dimanche.")
Loop While Weekday(Réponse) <> 1
MsgBox "Le " & Réponse & " est bien un dimanche !"
End Sub
```

Figure 15-14 Exemple d'instruction Do Loop.

On demande à l'utilisateur une date à l'aide de la fonction **InputBox**. Étant donné que cette ligne de code est très longue, elle n'est pas entièrement visible à l'écran. Le caractère de continuité permet de séparer une ligne logique en deux lignes physiques ou plus. Pour ajouter un caractère de continuité, appuyez sur la barre d'espacement, sur la touche de soulignement (_), puis sur la touche **Entrée**.

Attention! Il n'est pas possible d'ajouter un caractère de continuité à l'intérieur d'une chaîne de caractères. Par exemple, pour le message de la fonction **InputBox**, le caractère de continuité ne peut pas être inséré entre les mots « qui » et « tombe ».

Pour changer de ligne dans le message de la fonction InputBox, il suffit d'ajouter le caractère ANSI 10 avec la fonction **Chr**.

Note La fonction **Chr** correspond à la fonction Excel **CAR**.

Figure 15-15 Message sur deux lignes dans une fonction InputBox.

La fonction **WeekDay** retourne le numéro de la semaine d'une date (1 pour dimanche, 2 pour lundi, *etc.*). L'instruction **Loop While** teste si la fonction **WeekDay** ne retourne pas la valeur 1. Si c'est le cas, le programme retourne à l'instruction **Do**. Si ce n'est pas le cas (**WeekDay** retourne 1, donc un dimanche), le programme se poursuit sur la ligne suivante et affiche un message avec l'instruction **MsgBox**.

Note La fonction **WeekDay** correspond à la fonction Excel **JOURSEM**.

Comme le montre le programme, on peut indifféremment utiliser le symbole & ou le signe + pour concaténer des chaînes de caractères.

Portée des variables

Dès qu'une procédure se termine avec l'une des instructions **End Sub** ou **End Function**, le contenu des variables est supprimé. Ce sont des variables locales.

Pour que le contenu des variables soit conservé, il faut les déclarer au niveau du module et non dans une procédure. De plus, leur contenu sera accessible par toutes les procédures. Ce sont des variables de type Public.

Conseil Pour mieux comprendre et tester le fonctionnement des variables et l'appel à d'autres procédures, saisissez les exemples qui suivent.

Pour ajouter une variable Public, donc en dehors d'une procédure :

1 Sélectionnez **(Déclarations)** dans la liste en haut à droite de la fenêtre du module.
2 Tapez, au début du module, Public nom_variable As type (Public variable1 As Integer dans l'exemple de la figure 15-16).

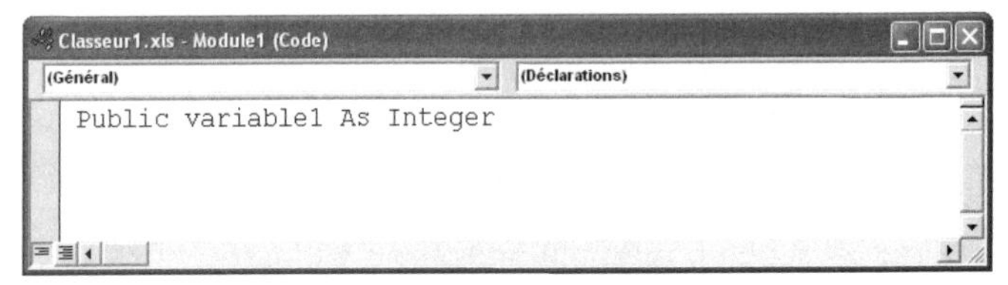

Figure 15-16 Déclaration d'une variable Public.

Appel d'une autre procédure

Une procédure peut en appeler une autre. Cela évite de retaper du code existant.

Note L'objectif dans les exemples est de changer de procédure pour observer le contenu des variables et vérifier leur portée.

Dans la procédure de la figure 15-17, on déclare deux variables appelées variable1 et variable2. Notez que variable1 est une variable Public déclarée précédemment (figure 15-16).

On appelle ensuite la procédure TablesDeMultiplication de la figure 15-12. Il suffit pour cela de donner son nom dans le code.

Classeur1.xls - Module1 (Code)

(Général) | Principale

```
Sub Principale()
variable1 = 5
variable2 = 10
TablesdeMultiplication

End Sub
```

Figure 15-17 Appel d'une autre procédure.

Mode Pas à pas

Quand on lance un projet, toutes les instructions sont exécutées les unes après les autres. Si le code contient une erreur de logique, il est difficile de déterminer au niveau de quelle ligne elle se produit.

La méthode « Pas à pas » permet de suspendre l'exécution à chaque ligne pour vous laisser le temps d'examiner le résultat.

Exécuter un projet en mode Pas à pas

Pour gérer l'exécution des procédures, VB propose une barre d'outils (figure 15-18) :

1 Cliquez avec le bouton droit sur la barre d'outils principale de VB.

2 Cliquez **Débogage** pour cocher l'option et afficher cette barre d'outils.

Figure 15-18 Barre d'outils Débogage.

3 Cliquez dans la procédure à tester (Principale dans notre exemple).

4 Cliquez le bouton dans la barre d'outils **Débogage**.

La première instruction de la procédure Principale est sélectionnée dans la fenêtre du module. Elle est surlignée en jaune et précédée d'une flèche. Ce sera la prochaine instruction exécutée.

5 Cliquez plusieurs fois le bouton pour sélectionner l'instruction qui appelle une autre procédure (TablesDeMultiplication dans notre exemple de la figure 15-19).

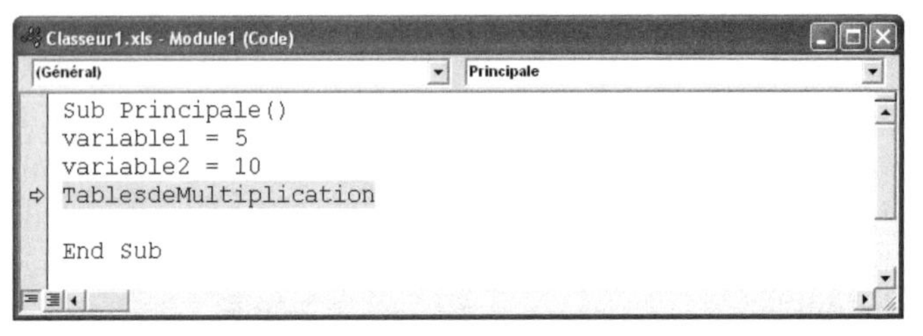

Figure 15-19 Mode Pas à pas.

6 Cliquez de nouveau le bouton .

Maintenant, c'est la première instruction de la procédure TablesDeMultiplication qui est sélectionnée.

7 Cliquez une vingtaine de fois le bouton pour initialiser les variables i et j des boucles.

Fenêtre Exécution

La fenêtre Exécution permet d'afficher des résultats pour la mise au point des programmes, de consulter le contenu des variables ou d'effectuer des calculs.

Exécuter des instructions VB directement

1 Éventuellement, pressez les touches **Ctrl+G** pour afficher la fenêtre Exécution.

L'instruction **Print** permet d'afficher des messages dans la fenêtre Exécution.

2 Tapez **print i,j** puis appuyez sur **Entrée** pour connaître le contenu de ces variables.

La fenêtre d'Exécution permet aussi d'effectuer directement des calculs. Le point d'interrogation peut remplacer la méthode **Print**.

3 Tapez **? 2*3.14159*10** puis pressez la touche **Entrée** pour effectuer ce calcul.

Vous pouvez aussi tester des instructions dans cette fenêtre.

4 Tapez **msgbox "la variable i contient " & i** puis pressez **Entrée** pour exécuter cette instruction.

```
Exécution
 1  *  7 = 7
 1  *  8 = 8
 1  *  9 = 9
 1  *  10 = 10
*** Table de 2 ***
 2  *  1 = 2
 2  *  2 = 4
 2  *  3 = 6
 2  *  4 = 8


print i,j
 2             5

? 2*3.14159*10
 62,8318

msgbox "la variable i contient " & i
```

Figure 15-20 Fenêtre Exécution.

VB affiche la boîte correspondant à l'instruction **MsgBox**.

5 Cliquez le bouton **OK** pour fermer la boîte Microsoft Excel.

Microsoft Excel

la variable i contient 2

OK

Figure 15-21 Instruction MsgBox réalisée à partir de la fenêtre Exécution.

Contenu des variables

À tout moment vous pouvez connaître le contenu des variables dans le code en cours d'exécution :

1 Pointez dans le code la variable dont vous voulez connaître le contenu (variable j du Next j dans notre exemple).

Une info-bulle affiche le contenu actuel de la variable j (figure 15-22).

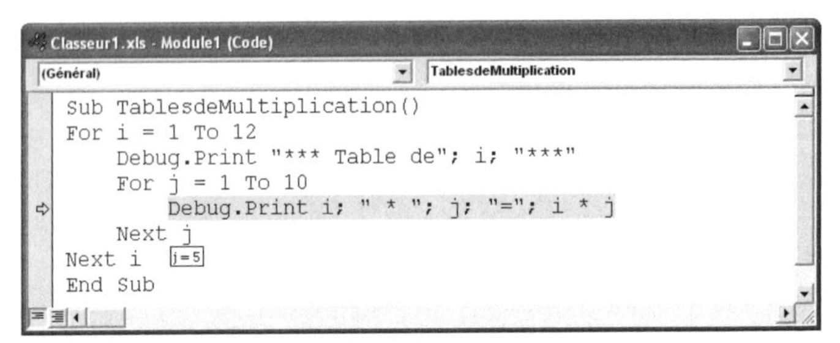

Figure 15-22 Contenu des variables dans le code.

Variables locales

VB dispose d'une fenêtre particulière pour connaître le contenu des variables :

1 Cliquez le bouton [icône] dans la barre d'outils **Débogage**.

La fenêtre qui s'affiche liste le contenu des variables de la procédure en cours.

2 Cliquez le signe + pour développer l'arborescence du module.

La fenêtre affiche le contenu des variables i et j, mais aussi celui de la variable1 car celle-ci est Public (niveau module). Notez que l'autre variable, variable2, n'est pas affichée car c'est une variable locale d'une autre procédure (figure 15-23).

Note Variable1 est de type Integer puisque nous l'avons déclarée comme telle. Les variables i et j sont de type Variant/Integer puisqu'elles ne sont pas déclarées.

Variables locales

VBAProject.Module1.TablesdeMultiplication

Expression	Valeur	Type
Module1		Module1/Module1
variable1	5	Integer
i	2	Variant/Integer
j	5	Variant/Integer

Figure 15-23 Contenu des variables de la procédure en cours.

3 Cliquez le bouton ... en haut à droite de la fenêtre Variables locales.

4 Double-cliquez le nom de la procédure qui a réalisé l'appel dans la liste **Pile des appels** (procédure Principale dans l'exemple de la figure 15-24).

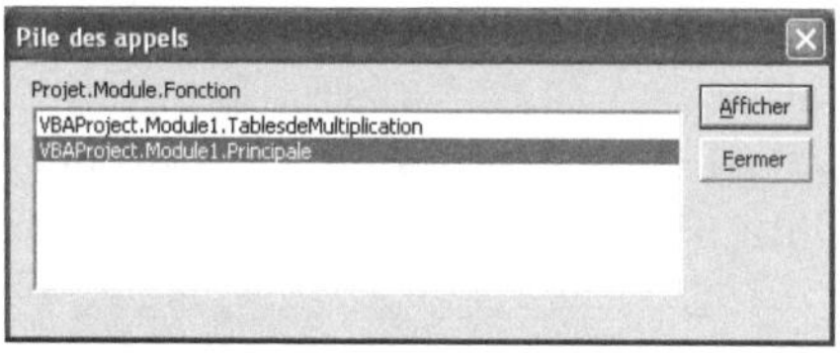

Figure 15-24 Choix de la procédure à consulter.

5 Cliquez le signe + pour développer l'arborescence du module.

La fenêtre affiche le contenu de variable2 (figure 15-25), mais aussi celui de variable1 car cette dernière est Public (niveau module).

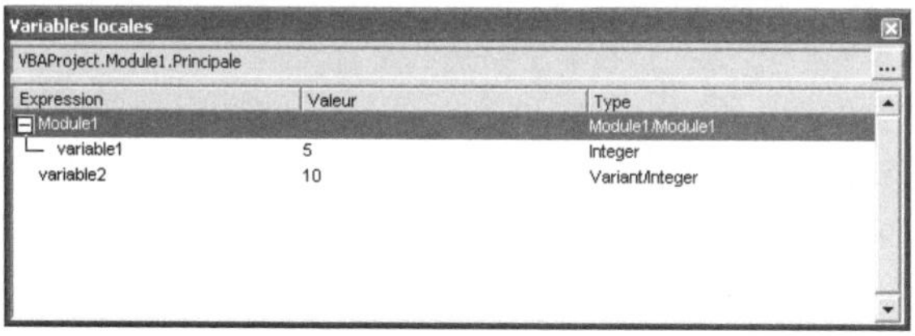

Figure 15-25 Contenu des variables d'une autre procédure.

La dernière ligne exécutée dans la procédure Principale est précédée de la flèche ▶ dans la fenêtre de module.

Poursuivre l'exécution

Même si vous êtes actuellement en mode Pas à pas, vous pouvez poursuivre l'exécution complète des procédures :

1 Cliquez le bouton ▶ dans la barre d'outils Débogage.

Le programme se déroule normalement et affiche le reste des tables.

Point d'arrêt

Pour éviter de vous arrêter sur toutes les lignes avant d'arriver à celles qui vous intéressent, vous devez poser un point d'arrêt :

1 Cliquez dans la marge en face de la ligne sur laquelle le programme doit s'arrêter.

   Un point marron en regard de la ligne indique la présence d'un point d'arrêt (figure 15-26).

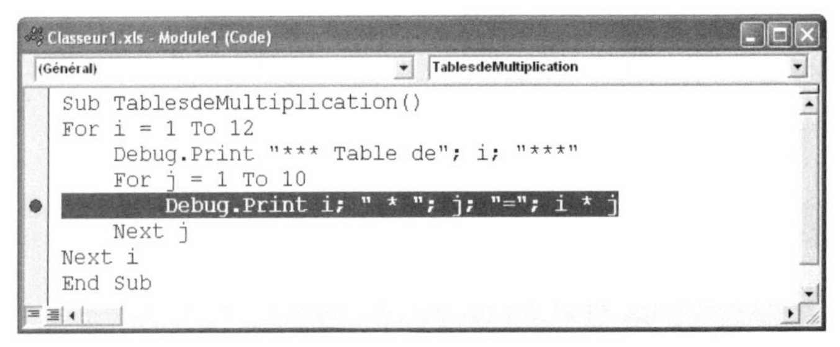

Figure 15-26 Point d'arrêt dans une procédure.

2 Exécutez la procédure.

   Le projet s'exécute normalement, puis il est stoppé au niveau du point d'arrêt.

3 Cliquez le bouton dans la barre d'outils Débogage pour exécuter les instructions une à une. Utilisez la fenêtre Exécution ou la fenêtre Variables locales.

4 Pour reprendre l'exécution, cliquez le bouton .

Si le programme passe de nouveau sur la ligne qui contient le point d'arrêt, la procédure est de nouveau stoppée.

Pour supprimer un point d'arrêt :

1 Cliquez dans la marge en face de la ligne qui contient le point d'arrêt.

2 Cliquez le bouton pour reprendre l'exécution.

Gestion des erreurs

Il existe trois types d'erreurs dans une procédure :

- Erreurs de syntaxe : elles sont détectées par VB quand vous appuyez sur la touche **Entrée** à la fin d'une ligne de code ou quand vous cliquez à un autre endroit. Vous pouvez donc les corriger immédiatement. La ligne qui contient une erreur est affichée en rouge.
- Erreurs de logique : elles sont plus difficiles à repérer. Pour les détecter, utilisez le mode Pas à pas et les fenêtres Exécution et Variables locales.
- Erreurs extérieures : elles résultent d'éléments extérieurs. Par exemple, vous demandez à lire un fichier sur disquette alors que le lecteur n'en contient pas, ou bien vous tapez un chiffre alors qu'une boîte de dialogue attend une date.

Pour illustrer la gestion d'erreur, reprenons la procédure IfThenElse de la figure 15-10.

Dans cette procédure, on demande une année sur quatre chiffres, donc un numérique. Si nous déclarons la variable Année en tant que nombre entier (Dim année As Integer), le programme générera une erreur si l'utilisateur tape un texte ou une date (figure 15-27).

Figure 15-27 Boîte d'erreur.

Si vous obtenez la boîte d'erreur de la figure 15-27, cliquez le bouton **Débogage** pour afficher la procédure.

La ligne coupable est surlignée en jaune.

La variable Année doit contenir un nombre entier alors que nous avons saisi du texte. Les deux valeurs sont incompatibles.

Pour gérer les erreurs nous avons modifié la procédure comme le montre la figure 15-28.

```
Classeur1.xls - Module1 (Code)
(Général)                         IfThenElse

Sub IfThenElse()
Dim Année As Integer
On Error GoTo ErreurIfThenElse
Début:
Année = InputBox("Tapez l'année du dossier sur 4 chiffres")
If Année >= 2000 Then
        Lieu = "la bibliothèque"
    ElseIf Année >= 1980 Then
        Lieu = "la cave"
    Else
        Lieu = "le bureau"
End If
MsgBox "Le dossier est dans " & Lieu
Exit Sub
ErreurIfThenElse:
If Err = 13 Then
        MsgBox "Vous devez taper un nombre"
        Resume Début
    Else
        MsgBox "Erreur n° : " & Err & Chr(10) _
            & "Erreur : " & Error(Err)
        Stop
End If
End Sub
```

Figure 15-28 Procédure avec une gestion d'erreur.

Voici la liste des éléments utilisés dans la procédure pour gérer les erreurs :

- **On Error GoTo** : cette instruction indique l'adresse de la procédure qui gère les erreurs. Elle est placée à l'endroit où doit commencer la gestion des erreurs, donc généralement au tout début de la procédure. Pour plus de simplicité, le code qui gère les erreurs est quant à lui placé à la fin de la procédure.
- **Début:** et **ErreurIfThenElse:** : ce sont des étiquettes qui indiquent le début de la procédure principale et le début de la procédure qui gère les erreurs. Elles permettent d'utiliser l'instruction **GoTo**. Pour éviter de les confondre avec un mot clé ou le nom d'une variable, les étiquettes sont immédiatement suivies d'un signe deux-points (:).
- **Exit Sub** : cette instruction évite que la procédure normale ne se poursuive par la procédure qui gère les erreurs

puisque le code est placé à la fin de la procédure (remplace **End Sub**).

- **Err** : cette fonction retourne le numéro de l'erreur.
- **Error()** : cette fonction retourne le message d'erreur en toutes lettres.
- **Resume** : cette instruction permet de revenir au programme après une erreur.
- **Stop** : cette instruction suspend la procédure pour le débogage.

Quand la procédure rencontre une erreur, elle est détournée vers la routine qui gère les erreurs avec l'instruction **On Error Goto** ErreurIfThenElse. On teste alors **Err** avec l'instruction **If** pour déterminer le type d'erreur. Si c'est l'erreur n° 13, type incompatible, on affiche un message pour indiquer à l'utilisateur qu'il doit saisir un nombre. On revient ensuite à l'étiquette Début avec l'instruction **Resume**.

Figure 15-29 Gestion de l'erreur connue de saisie.

L'erreur n° 13 est une erreur que nous avons prévue dans notre procédure. Mais il est possible que d'autres erreurs surviennent. C'est le rôle de **Else** dans l'instruction **If**. Toutes les autres erreurs passeront par l'instruction **MsgBox** qui affiche le numéro (**Err**) et le texte de l'erreur (**Error**), puis par l'instruction **Stop** qui suspend la procédure.

Figure 15-30 Gestion des autres erreurs.

Note Pour générer volontairement une erreur, nous avons ajouté l'instruction A=1/0 au début de la procédure (une division par 0).

Regrouper des actions

Il arrive bien souvent que l'on applique plusieurs méthodes et que l'on modifie plusieurs propriétés pour un même objet. L'instruction **With** évite de répéter les références de l'objet. Elle utilise la syntaxe suivante :

```
With objet
    méthodes et propriétés de l'objet (sans
le nom de l'objet)
End With
```

L'exemple de la figure 15-31 reprend la procédure MacroTest de la figure 14-5 du chapitre 14, en supprimant l'objet **Selection** grâce à l'instruction **With**.

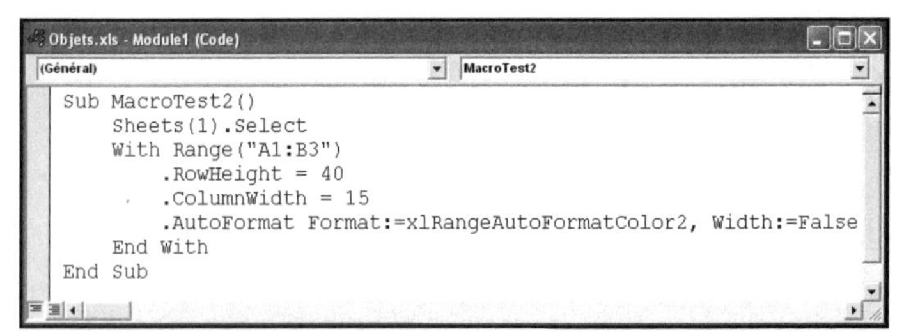

Figure 15-31 Utilisation de l'instruction With.

Avec cette nouvelle syntaxe, les propriétés et les méthodes comprises entre les instructions **With** et **End With** sont appliquées à l'objet **Plage**("A1:B3").

Options d'édition et d'affichage

Pour vous faciliter la saisie, VB propose quelques options :

1 Cliquez le menu **Outils → Options**.

2 Cliquez l'onglet **Format de l'éditeur**.

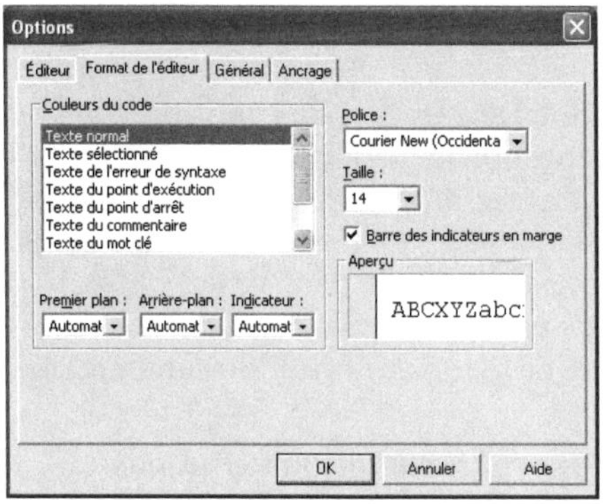

Figure 15-32 Options d'affichage.

La boîte de la figure 15-32 propose les options suivantes :

- **Police** et **Taille** : police et taille utilisées pour taper le code.
- **Couleurs du code** : sélectionnez une entrée dans la liste, puis sélectionnez la couleur **Premier plan**, la couleur **Arrière-plan** et la couleur **Indicateur de la marge** (un exemple est affiché dans la zone Aperçu).
- **Barre des indicateurs en marge** : pour afficher ou non la barre des indicateurs (point d'arrêt, ligne exécutée en mode Pas à pas, *etc.*).

3 Cliquez l'onglet **Éditeur**.

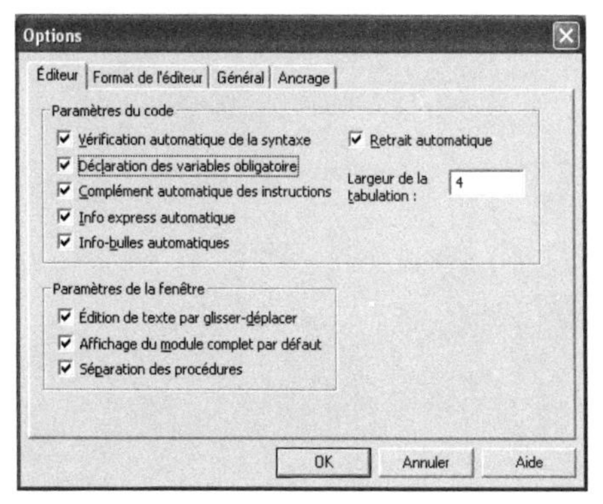

Figure 15-33 Options d'édition.

Toutes les options de la figure 15-33 définissent l'édition du code.

Si vous cochez l'option **Déclaration des variables obligatoire**, vous serez obligé de déclarer toutes les variables utilisées dans les procédures. Cette technique évite les erreurs de saisie et les confusions dans les noms. Nous vous conseillons de l'utiliser dans vos développements. Les variables ne sont pas déclarées dans les exemples de ce livre pour éviter de surcharger le texte.

4 Cliquez le bouton **OK** pour fermer la boîte Options.

Chapitre 16

Créer des fonctions personnalisées

Avec Visual Basic et les explications des chapitres précédents, vous pouvez réaliser vos propres fonctions. Ce chapitre vous présente les éléments essentiels pour la mise en œuvre des fonctions personnalisées : création, accès, enregistrement et utilisation. Quelques exemples complètent cette vue d'ensemble.

Dans ce chapitre

- Créer des fonctions personnalisées
- Utiliser les fonctions personnalisées
- Exemples de fonctions personnalisées

Les procédures de type Function sont utilisées dans les formules des cellules car elles retournent des valeurs.

Si vous désirez calculer le sinus d'un angle, vous utilisez la fonction SIN d'Excel. Mais si vous désirez obtenir le volume d'un cône, il n'existe pas de fonction Excel prédéfinie.

Créer une fonction personnalisée

L'exemple qui suit crée cette nouvelle fonction.

1 Tapez **Alt+F11** pour afficher l'Éditeur de Visual Basic.

2 Cliquez le menu **Insertion → Module** pour ajouter un module au projet.

3 Dans la feuille de module, tapez **function VolumeCône(Rayon, Hauteur)**.

   VolumeCône est le nom de la nouvelle fonction.

   Rayon et Hauteur sont les paramètres de la nouvelle fonction. Ils seront remplacés dans la formule d'une cellule par les valeurs réelles.

4 Tapez **'Calculer le volume d'un cône** pour ajouter un commentaire.

   Le volume d'un cône se calcule avec la formule suivante : (Pi*Rayon^2*Hauteur)/3.

   Pour que la fonction retourne une valeur, il suffit d'affecter cette valeur au nom de la fonction.

5 Tapez **VolumeCône = (Application.Pi*Rayon^2*Hauteur)/3**.

Classeur1 - Module1 (Code)

(Général) | VolumeCône

```
Function VolumeCône(Rayon, Hauteur)
'Calculer le volume d'un cône
VolumeCône = (Application.Pi * Rayon ^ 2 * Hauteur) / 3
End Function
```

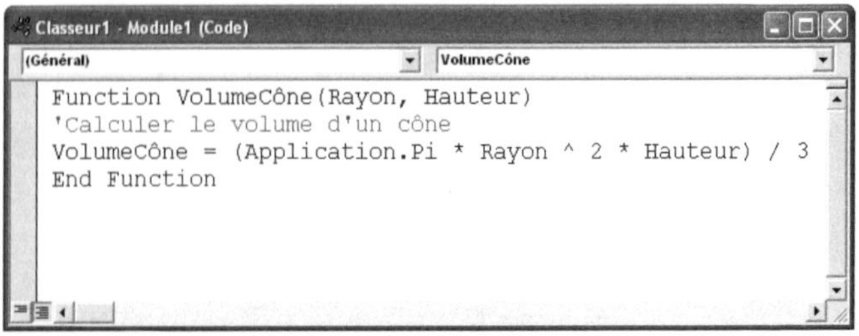

Figure 16-1 Code d'une fonction personnalisée.

Vous pouvez maintenant utiliser la fonction dans une feuille de calcul.

Utiliser une fonction personnalisée

Une fonction personnalisée s'utilise de la même manière que les fonctions intégrées.

1 Tapez **Alt+F11** pour afficher Excel.

2 Dans une cellule, tapez **=VolumeCône(4;6)**.

   Excel utilise la fonction personnalisée VolumeCône pour calculer le volume d'un cône de 4 mètres de rayon et de 6 mètres de hauteur et renvoie la valeur 100,530965.

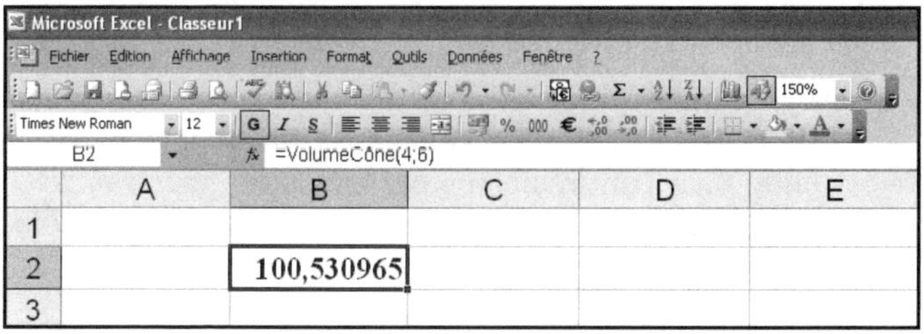

Figure 16-2 Fonction personnalisée dans une formule.

1 Cliquez le menu **Outils → Macro → Macros**.

   Comme il s'agit d'une fonction, la procédure **VolumeCône** n'apparaît pas dans la liste des macros.

Utiliser une fonction d'un autre classeur

Les fonctions personnalisées ne sont disponibles que dans le classeur où elles sont créées.

Pour utiliser une fonction d'un autre classeur, vous devez l'ouvrir et préciser le nom de ce classeur dans la formule. Si ce dernier n'est pas mentionné ou s'il n'est pas ouvert, la formule retourne l'erreur #NOM?.

Dans l'exemple de la figure 16-3, le classeur « Classeur2 » utilise la fonction VolumeCône du classeur « Classeur1 ».

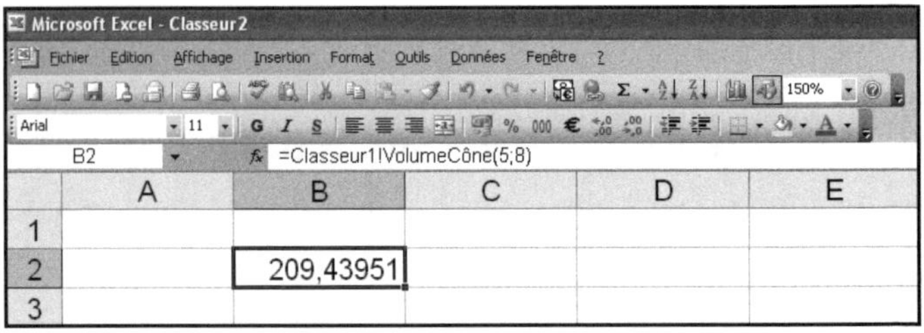

Figure 16-3 Fonction personnalisée d'un autre classeur dans une formule.

Utiliser le classeur personnel

Excel propose d'enregistrer vos macros dans un classeur personnel (option Classeur de macros personnelles de la liste Enregistrer une macro – consultez la figure 13-1).

Ce classeur, nommé PERSO.XLS est un classeur masqué. Il est créé la première fois que vous enregistrez une nouvelle macro avec l'option Classeur de macros personnelles. Pour y ajouter des fonctions personnalisées, il faut donc le créer au préalable.

1 Ouvrez un nouveau classeur.

2 Créez une nouvelle macro (menu **Outils → Macro → Nouvelle macro**) avec l'option **Classeur de macros personnelles** dans la liste **Enregistrer une macro**.

3 Effectuez quelques actions.

4 Fermer le classeur sans l'enregistrer.

5 Fermez Excel.

Une boîte vous demande d'enregistrer le classeur de macros personnelles (figure 16-4).

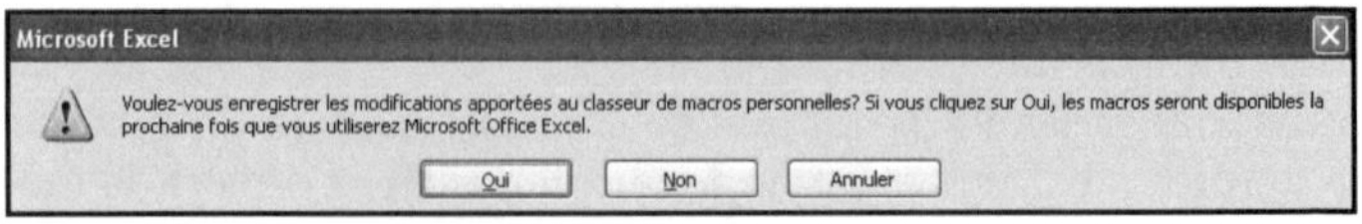

Figure 16-4 Création du classeur PERSO.XLS.

6 Cliquez le bouton **Oui** pour créer ce classeur.

Le classeur PERSO.XLS est ouvert systématiquement en même temps qu'Excel. Vous pouvez aussi y ajouter des fonctions personnalisées.

1 Tapez **Alt+F11** pour affiche l'Éditeur de Visual Basic.

Le classeur PERSO.XLS apparaît dans la fenêtre de projet (figure 16-5). Il contient la macro enregistrée précédemment dans le module Module1.

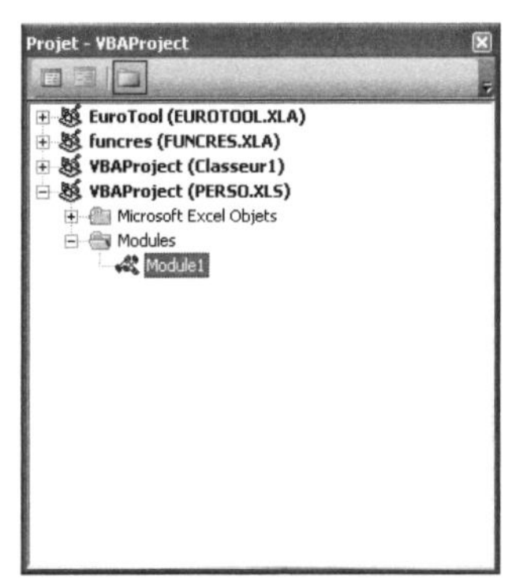

Figure 16-5 Classeur PERSO.XLS dans la fenêtre Projet.

2 Ajoutez vos fonctions personnalisées comme dans les autres classeurs.

Pour utiliser une fonction personnalisée de PERSO.XLS dans un autre classeur, il est nécessaire d'ajouter la référence comme dans l'exemple suivant :

```
= PERSO.XLS!VolumeCône(10;15)
```

Note Les macros enregistrées dans le classeur PERSO.XLS sont disponibles dans tous les classeurs.

Créer une macro complémentaire

Si vous ne désirez pas ajouter le nom du classeur dans les formules, vous devez créer une macro complémentaire contenant toutes vos nouvelles fonctions personnalisées.

1 Créez un nouveau classeur.

2 Dans Visual Basic, ajoutez vos fonctions personnalisées.

3 Si vous souhaitez verrouiller vos fonctions, cliquez le menu **Outils → Propriétés de...**, cliquez l'onglet **Protection** puis cochez l'option **Verrouiller le projet pour**

affichage. Saisissez deux fois un mot de passe, puis cliquez le bouton **OK**.

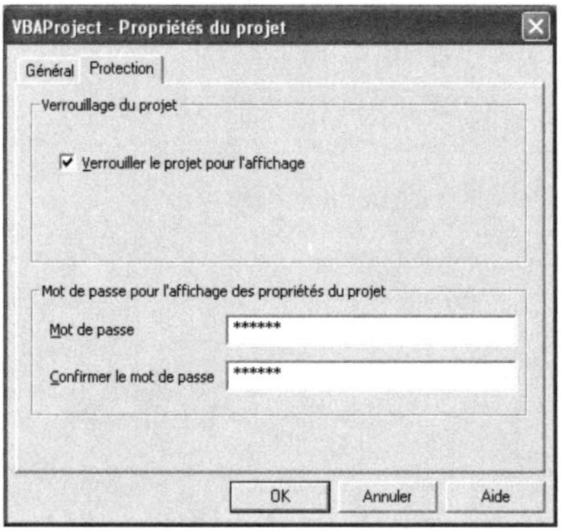

Figure 16-6 Verrouillage du projet.

4 Dans Excel, cliquez le menu **Fichiers → Propriétés**.

5 Tapez un titre et une description dans les zones correspondantes.

Note Ces informations sont utilisées dans la boîte Macro complémentaire (figure 16-9).

Figure 16-7 Descriptions de la macro complémentaire.

6 Cliquez le bouton **OK**.

7 Cliquez le menu **Fichier → Enregistrer sous**.

Vous devez préciser ici qu'il s'agit d'une macro complémentaire et non d'un simple classeur.

8 Dans la liste **Type**, sélectionnez **Macro complémentaire (*.xla)**.

9 Tapez un nom pour le classeur dans la zone **Nom de fichier**.

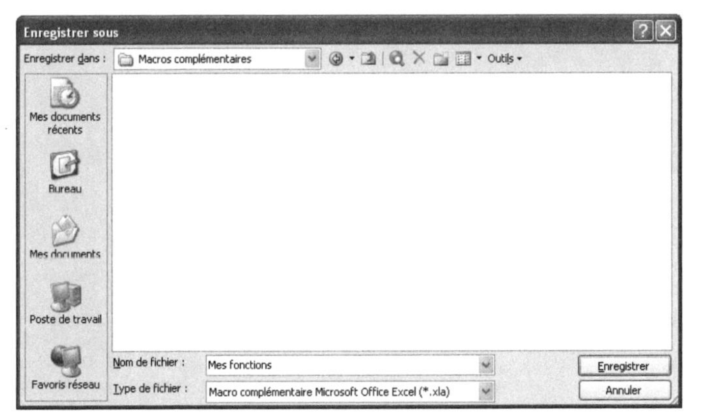

Figure 16-8 Enregistrement d'une macro complémentaire.

Note Par défaut, le fichier est enregistré dans un dossier spécial nommé Macros complémentaires. Il est conseillé d'utiliser ce dossier.

10 Cliquez le bouton **OK** pour enregistrer le classeur.

Une copie du classeur est enregistrée avec l'extension .xls, et le classeur d'origine reste ouvert.

11 Fermer le classeur d'origine sans l'enregistrer.

Vous pouvez maintenant utiliser vos fonctions sans charger d'autres classeurs ni préciser leur nom dans vos fonctions personnalisées.

1 Ouvrez un classeur existant ou créez un nouveau classeur.

2 Cliquez le menu **Outils → Macros complémentaires**.

3 Cliquez le bouton **Parcourir**.

4 Sélectionnez votre classeur de macros complémentaires puis cliquez le bouton **Ouvrir**.

Votre classeur de fonctions apparaît dans la liste **Macros complémentaires disponibles**.

5 Cliquez le nom de votre classeur de fonctions. Laissez le nom coché.

La zone en bas de la boîte affiche le titre et la description saisis précédemment (figure 16-9).

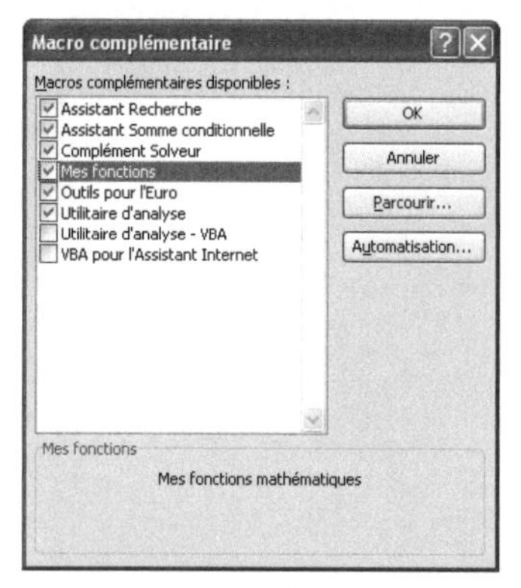

Figure 16-9 Ajout d'une macro complémentaire personnalisée.

6 Cliquez le bouton **OK**.

Vous pouvez maintenant utiliser vos fonctions personnalisées dans des formules sans préciser le nom du classeur.

Paramètres des fonctions personnalisées

Pour une bonne utilisation des fonctions personnalisées, vous pouvez ajouter des types aux arguments et à la valeur retournée. Pour définir les types, utilisez la syntaxe suivante :

```
 Function NomFonction (argument1 As type,
argument2 as type, …) As type.
```

Type correspond aux valeurs du tableau 15-1 du chapitre 15.

Cet exemple précise que les deux arguments de la fonction sont du type simple précision (Single) et que la fonction retourne une valeur de type double précision (Double) :

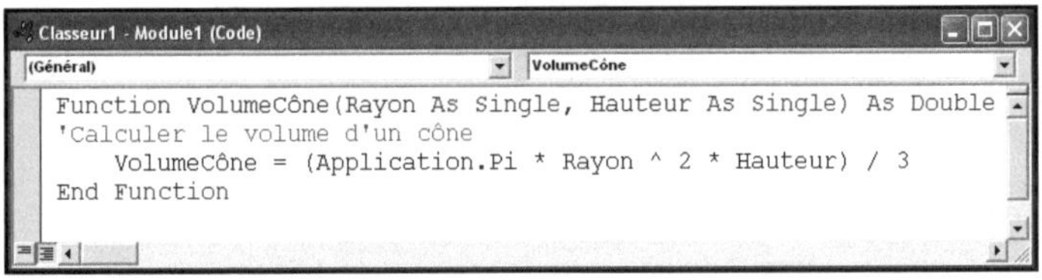

```
Classeur1 - Module1 (Code)
(Général)                    VolumeCône
Function VolumeCône(Rayon As Single, Hauteur As Single) As Double
'Calculer le volume d'un cône
    VolumeCône = (Application.Pi * Rayon ^ 2 * Hauteur) / 3
End Function
```

Figure 16-10 Fonction avec des types d'arguments définis.

Exemples de fonctions personnalisées

Voici quelques exemples pour vous donner des idées de créations de fonctions personnalisées.

Fonctions mathématiques

Vous pouvez facilement intégrer les exemples de la fin de chapitre 4 dans des fonctions personnalisées. Voici une transcription pour calculer le volume d'une sphère.

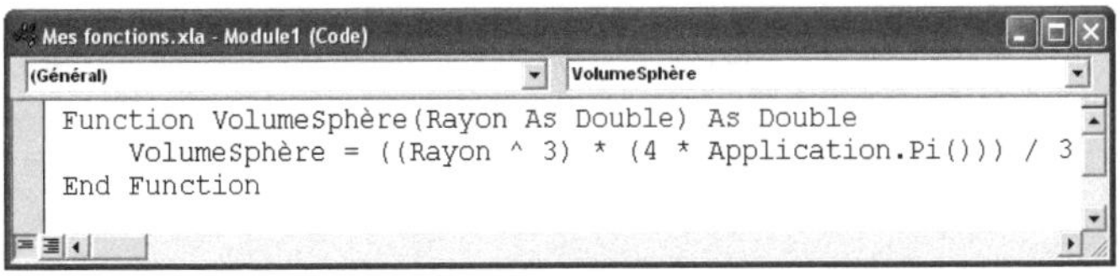

```
Mes fonctions.xla - Module1 (Code)
(Général)                    VolumeSphère
Function VolumeSphère(Rayon As Double) As Double
    VolumeSphère = ((Rayon ^ 3) * (4 * Application.Pi())) / 3
End Function
```

Figure 16-11 Fonction de calcul du volume d'une sphère.

Comme vous le constatez dans cet exemple, il suffit d'affecter la formule d'origine au nom de la fonction.

Fonctions de texte

Voici des exemples de fonctions qui manipulent des chaînes de caractères.

Inverser l'ordre des caractères d'une chaîne

Cette fonction inverse toutes les lettres d'une chaîne. Par exemple, le texte « Poche Micro » devient « orciM ehcoP ».

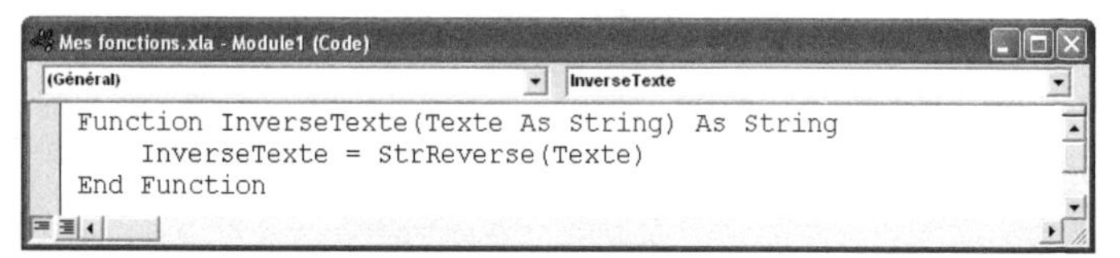

On utilise ici la fonction StrReverse de VB qui inverse les caractères d'une chaîne.

Initiales d'un texte

Cette fonction retourne les initiales des mots contenus dans un texte. Par exemple, le texte « Petites Moyennes Entreprises » devient « PME ».

Mes fonctions.xla - Module1 (Code)

(Général) | Initiales

```
Function Initiales(Texte As String) As String
    Initiales = Left(Texte, 1)
    For i = 2 To Len(Texte)
        If Mid(Texte, i, 1) = Chr(32) Then
            Initiales = Initiales & Mid(Texte, i + 1, 1)
        End If
    Next i
    Initiales = UCase(Initiales)
End Function
```

- `Initiales = Left(Texte, 1)` conserve le premier caractère.
- La boucle **For** parcourt tous les caractères sauf le premier.
- Le test **If** vérifie la présence d'un espace.
- `Initiales = Initiales & Mid(Texte, i + 1, 1)` conserve le caractère qui suit l'espace.
- La fonction **MID** correspond à la fonction Excel **STXT**, la fonction **Chr** à **CAR**, et la fonction **UCase** à **MAJUSCULE**.

Majuscules d'un texte

Cette fonction retourne les majuscules d'un texte. Par exemple, le texte « Petites et Moyennes Entreprises» devient « PME ». Contrairement à l'exemple précédent, la fonction ne tient pas compte du « et ».

Mes fonctions.xla - Module1 (Code)

(Général) | LesMajuscules

```
Function LesMajuscules(Texte As String) As String
For i = 1 To Len(Texte)
    If Asc(Mid(Texte, i, 1)) > 64 And _
                            Asc(Mid(Texte, i, 1)) < 91 Then
        LesMajuscules = LesMajuscules & Mid(Texte, i, 1)
    End If
Next i
End Function
```

- La boucle **For** parcourt tous les caractères.
- Le test **If** vérifie la présence d'une majuscule (A = 65 et Z = 90 en code ASCII).
- La fonction **Asc** correspond à la fonction Excel **CODE**.

Fonctions de date

Les deux exemples suivants manipulent des dates.

Trouver le prochain jour de la semaine d'une date

Cet exemple recherche le prochain jour de la semaine à partir d'une date (1er argument). Le deuxième argument est un nombre correspondant au jour de la semaine à trouver (1 pour dimanche, 2 pour lundi, etc.).

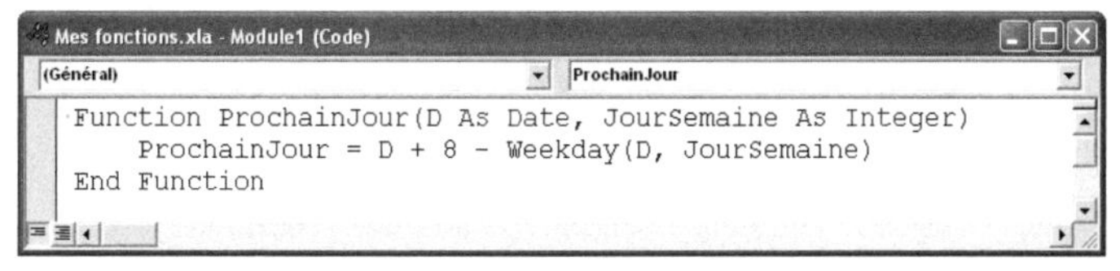


```
Function ProchainJour(D As Date, JourSemaine As Integer)
    ProchainJour = D + 8 - Weekday(D, JourSemaine)
End Function
```

- La fonction **Weekday** correspond à la fonction Excel **JOURSEM**.

Dans Excel, la formule suivante retourne 08/01/2006, premier dimanche qui suit le jour de l'an 2006.

```
=ProchainJour(DATEVAL("1/1/2006");1)
```

Trouver le numéro de semaine d'un mois

Cet exemple retourne le numéro de semaine dans le mois.

```
Mes fonctions.xla - Module1 (Code)
(Général)                                SemaineMois

Function SemaineMois(d As Date)
    PremierJour = Weekday(DateSerial(Year(d), Month(d), 1))
    SemaineMois = _
        Application.RoundUp((PremierJour + Day(d) - 1) / 7, 0)
End Function
```

- La fonction **DateSerial** correspond à la fonction Excel **DATE**.

Liste alphabétique des principales fonctions d’Excel

Fonction	Description
ABS	Retourne la valeur absolue d'un nombre.
ACOS	Retourne, en radians, l'arc cosinus d'un nombre.
ADRESSE	Crée une adresse de cellule sous forme de texte.
ALEA	Retourne un nombre aléatoire entre 0 et 1.
ANNEE	Retourne l'année contenu dans une date.
ARRONDI	Arrondit un nombre au nombre de chiffres spécifié.
ARRONDI.AU.MULTIPLE	Arrondit un nombre au multiple le plus proche.
ARRONDI.INF	Arrondit un nombre en tendant vers 0 avec le nombre de décimales spécifié.
ARRONDI.SUP	Arrondit un nombre en s'éloignant de 0 avec le nombre de décimales spécifié.
ASIN	Retourne, en radians, l'arc sinus d'un nombre.
ATAN	Retourne l'arc tangente d'un nombre.
AUJOURDHUI	Retourne la date actuelle de l'ordinateur.
BDECARTYPE	Retourne l'écart-type d'une population sur la base d'un échantillon.
BDECARTYPEP	Retourne l'écart-type d'une population à partir de la population entière.
BDLIRE	Retourne une seule valeur du champ spécifié.
BDMAX	Retourne la plus grande valeur du champ spécifié.
BDMIN	Retourne la plus petite valeur du champ spécifié.
BDMOYENNE	Retourne la moyenne des valeurs du champ spécifié.

Fonction	Description
BDNB	Retourne le nombre de valeurs d'un champ.
BDNBVAL	Retourne le nombre de cellules non vides d'un champ.
BDPRODUIT	Retourne la multiplication de toutes les valeurs du champ spécifié.
BDSOMME	Retourne la somme des valeurs du champ spécifié.
BDVAR	Retourne la variance d'une population sur la base d'un échantillon.
BDVARP	Retourne la variance d'une population à partir de la population entière.
CAR	Retourne le caractère correspondant au numéro spécifié.
CELLULE	Retourne des informations sur la mise en forme, la position ou le contenu d'une cellule.
CHERCHE	Cherche une chaîne à l'intérieur d'une autre chaîne.
CHOISIR	Retourne une des valeurs en arguments à partir d'un numéro d'index.
CODE	Retourne le numéro du premier caractère d'une chaîne.
COLONNE	Retourne le numéro de colonne d'une référence.
COLONNES	Retourne le nombre de colonnes d'une plage.
CONCATENER	Concatène des chaînes de caractères.
COS	Retourne le cosinus d'un angle en radians.
CTXT	Convertit un nombre au format texte avec un nombre de décimales précis.
DATE	Retourne le numéro de série d'une date, à partir de l'année, du mois et du jour.

Fonction	Description
DATEDIF	Retourne la différence entre deux dates.
DATEVAL	Retourne le numéro de série d'une date contenu dans une chaîne.
DECALER	Retourne les références d'une plage par rapport à une autre plage.
DEGRES	Convertit en degrés un nombre en radians.
DROITE	Retourne les *x* caractères de droite d'une chaîne.
ENT	Arrondit un nombre à l'entier inférieur le plus proche.
EPURAGE	Supprime tous les caractères non imprimables d'une chaîne.
EQUIV	Retourne la position d'une valeur à l'intérieur d'un tableau.
ESTERR	Retourne VRAI si l'argument fait référence à une cellule contenant une erreur (sauf #N/A).
ESTERREUR	Retourne VRAI si l'argument fait référence à une cellule contenant une erreur.
ESTLOGIQUE	Retourne VRAI si l'argument est une valeur logique.
ESTNA	Retourne VRAI si l'argument fait référence à une cellule contenant une erreur #N/A.
ESTNONTEXTE	Retourne VRAI si l'argument n'est pas un texte
ESTNUM	Retourne VRAI si l'argument est numérique.
ESTREF	Retourne VRAI si l'argument fait référence à une référence.
ESTTEXTE	Retourne VRAI si l'argument est un texte.
ESTVIDE	Retourne VRAI si l'argument fait référence à une cellule vide.

Fonction	Description
ET	Retourne VRAI si tous les arguments sont vrais.
EXACT	Retourne VRAI si une chaîne est identique à une autre chaîne.
EXP	Renvoie la constante e élevée à la puissance.
FACT	Retourne la factoriel d'un nombre
FIN.MOIS	Renvoie le numéro de série du dernier jour d'un mois par rapport à une date.
FRANC	Convertit un nombre au format texte et ajoute le symbole monétaire par défaut.
GAUCHE	Retourne les *x* caractères de gauche d'une chaîne.
HEURE	Retourne un nombre correspondant aux heures contenues dans une heure.
IMPAIR	Arrondit un nombre à l'entier impair le plus proche en s'éloignant de 0.
INDEX	Retourne, d'une plage, la référence de la cellule située à l'intersection d'une ligne et d'une colonne.
INDIRECT	Retourne la référence spécifiée par une chaîne de caractères.
INFORMATIONS	Retourne des informations sur le système.
INTPER	Retourne, pour une période précise, le montant des intérêts d'un emprunt.
JOUR	Retourne le jour contenu dans une date.
JOURS360	Retourne le nombre de jours compris entre deux dates sur la base d'une année de 360 jours.
JOURSEM	Retourne le jour de la semaine sous la forme d'un nombre.
LIEN_HYPERTEXTE	Crée un raccourci pour ouvrir un document stocké sur un serveur intranet ou Internet.

Fonction	Description
LIGNE	Retourne le numéro de ligne d'une référence.
LIGNES	Retourne le nombre de lignes d'une plage.
LIREDONNEESTAB CROISDYNAMIQUE	Extrait une donnée d'un tableau croisé dynamique.
LN	Retourne le logarithme népérien d'un nombre.
LOG	Retourne le logarithme d'un nombre dans la base spécifiée.
LOG10	Retourne le logarithme en base 10 d'un nombre.
MAINTENANT	Retourne la date et l'heure de l'ordinateur.
MAJUSCULE	Convertit une chaîne en majuscules.
MINUSCULE	Convertit une chaîne en minuscules.
MINUTE	Retourne un nombre correspondant aux minutes contenues dans une heure.
MOD	Retourne le reste d'une division.
MOIS	Retourne le mois contenu dans une date.
MOIS.DECALER	Renvoie le numéro de série d'une date, corrigée d'un nombre de mois.
MOYENNE	Retourne la moyenne des arguments spécifiés.
NB	Retourne le nombre de cellules contenant des nombres ou des dates.
NB.JOURS.OUVRES	Retourne le nombre de jours ouvrés compris entre deux dates.
NB.SI	Retourne le nombre de cellules à l'intérieur d'une plage.
NB.VIDE	Retourne le nombre de cellules vides.
NBCAR	Retourne le nombre de caractères d'une chaîne.

Fonction	Description
NBVAL	Retourne le nombre de cellules non vides.
NO.SEMAINE	Renvoie le numéro de la semaine dans l'année.
NOMPROPRE	Convertit en majuscule la première lettre de chaque mot d'une chaîne.
NON	Inverse la valeur logique de l'argument.
NPM	Retourne le nombre de paiements d'un prêt.
OU	Retourne VRAI si au moins un argument est vrai.
PAIR	Arrondit un nombre à l'entier pair le plus proche en s'éloignant de 0.
PGCD	Retourne le plus grand commun diviseur.
PI	Retourne la valeur du nombre PI (3,1415926...).
PLAFOND	Arrondit un nombre au multiple le plus proche en s'éloignant de 0.
PLANCHER	Arrondit un nombre au multiple le plus proche en se rapprochant de 0.
PPCM	Retourne le plus petit commun multiple.
PRINCPER	Retourne, pour une période précise, le remboursement du principal d'un prêt.
PRIX.DEC	Retourne sous forme de nombre décimal, un nombre exprimé sous forme de fraction.
PRIX.FRAC	Retourne sous forme de nombre avec fraction, un nombre décimal.
PRODUIT	Retourne le produit de la multiplication entre tous les arguments spécifiés.
PUISSANCE	Retourne un nombre élevé à une puissance.
QUOTIENT	Renvoie la partie entière du résultat d'une division.
RACINE	Retourne la racine carrée d'un nombre.

Fonction	Description
RADIANS	Convertit en radians un nombre en degrés.
RECHERCHE	Recherche une valeur dans une plage en lignes ou en colonnes.
RECHERCHEH	Recherche une valeur se trouvant dans la première ligne d'un tableau.
RECHERCHEV	Recherche une valeur se trouvant dans la première colonne d'un tableau.
REMPLACER	Remplace une partie d'une chaîne par une autre chaîne.
REPT	Répète *x* fois une chaîne.
ROMAIN	Convertit un chiffre arabe en chiffre romain
SECONDE	Retourne un nombre correspondant aux secondes contenues dans une heure.
SERIE.JOUR.OUVRE	Renvoie le numéro de série d'une date, corrigée d'un nombre de jours ouvrés.
SI	Permet de décider du résultat d'une cellule après un test logique.
SIGNE	Retourne le signe d'un nombre.
SIN	Retourne le sinus d'un angle en radians.
SOMME	Retourne la somme des arguments spécifiés.
SOMME.CARRES	Retourne la somme des carrés des valeurs en arguments.
SOMME.SI	Retourne la somme des cellules à l'intérieur d'une plage.
SOMMEPROD	Retourne la multiplication des valeurs de plusieurs matrices et additionne la somme de ces produits.
STXT	Retourne les *x* caractères d'une chaîne à partir de la position spécifiée.
SUBSTITUE	Remplace une portion de texte d'une chaîne par une autre chaîne.

Fonction	Description
SUPPRESPACE	Supprime les espaces d'une chaîne en ne gardant que ceux entre les mots.
TAN	Retourne la tangente d'un angle en radians.
TAUX	Calcule le taux d'intérêt par période d'un investissement.
TEMPS	Retourne le numéro de série d'une heure, à partir des heures, des minutes et des secondes.
TEMPSVAL	Retourne le numéro de série d'une heure contenu dans une chaîne.
TEXTE	Convertit un nombre en texte dans le format spécifié.
TRI	Calcule le taux de rentabilité interne d'un investissement.
TRONQUE	Supprime la partie décimale d'un nombre.
TROUVE	Cherche une chaîne à l'intérieur d'une autre chaîne à partir du xe caractère.
TYPE	Retourne un numéro correspondant au type de l'argument.

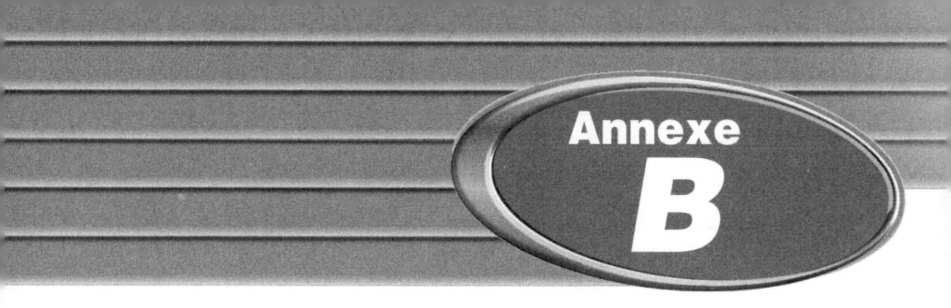

Raccourcis clavier

Aide

F1	afficher l'aide
Maj+F1	afficher l'aide contextuelle

Calculs

F9	calculer tous les classeurs ouverts
Ctrl+Alt+F9	calculer toutes les feuilles du classeur actif, y compris les fonctions personnalisées en Visual Basic
Maj+F9	calculer la feuille active

Gestion du contenu des cellules et des feuilles

F2	mettre la cellule active en mode édition
Échap	annuler la saisie d'une cellule
Ctrl+Z	annuler la dernière action
Ctrl+Y ou F4	répéter la dernière action
Ctrl+D	recopie dans la cellule active le contenu de la cellule à gauche
Ctrl+B	recopie dans la cellule active le contenu de la cellule au-dessus
Ctrl+K	insérer un lien hypertexte
Ctrl+ ; (point-virgule)	insérer la date actuelle
Ctrl+ : (deux points)	insérer l'heure actuelle
Ctrl+F3	créer un nom de cellule ou de plage

Ctrl+Maj+F3	créer des noms à partir des étiquettes de lignes et de colonnes
Ctrl+X	couper
Ctrl+C	copier
Ctrl+V	coller
Ctrl+*	sélectionner le tableau autour de la cellule active
Ctrl+Espace	sélectionner la colonne de la cellule active
Ctrl+A	sélectionner toute la feuille
Ctrl+"	afficher ou masquer les formules
Ctrl++	insérer des lignes, des colonnes ou des cellules en fonction de la sélection
Ctrl+-	supprimer des lignes, des colonnes ou des cellules en fonction de la sélection
Alt+=	insérer la fonction Somme
F3	coller un nom prédéfini dans une formule
Ctrl+F3	définir un nom
Maj+F11	insérer une nouvelle feuille
F11	créer un graphique avec les données de la plage sélectionnée

Format

Ctrl+Maj+1	afficher la boîte Format de cellule
Ctrl+M	appliquer le format monétaire
Ctrl+Maj+%	appliquer le format pourcentage
Ctrl+J	appliquer le format date
Ctrl+Q	appliquer le format horaire
Ctrl+E	appliquer le format scientifique
Ctrl+R	appliquer le format standard

Mise en forme

Ctrl+G	appliquer ou ôter l'attribut Gras
Ctrl+I	appliquer ou ôter l'attribut Italique
Ctrl+U	appliquer ou ôter l'attribut Souligné
Ctrl+Maj+5	appliquer ou ôter l'attribut Barré
Ctrl+Maj+o	appliquer un contour aux cellules sélectionnées

Commandes globales

Ctrl+O	ouvrir un classeur
Ctrl+S	enregistrer le classeur actif
Ctrl+N	créer un nouveau classeur
Ctrl+W	fermer le classeur actif
Ctrl+P	afficher la boîte Imprimer
Ctrl+F	ouvrir la boîte Rechercher
Ctrl+H	ouvrir la boîte Remplacer
Crtl+_	afficher ou masquer la barre d'outils Standard
F7	vérifier l'orthographe
Alt+F11	afficher l'Éditeur de Visual Basic

Visual Basic

Alt+F11	afficher Excel
Alt+Q	fermer Visual Basic et revenir à Excel
Ctrl+M	importer un fichier
Ctrl+E	exporter un fichier
Ctrl+G	afficher la fenêtre Exécution
Ctrl+R	afficher la fenêtre de Projets
F7	afficher la fenêtre de code (feuille de module)
F8	pas à pas détaillé
Maj+F8	pas à pas principal
F9	ajouter un point d'arrêt à la position du curseur
Ctrl+Maj+F9	effacer tous les points d'arrêt
F5	exécuter la procédure
Ctrl+Arrêt	arrêter la procédure

Index

Symboles

A

B

C

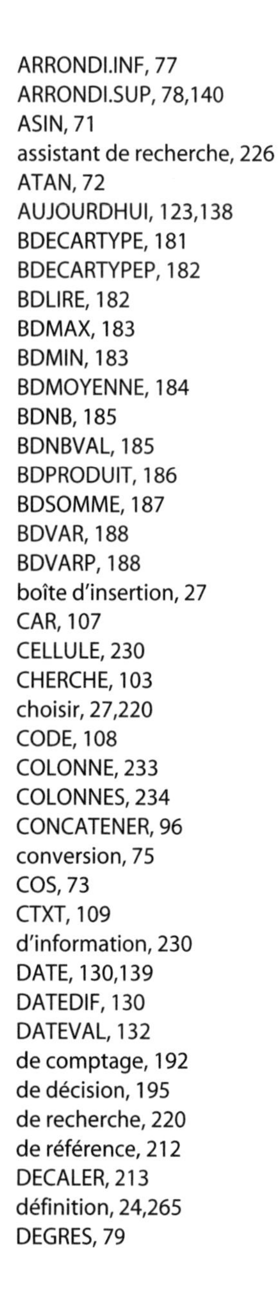

G

H

I

J

L

M

N

U

V

V

W

Z

Achevé d'imprimer par Corlet, Imprimeur, S.A. - 14110 Condé-sur-Noireau
N° d'Imprimeur : 95202 - Dépôt légal : octobre 2006 - *Imprimé en France*

Poche Micro VBA pour Office

ISBN : 2-84427-606-7

L'Assistant visuel Excel 2003

ISBN : 2-84427-499-4

Guide des Meilleures astuces Excel 2002 2003

ISBN : 2-84427-712-8

VBA pour Access - Programmation macro

ISBN : 2-84427-672-5

Formules et Fonctions Excel 2003

ISBN : 2-84427-563-X

Pour en savoir plus sur nos publications, consultez notre site web à l'adresse **www.efirst.com**.

À mon avis, « Poche Micro Fonctions et Macros Excel » est

❏ Excellent ❏ Moyen
❏ Satisfaisant ❏ Insuffisant

Ce que je préfère dans ce livre

....
....
....
....

Mes suggestions pour l'améliorer

....
....
....
....

En informatique, je me considère comme

❏ Débutant ❏ Expérimenté
❏ Initié ❏ Professionnel

J'utilise l'ordinateur

❏ Au bureau ❏ À l'école
❏ À la maison ❏ Autre : ....

Nom ....
Prénom ....
Adresse..
Code postal ....Ville..
Pays ....

Fiche Lecteur à découper ou à photocopier.
Adresse au verso

AFFRANCHIR
AU TARIF
LETTRE

Éditions First Interactive
27, rue Cassette
75006 PARIS
France